Eisteddfod Genedlaet|

SIR DDINBYCH A'R CYFFINIAU
2 0 0 1

CYFANSODDIADAU
a
BEIRNIADAETHAU

Golygydd:
J. ELWYN HUGHES

Cyhoeddir gan Wasg Dinefwr
dros Lys yr Eisteddfod Genedlaethol

ISBN 0 9538554 8 1

Argraffwyd gan Wasg Dinefwr
Heol Rawlings, Llandybïe, Sir Gaerfyrddin

CYNGOR YR EISTEDDFOD GENEDLAETHOL 2001

CYMRODYR

W. Emrys Evans
W. R. P. George
Gwilym E. Humphreys
Norah Isaac
James Nicholas

SWYDDOGION Y LLYS

Llywydd
Aled Lloyd Davies

Is-Lywyddion
Meirion Evans (Archdderwydd)
Eifion Lloyd Jones (Cadeirydd Pwyllgor Gwaith Sir Ddinbych a'r Cyffiniau)
D. J. Thomas (Cadeirydd Pwyllgor Gwaith Sir Benfro, Tyddewi)

Cadeirydd y Cyngor
R. Alun Evans

Is-Gadeirydd y Cyngor
D. Hugh Thomas

Cyfreithwyr Mygedol
W. R. P. George
Emyr Lewis

Trysorydd
Eric Davies

Ymgynghorydd Ariannol
W. Emrys Evans

Cofiadur yr Orsedd
Jâms Nicolas

Ysgrifenyddion
Huw Davies
151 Heol Saron, Saron, Rhydaman, Sir Gaerfyrddin, SA18 3LN
Geraint R. Jones
Gwern Eithin, Glan Beuno, Bontnewydd, Caernarfon, Gwynedd

Cyfarwyddwr
Elfed Roberts
40 Parc Tŷ Glas, Llanisien, Caerdydd, CF14 5WU (029 20763777)

Trefnydd yr Eisteddfod
Hywel Wyn Edwards

RHAGAIR

Yn y lle cyntaf, rwy'n siŵr yr hoffai darllenwyr selog y *Cyfansoddiadau a Beirniadaethau* ymuno efo fi i ddymuno'n dda i W. J. Jones, a roes y gorau i'w swydd eleni fel Golygydd cyfrol *Cyfansoddiadau a Beirniadaethau* Eisteddfodau Cenedlaethol y De. Olynodd y diweddar Barchedig W. Rhys Nicholas yn 1990 a chyfrol Eisteddfod Cwm Rhymni y flwyddyn honno oedd y gyfrol gyntaf iddo'i golygu. Yn dilyn hynny, bu'n gyfrifol am lywio pump o gyfrolau eraill drwy'r wasg ac er cyn lleied o amser a geir i wneud y gwaith – rhyw ychydig wythnosau'n unig – llwyddodd W.J. i gyflwyno cyfrolau swmpus, graenus, a adlewyrchai ei fanylder a'i drylwyredd fel golygydd. Yn awr, fy mraint innau yw derbyn gwahoddiad Cyngor yr Eisteddfod i olynu W. J. Jones ac i ymgymryd â golygu *Cyfansoddiadau a Beirniadaethau* y Gogledd a'r De o hyn ymlaen.

Bu cydweithrediad mwyafrif y beirniaid yn gaffaeliad amhrisiadwy wrth i mi fynd ati i olygu a pharatoi'r gyfrol hon ar gyfer ei chyhoeddi. Roedd derbyn bron i hanner y beirniadaethau naill ai ar ddisg neu drwy'r e-bost yn hwyluso fy ngwaith yn arw ac nid oes amheuaeth na fydd mwy a mwy o'n beirniaid cenedlaethol yn llwyddo i feistroli'r dechnoleg newydd yn y dyfodol agos iawn. Mae'n rhyfedd fel mae'r rhod yn troi; ddechrau wyth degau'r ganrif ddiwethaf, ymhyfrydwn fod beirniadaethau teipiedig yn cymryd lle'r rhai a gyflwynid mewn llawysgrifen – eleni, tair beirniadaeth yn unig a luniwyd ar deipiadur; roedd y gweddill wedi eu teipio ar brosesyddion geiriau.

Mae'n rhaid i mi eto longyfarch y beirniaid hynny a ymdrafferthodd i ddilyn patrwm arferol y beirniadaethau cyhoeddedig a diolch i'r rhai hynny a ddewisodd gadw at y cyfarwyddiadau a'r canllawiau a gynhwysir yn y Rhagair i'r gyfrol hon o flwyddyn i flwyddyn. O'r 63 o feirniadaethau a ddaeth i law, cyrhaeddodd 55 erbyn y dyddiad cau neu'n fuan iawn ar ôl hynny. Aeth dau becyn o gyfansoddiadau am dro i Ganolfan Ddosbarthu'r Swyddfa Bost yng Ngogledd Iwerddon cyn cyrraedd yn ôl i Gymru tua chanol Mehefin; ymatebodd y ddau feirniad (Cystadlaethau 113 ac 179) yn rhyfeddol o gyflym gyda'u beirniadaethau ac, er mor ben set oedd hi, llwyddwyd i'w cynnwys yn y gyfrol. Tua mis ar ôl y dyddiad cau y cyrhaeddodd yr olaf o'r beirniadaethau ataf, a'r feirniadaeth honno hefyd wedi bod ar grwydr, yn ôl pob sôn.

O safbwynt y cyfansoddiadau, gwaith hawdd yw penderfynu cynnwys rhai gweithiau buddugol yn y gyfrol – fel yn achos yr awdl, a dilyniant, yr englyn, etc. Nid mor hawdd yw cynnwys rhai o'r cyfansoddiadau rhyddiaith a ddyfernir yn fuddugol. Eleni, er enghraifft, ni ellid cynnwys ond *un* o gyfres o *chwe* ymson yng Nghystadleuaeth 182 (a chyda llaw, llithriad oedd y gair *ymrysonau* – yn lle *ymsonau* – yn y *Rhestr Testunau* ac felly, hefyd, *ugeiniadau* yn lle *ugeinedau* yng Nghystadleuaeth 173). Ar y llaw arall, roedd y gwaith buddugol yng Nghystadleuaeth 183 yn gyfrol swmpus ynddi'i hun ac nid teg â'r awdur na'r darllenydd fyddai dyfynnu rhannau digyswllt gan ddifetha rhediad ac undod y cyfanwaith. Y broblem arall a gyfyd yn achos y cyfansoddiadau buddugol yw'r cywiro a'r golygu. Mae ôl golygu gofalus ar rai cyfansoddiadau ond ceir ambell ymgais lle mae'r gwallau'n amlach ac amlycach. Fel rheol, ceisir cael gwared â llithriadau sillafu a mân wendidau iaith, gan osgoi ymyrryd gormod ag arddull y gwreiddiol. Cyfyd achosion, wrth gwrs, lle na ellir cywiro ambell lithriad iaith heb amharu, er enghraifft, â'r gynghanedd mewn darn o farddoniaeth gaeth; ar adegau eraill, bernir na ellir cywiro rhai camgymeriadau gan fod y beirniaid eu hunain yn crybwyll bod gwallau gan y cystadleuydd.

Wrth baratoi'r gyfrol ar gyfer y wasg, cefais gydweithrediad arferol Hywel Wyn Edwards, Trefnydd Eisteddfodau'r Gogledd, a bu cymorth amhrisiadwy Lois yn Swyddfa'r Eisteddfod yn allweddol bwysig ar hyd y daith. Hoffwn hefyd gydnabod cymorth parod Dylan Jones, Y Bala, a Joan Wyn Hughes, Dolgellau, am gyfrannu o'u harbenigedd hwythau. Bu'r cydweithio gydag Eddie John yng Ngwasg Dinefwr unwaith eto'n rhyfeddol o ddidrafferth a diolchaf iddo am ei amynedd, ei hynawsedd a'i waith rhagorol.

J. Elwyn Hughes

CYNNWYS

(Nodir rhif y gystadleuaeth yn ôl y *Rhestr Testunau* ar ochr chwith y dudalen)

* * *

ADRAN LLENYDDIAETH

BARDDONIAETH

187. **Nofel i blant hŷn wedi'i gosod mewn coleg, gwersyll gwyliau neu ysbyty.**
Y bwriad yw cael nofel fer wedi'i hanelu at rai yn eu harddegau cynnar, ac wedi'i lleoli mewn coleg, gwersyll gwyliau neu ysbyty. O gael nofel addas, gallai fod y gyntaf mewn cyfres fer yn delio â hanes criw o gymeriadau. Dylai'r nofel orffenedig fod tua 17,000-23,000 o eiriau. Gofynnir am 7,000 o eiriau ac amlinelliad o'r nofel gyfan. Cynigir tâl comisiwn o £500 am y gwaith gorffenedig. Bydd Cyngor Llyfrau Cymru'n ystyried cyfrannu swm pellach o hyd at £1,000 (cyfanswm o hyd at £1,500 yn cynnwys comisiwn yr Eisteddfod). Os cyhoeddir y gwaith, bydd taliadau breindal yn ychwanegol.
Gwobr: £500 (Gwobr Nawdd y Coleg Normal, Bangor).
Beirniad: Meinir Pierce Jones.
Buddugol: *Eslyn* (Glenys Lloyd, Cochwillan, Talybont, Bangor, Gwynedd, LL57 3AZ). 143

188. **Llyfr ffeithiol, diddorol yn portreadu trosedd neu drychineb enwog a ddigwyddodd yn yr hanner canrif ddiwethaf.**
Gall fod yn ddamwain o ryw fath, neu'n drosedd megis herwgipio, a hynny yng Nghymru neu'r tu allan i Gymru. Dylai'r gyfrol orffenedig fod tua 30,000-40,000 o eiriau. Gofynnir am sampl o 10,000 o eiriau ac amlinelliad o weddill y gwaith. Cynigir tâl comisiwn o £500 am y gwaith gorffenedig. Bydd Cyngor Llyfrau Cymru'n ystyried cyfrannu swm pellach o hyd at £1,000 (cyfanswm o hyd at £1,500 yn cynnwys comisiwn yr Eisteddfod). Os cyhoeddir y gwaith, bydd taliadau breindal yn ychwanegol.
Gwobr: £500 (Siop Clwyd, Dinbych).
Beirniad: Gwyn Llewelyn.
Atal y wobr. 145

ADRAN DRAMA

109. **Drama hir agored,** o leiaf awr a hanner o hyd,
neu
Cyfres o ddramâu ag iddynt gysylltiad, heb fod yn llai nag awr a hanner o hyd.
Gwobr: £4,200* i'w ddyfarnu gan y beirniad. [* Ar gyfer y gystadleuaeth arbennig hon, y mae swm o arian hyd at £3,000 (yn ychwanegol at y wobr arferol o £1,200) yn rhoddedig gan Gwmni Theatr Cymru.]
Beirniaid: Tim Baker, Alun Ffred.
Atal y wobr. 147

189. **Ysgoloriaeth Geraint Morris.**
Er cof am Geraint Morris.

Pwrpas yr Ysgoloriaeth hon yw hyrwyddo'r grefft o ysgrifennu sgript-iau ffilm ymysg yr ifanc, ac fe'i dyfernir yn flynyddol i'r ymgeisydd mwyaf addawol, rhwng 18 a 25 oed, er mwyn ei (g)alluogi i dderbyn hyfforddiant pellach yn y grefft o sgriptio. Mae'r ysgoloriaeth yn agored i rai a aned yng Nghymru neu sydd o dras Gymreig, neu i rai a fu'n byw neu'n gweithio yng Nghymru am gyfnod o dair blynedd cyn dyddiad yr Eisteddfod, neu i unrhyw un sy'n medru siarad neu ysgrifennu'r Gymraeg. Disgwylir i bob ymgeisydd gyflwyno sgript ffilm fer, rhwng deng munud a hanner awr o hyd, ar bwnc o ddewis yr unigolyn.
Gwobr: Bydd yr Ysgoloriaeth werth £500, ac yn ddilys am gyfnod o flwyddyn o'r adeg y'i dyfernir. Bydd y buddugol hefyd yn derbyn gwerth £500 o hyfforddiant, rhoddedig gan Cyfle.
Beirniaid: Peter Edwards.
Buddugol: *Julia Gitâr* (Fflur Dafydd, Heather Bank Cottage, Lôn Brynteg, Glyngarth, Porthaethwy, Ynys Môn, LL59 5NU).

ADRAN DYSGWYR

Cyfansoddi i Ddysgwyr

125. **Dyddiadur wythnos.**
Lefel: 1.
Gwobr: £50 (Cronfa Goffa Frances Tecwyn Lloyd).
Beirniad: Mair Spencer.
Dyfarniad: £15 yr un i *Enfys* (Norma Wiley, d/o Bryn Eithinog, Bwlch, Tyn y Gongl, Ynys Môn, LL74 8RH) ac i *Mona* (Sarah Jane Smullen, Stonyway, Ffordd Cynlas, Benllech, Ynys Môn, LL74 8SP); £10 i *Y Gwylan* (John D. G. Williams, 34 Nant y Glyn, Llanrug, Caernarfon, Gwynedd, LL55 4AP); £5 i *Philip Mitchell* (Rachel Francis, 17a Elking-ton Road, Porth Tywyn, Sir Gaerfyrddin, SA16 0AA) a £5 i *Siân Alyn* (Jean O'Brien, Caer Ffynnon, Maes y Dre, Ffordd Dinbych, Yr Wydd-grug, Sir y Fflint).

126. **Sgwrs** dros y ffens.
Lefel: 2.
Gwobr: £50 (Ieuan a Beryl Lloyd, Llanrhaeadr).
Beirniad: Aled Davies.
Buddugol: *Amserhwylio* (Peter Tredgett, Carrog, Llanbedrog, Pwllheli, Gwynedd, LL53 7PF).

132. **Cywaith grŵp:** Y profiad o ddysgu Cymraeg. Rhwng 10-15 o gyfran-
iadau.
Lefel: Agored.
Gwobr: £100 (Cronfa Goffa Frances Tecwyn Lloyd).
Beirniad: Meic Raymant.
Buddugol: *Y Doeth a'r Deallus* (Dosbarth Nos 'Meistroli' Yr Wyddgrug,
Tŷ Pendref, Pwllglas, Yr Wyddgrug, Sir y Fflint, CH7 1RA).   175

133. **Cywaith grŵp:** Cyfrol o gerddi gwreiddiol. Rhwng 10-15 o eitemau.
Lefel: Agored.
Gwobr: £100
Beirniad: Myrddin ap Dafydd.
Ni fu cystadlu.

YSGOLION

Blwyddyn 7, 8, 9 a 10

134. **Prosiect personol.**
'Dathliadau'.
Gwobr: £50.
Beirniad: Philip Davies.
Ni fu cystadlu.

Blwyddyn 11, 12 a 13

135. **Prosiect personol.**
'Mwynhau'.
Gwobr: £50.
Beirniad: Euros Jones Evans.
Ni fu cystadlu.

PARATOI DEUNYDD AR GYFER DYSGWYR
Agored i ddysgwyr a siaradwyr Cymraeg

136. **Gêm fwrdd** ar gyfer teuluoedd sy'n dysgu Cymraeg.
Gwobr: £75.
Beirniad: Elwyn Hughes.
Buddugol: *B.M.* (Pat Neill, 3 Parc yr Efail, Cross Inn, Llandysul, Ceredig-
ion, SA44 6LJ).   175

**Cystadleuaeth i ddisgyblion ysgolion uwchradd
a cholegau trydyddol dan 19 oed**

89. **Ffolio** o waith amrywiol i gynnwys dim mwy na 5 o ddarnau.
Gwobr: £200.
Beirniaid: Pwyll ap Siôn.
Dyfarniad: £100 i *Mefus* (Owain Llwyd, Fferm Fron Isaf, Glyndyfrdwy,
Corwen, Sir Ddinbych, LL21 9BP); £50 yr un i *Gruff* (Caradog Williams,
121 Heol Elkington, Porth Tywyn, Sir Gaerfyrddin, SA16 0AB) ac i
Alan Partridge (Rhys Taylor, 24 Maes Ceinion, Waunfawr, Aberystwyth,
Ceredigion, SY23 3QQ).   197

ADRAN CERDD DANT

26. **Dan 25 oed.**
Gosod Ysgrifenedig.
Tri gosodiad ar gyfer plant/ieuenctid: (i) 'Fy ngardd' (unsain), Lis
Jones, *Byw a bod yn y bath.* Cainc: 'Hawys', Mona Meirion, (1122), *Tant
i'r plant.* (ii) 'Breuddwyd' (unsain), Iwan Morgan, *Gair i'r Gainc.* Cainc:
'Porth y Castell', Eleri Owen, (122122), *Llety'r Bugail.* (iii) 'Un seren'
(deulais), Meirion MacIntyre Huws, *Nadolig, Nadolig.* Cainc: 'Mebyn
Mair', trefniant Dafydd Huw, (122122), *Dyffryn Conwy a cheinciau eraill.*
Gwobr: £150 i'w rannu yn ôl doethineb y beirniad (Meirion Davies a'i
Gwmni, Prion).
Beirniad: Nia Clwyd.
Ni fu cystadlu.

27. **Agored.**
(i) Cainc 12 bar y pen, 3 churiad i'r bar, tri phennill i'r cylch. (ii)
Cainc 20 bar y pen, 2 guriad i'r bar gyda'r ffurf yn agored.
Gwobr: £150.
Beirniad: Menai Williams.
Dyfarniad: £50 i *Hulona* (Morfudd Sinclair, 102 Lickhill Road, Stourport
on Severn, Worcester, DY13 8SE) a £40 i *Anest ag Elain* (Alun Tegryn
Davies, Rhoshelyg, 19 Heol y Wern, Aberteifi, Ceredigion).   200

ADRAN LLENYDDIAETH
BARDDONIAETH

Awdl: Dadeni. Cerdd mewn cynghanedd gyflawn ar fwy nag un o'r mesurau caeth traddodiadol heb fod dros 200 llinell

BEIRNIADAETH DIC JONES

Chwe chystadleuydd a'r cerddi i gyd o safon galonogol iawn.

Medad: Hwyrach mai dyma'r cystadleuydd lleiaf profiadol, er nad yw ef yn anobeithiol, o bell ffordd. Mae ganddo nifer o wallau cynganeddol sy'n awgrymu mai rhywun ar ei brifiant ydyw. Os felly, hoffwn ei sicrhau y gwn am un prifardd, o leiaf, a fyddai'n falch petai'i ymdrechion cyntaf ef wedi bod cystal â hyn.

Ceir ganddo ddigon o gwpledi a phenillion sy'n haeddu'u dyfynnu, megis hwn pan yw'n darlunio'r wlad ar dywydd rhew: 'Y swynwr hy, Sion yr iâ/un noson fu'n busnesa'. Teimlo yr wyf, fodd bynnag, y gallai fod yn fwy uniongyrchol ei ymadroddi mewn mannau eraill, gan hepgor unrhyw beth a fyddai'n tueddu i gymhlethu'i weledigaeth. Mae pennill fel hwn yn amheuthun (ar wahân i'r ail linell):

> Edrych – llyfr hud a lledrith:
> i un blin nid rhin ond rhith
> yw'r wlad wen dan gwrlid iâ:
> iau o oerfel dros borfa,
> yr afon wedi'i chronni
> a'r lluwch yn caethiwo'r lli,
> brigau'n freichiau barugog
> a dwylo crin eu dail crog.

Mae'r ddawn ganddo'n ddiamau; ei drafferth yw gosod y darnau disglair hyn yng nghyd-destun ehangach ei thema. Digon dryslyd y cefais i honno. Hyd y medrais i ddeall, tad wedi colli'i gymar, un ai drwy angau neu wahanu, sydd yma, yn ceisio dadeni'r llun o'i orffennol gyda'i blentyn. Ond mae delwedd-au'r nos a'r llun yn cael eu cymysgu â'r ddelwedd o gorryn fel nad yw dyn yn sicr beth yw beth yn fuan iawn. Canolbwyntied ar grefft cynganeddu ac union-gyrchedd.

Prysor: Mae'r bardd hwn yn gwbl sicr ei gynghanedd – ni sylwais ar ddim ond un llinell amheus ganddo a dichon y gellid cyfiawnhau honno ('Dan ofn yng nghell Dinefwr'). Eithr y mae'n rhaid nodi mai ar draul eglurder yn aml y mae'n cynganeddu'n gywir. Yn rhy fynych, ceir ganddo eiriau anaddas neu ansathredig: er enghraifft, 'hylon', 'hyfwyn', 'ferllyd' a'u tebyg ac os nad cambrint ydyw, beth yw ystyr 'lad' yn y llinell 'am lad Duw'n aros, am haul tynerwch'? A beth yw arwyddocâd y bwlch yn y llinell 'Ai . . ., tybed, mae'n hynod debyg'. Ydy'r darllenydd i fod i 'lenwi'r bwlch' fel y gwnâi mewn gwerslyfrau Cymraeg slawer dydd? O, chware teg 'nawr – nid pos yw barddoniaeth i fod!

Fy nghyngor i iddo, ac i *Medad* hefyd, fyddai iddynt ddarllen neu ddangos eu cerddi i rywun arall cyn bodloni ar eu ffurf derfynol oherwydd, pan fo rhywun wedi treulio amser uwchben pennill neu gwpled, bydd ei ystyr yn gwbl amlwg iddo ef ei hun ond nid yw hynny o anghenraid yn wir am ei gynulleidfa. Mae geiriau ac iddynt wahanol gynodiadau i wahanol wrandawyr ac, wedi'r cwbl, cyfathrebu mewn rhyw fodd neu'i gilydd yw diben pob llên.

Ond i ddod at thema cerdd *Prysor*. Hyd y medrais i ddeall, craidd y gân yw'r syniad mai dadeni yn yr ystyr o aileni yw marwolaeth, bod yr ysbryd yn cael ei ryddhau i fywyd newydd. Ond mae *Geiriadur Prifysgol Cymru* yn rhoi 'dadwneud creadigaeth' fel ystyr arall i'r gair. Felly, gellid dal bod cerdd *Prysor* yn cyfuno'r ddau (fel y mae mwy nag un o'r awdlwyr hyn yn ei wneud). Egyr y gân gyda darn o gywydd athronyddol ei naws. Yna, traethir braidd yn ddieneiniad ar esblygiad dynoliaeth, gan drafod ein hagwedd at farwolaeth. Yn benodol, marwolaeth 'y ddol-gŵyr fach' (geneth ifanc, gallwn feddwl), ac mae gweddill y gerdd yn ymwneud â dadeni ei hysbryd hi ar 'Endor, y blaned landeg' (ai'r nefoedd?). Mae'n gyfansoddiad sy'n tafoli rhwng y seciwlar a'r crefyddol, gyda gogwydd cryf at yr ysbrydegol ac nid oes neb a all warafun i'r prydydd ei hawl i'w safbwynt ei hun ar y materion hynny. Yr hyn sydd o bwys yw a ydyw wedi awenyddu ei fater. Mewn mannau, do. Mae llinell fel hon, er enghraifft (am angladd y ferch honno) yn cyffroi dyn: 'Prae ddoe yn ugain, a'r pridd yn agor', ac y mae 'hyfrydwch yw difrawder' yn epigram na ellid ei well. Ond prin iawn yw ehediadau o'r fath. Gormod o draethu a rhy fach o ganu, rwy'n ofni.

Mae *Caer Wydion* yn draddodiadol ei fesurau ac yn gwbl, gwbl sicr ei grefft; mae'i iaith yn lân ac adrannau'i gerdd yn gytbwys. Ei thema yw hynt Cymru ym mhen dwy filawd arall (2001-4001) a'i weledigaeth yw y bydd y Gymru real, bob dydd fel petai, yn cael ei dyrchafu'n Gymru'r dychymyg a'r chwedlau mewn rhyw Gaer Wydion. Ac mae'r allwedd i'r dyrchafu hwnnw ynom ni ein hunain, fel y mynega wrth gloi adran gyntaf ei gân:

> Tra calon bro chwedloniaeth – yn curo,
> Yn ein dwylo y mae ein bodolaeth.

Ni chefais fod ail ran ei gerdd yn argyhoeddi i'r un graddau, efallai oherwydd mai'r unig ffordd y medrwn ddychmygu sut y bydd pethau ym mhen dwy fil o flynyddoedd yw drwy eu perthnasu â sut y maent yn awr. Wedi'r cyfan, ni all hyd yn oed y dychymyg fodoli mewn faciwm. Mae'n gân, felly, na lwyddodd i weithio allan i'w llawn botensial ei thema gyfoethog. Ond gwn y bydd fy nghydfeirniaid yn cael digon o ddefnydd dyfynnu ynddi.

Llathen o frethyn gwahanol yw *CAASI*. Mae yntau'n ben cynganeddwr ac yn clymu gwahanol fesurau wrth ei gilydd yn wyrthiol o lyfn – toddeidiau, hir-a-thoddeidiau, englynion penfyr ac unodl union, cywyddau (gan gynnwys tri phennill o gywydd unodl) ac un enghraifft o awdl-gywydd. Ryan Giggs o fardd, yn ymhyfrydu mewn arddangos ei sgiliau. Byrdwn ei gerdd yw'r anghyfiawnder a ddioddefodd merched y gorffennol a aeth 'dros y ffordd', a rhagrith arweinwyr crefyddol y dydd. Caiff eraill draethu'n llawnach ar ragoriaethau'r gerdd hon ond, yn bersonol, cefais i ei chollfarn braidd yn drwm – yn Garadog Evansaidd, yn wir – ar safonau'r Gymru Fictorianaidd. Ond, unwaith eto, mae gan *CAASI* berffaith hawl i'w safbwynt ei hun, cyhyd â'i fod (neu ei bod) yn awenyddu'r hawl honno. Mae'n llais unigryw yn y gystadleuaeth hon na fyddwn yn petruso'i wobrwyo.

Casgliad, neu ddilyniant efallai, o gerddi sydd gan *Carnguwch* ac er bod y testun yn gofyn am awdl, mae'n siŵr bod y 'cerdd mewn cynghanedd gyflawn' a.y.y.b. yna yn cyfiawnhau cyfansoddiad o'r fath. A ph'un bynnag, onid clymau o wahanol 'ganiadau' yw'r rhan fwyaf o awdlau'r gorffennol. O'i chymharu â rhai o'r lleill, cymharol syml yw'r thema – dadeni byd natur wedi hirlwm y gaeaf. Ond o fewn y cynllun syml hwn, gellir synhwyro ymdriniaeth ar y ddwy ystyr i ddadeni y cyfeiriwyd atynt eisoes. Mae bron pob un o gerddi *Carnguwch*, pa mor anobeithiol byth y bo'r cyfeiriadau at oerni'r gaeaf ac yn y blaen ar y dechrau, yn gorffen ar ryw nodyn gobeithiol, gwanwynaidd. Yn sicr, ar wahân i ambell gaff gwag, dyma gasgliad y byddai'n anrhydedd i'r Eisteddfod gael ei gyhoeddi.

Llais unigryw yw eiddo *Llygad y dydd*. Mae sŵn didwylledd a phrofiad personol yn pefrio drwy'r gerdd, er na fedraf ddweud 'mod i'n siŵr bod angen y ddau englyn sydd fel rhyw fath o brolog ac epilog yn ei hagor a'i chloi. Afraid dweud bod y gynghanedd mewn llaw gwbl sicr a chelfydd ond buaswn i'n hoffi gweld twtio ar y ddwy linell 'mewn ynni un babi bach' ac 'yw'r ferch nad yw'n ferch na'n fam'. Ond mae'r adran sy'n sôn am y cario a'r geni a'r galaru yn fy llorio'n llwyr. Dadwneud creadigaeth ac aileni ar yr un pryd. Ys gwn i a yw'r ffaith bod y *llygad* yn y ffugenw yn *egb* yn awgrymog o gwbl!

Ac yn awr y mae yn aros . . . Ydy, mae *CAASI* yn dod i'r cyfri terfynol hefyd, a rhyngddo ef, *Carnguwch* a *Llygad y dydd* y mae'r dorch. Ac wedi tafoli lawer gwaith rhwng y tair cerdd, rwy'n dod 'nôl at y 'rhywbeth' anniffiniol hwnnw yr wy'n ei gael yn amlach gan *Llygad y dydd* na chan yr un o'r lleill. Cadeirier *Llygad y dydd*.

Er mai chwech yn unig a fentrodd i'r gystadleuaeth, mae safon y cynhyrchion ar y cyfan yn foddhaol iawn ac nid oes yr un ohonynt yn anobeithiol.

Medad: Nid ydyw wedi meistroli acen y gynghanedd hyd yma a cheir yr un camgymeriad dro ar ôl tro mewn sawl man megis yn y llinellau hyn: 'a'r dur o edau'r duwch', 'i'w dywys fel pe'n un dall' ac 'O, dad, 'ti ddim yn deall', ac yn y cwpled a ganlyn, mae'r llinell gyntaf yn anghywir ac yna'r llinell ddilynol yn wych, sydd yn nodweddiadol o'r gerdd: 'edeuon o olwg dydd/rhin o ddafnau'r hen ddefnydd'. Gall ddarlunio'r gaeaf yn gain mewn pethau fel hyn:

> yr afon wedi'i chronni
> a'r lluwch yn caethiwo'r lli,
> brigau'n freichiau barugog
> a dwylo crin eu dail crog.

Mae'n amlwg mai dysgwr sydd yma a phe bai'n hogi ei arfau a meistroli'r gynghanedd, nid oes dwy waith amdani na ddeuai'n gystadleuydd peryglus ond hyd yma nid yw hanfodion y grefft i gyd ganddo.

Prysor: Ei thema yw'r byd ysbrydol ac mae'n gyfarwydd â'r byd hwnnw; arweinia ni drwy'r profiadau a gafodd ac mae'n taro'r testun ar ei ben yn y llinellau agoriadol hyn:

> O'u dwyn tros fôr dadeni
> y nos sydd rhyngddynt a ni,
> nhw yn grin a roed mewn gro
> a anwyd yn sêr yno.

Hynny yw, pan fyddwn yn gadael y byd yma, mae'r enaid yn cychwyn ar ei daith yn y byd nesaf. Gŵyr am y golau llachar sydd yn ein harwain ato pan fydd y corff ar fin darfod: 'O lain ing, colyn angau, pan gefnir/a welir yn olau', a daw rhywun o'n teulu o'r byd nesaf i'n hebrwng yno pan fydd ein hamser ar y ddaear wedi dod i ben: 'Onid câr, o'n ceudod caeth,/a'n dwg o'n llygredigaeth?' Mae'r ysbryd yn rhoi ar ddeall i'r seicic ei fod yn bresennol drwy greu arogl neu sŵn: 'Rhuglo, chwa o aroglau, sibrydion,/a'r noson o iasau'. Fe ŵyr y bardd hwn am yr holl ddulliau o gyfathrebu gyda hwy, naill ai drwy i'r ysbryd feddiannu corff y cyfryngydd ac ymddangos arno, neu drwy ei ddefnyddio i siarad â ni mewn ysgrifen – pan ddigwydd hynny, gellir cael llawysgrif yr ysbryd yn union fel yr oedd pan oedd ar y ddaear oherwydd mai'r un person yn union ydyw. Llinellau da yw'r rhain: 'Yn fywyn hoffus, uwch llaid fy niffyg,/Deuaf i ddiosg diwyg – credoau,/gwanhau barrau, a meirioli barrug'.

Llwydda *Prysor* i adrodd yn glir hanes y byd ysbrydol a'r hyn sy'n digwydd pan mae ysbryd yn cysylltu â ni. Mae ganddo benillion da yma ac acw ac mae'r gynghanedd yn ddiogel ganddo. Hwyrach y byddai'n well pe bai wedi hepgor y geiriau nad ydynt yn cael eu defnyddio bellach ac nid oes dwywaith na fyddai hynny wedi cryfhau ei gân.

Caer Wydion: Rhannodd ei awdl yn ddwy ran dan y penawdau '2001' a '4001'. Yn y rhan gyntaf, mae'n sôn am y Gymru gyfoes a chrebachiad y Gymraeg yn ei chadarnleoedd oherwydd dyfodiad estroniaid. Mae'n cymharu Cymru heddiw â chwedl Caer Arianrhod yn Arfon a ddiflannodd i'r môr drwy ffrwydriad mynydd tân. Mae'r un drychineb yn cael ei hailadrodd heddiw ac mae wedi bod yn digwydd ers cenedlaethau bellach, sef mewnfudwyr yn meddiannu cartrefi a thrwy hynny'n gwanychu'r iaith a'r diwylliant Cymraeg. Mae'n dyheu am i Wydion ap Don, y dewin yn chwedl Math fab Mathonwy o'r Mabinogi, ddyfod o dir Annwn, sef y byd ysbrydol, i achub y genedl. Yn yr ail ran, fe ddaw Gwydion gan gyrchu trichant o Gymry a mynd â nhw o'r ddaear i blaned arall lle ffynna'r iaith.

Mae'n gynganeddwr medrus ac fe ŵyr beth yw mydr naturiol llinellau. Ceir darlun o ffrwydriad mynydd llosg ar ddechrau'r gerdd, ac mae'n addawol iawn yn y pennill hwn:

> Weithiau, pan fo teithiau tân
> Yr haul yn serio'r wylan
> Ar y dŵr, a chorddi'r don
> Yn gasgêd o gysgodion,
> Mi wn y teflir meini
> Oer a llwyd o bair y lli.

Nid yw'r wyth englyn sydd yng nghanol y caniad cyntaf gystal â dechrau'r gerdd a theimlaf ei fod yn llacio'i afael ac yn carlamu'n rhy rwydd wrth sôn am ddyfodiad y mewnfudwyr.

> Ar ei hyd, ânt i rodio – a mynnu
> Eu mwyniant dihidio,
> Eu hiaith brain yn llethu bro –
> Unig ŷm ninnau yno.

> Ni allwn gynnal bellach – ein hoedl
> Yn nhroedle'r hen linach
> Hyd byth, a'n bythynnod bach
> Yn fwytai i bryfetach.

Ond mae'n codi'n ôl yn y caniad nesaf:

> I'r oes hon, pe cyrhaeddai'r Swynwr
> A luniai gerdd mewn pwll o ferddwr,

5

Oni ddaw heno i wau'i ddewiniaeth,
Cyn i aea' wasgu ein cynhysgaeth?
Tra calon bro chwedloniaeth – yn curo,
Yn ein dwylo y mae'n bodolaeth.

Gwaetha'r modd, mae'n llacio eto wrth ddisgrifio'r daith drwy'r gofod:

Trichant a heriwyd trwy awch anturus
Â hwb i adael eu tir enbydus
A chan ehedeg yn fintai fregys
Llywiwyd eu llestr drwy'r llwydwyll astrus.

Ar y cyfan, braidd yn anwastad ydyw ond mae yma fardd addawol iawn.

CAASI: Mae'r bardd hwn yn amrywio'i fesurau yn fwy na neb arall yn y gystadleuaeth. Edrydd hanes am ferch yn cael ei throi o'r capel oherwydd iddi feichiogi a hithau'n ddi-briod, rhywbeth a ddigwyddai'n gyffredin iawn hyd at ail hanner y ganrif ddiwethaf.

Taerai'r pwyllgor blaenoriaid, fel un gŵr
â'i flaengarwch di-baid,
fod y plwyf a'u duw o'u plaid.

Mae'n esgor ar ferch ond mae'r ferch fach yn marw. Wedyn, mae'r fam yn priodi ac yn cael plentyn arall, mab, a'r tro hwn mae'r plentyn yn gyfreithlon yn ôl safonau'r capel.

Wedyn daeth plentyn heb bla, i chwilio
ei chôl am ei wala,
A hithau'n ei ddifetha.
Onid oedd ei duw'n un da!

Ar ôl ei eni, teimla'r fam yn berson newydd ac fel pe bai am wneud yn iawn â'r capel a'r gymdeithas oherwydd iddi bechu yn eu herbyn ac, er mwyn iddi gael ei derbyn yn ôl yn aelod cyflawn, mae'n anfon ei mab i'r weinidogaeth ac yntau'n anfodlon ar hynny, a cheir awgrym yma o'r hyn sydd yn eu hwynebu:

morwyn addfwyn anaeddfed a rôi'i llanc
nes peri tranc dyn ieuanc, diniwed.

Yn y fan hon lle mae ar ei orau, ceir pethau da iawn ganddo megis y pennill a ganlyn gyda'i gyfeiriad Beiblaidd at Abram yn fodlon aberthu ei fab, Isaac, a hynny'n dweud wrthym sut y ffurfiodd ei ffugenw.

Yr oedd hi'n barod, ar goedd, i godi
llafn oer ei chyllell fain i'w archolli,
yn foddhad i'w chrefydd hi, a'i bachgen
fel maharen yng ngafael mieri.

Ond mam ofergoelus iawn ydyw hefyd. Mae yma ddau lyn, y llyn dychmygol lle mae gwrach yn byw, a'r llyn diriaethol.

> Er meithrin ei mab di-nam
> yn ddi-fai, fe ofnai'r fam
> fwgan o lyn cyfagos.
> llyn du yn cenhedlu nos,
> a'i ddyfndra fel taldra tŷ
> neu dŵr. Ond er pryderu
> amdano, fel mam dyner,
> coeliai y diswynai'r sêr
> wrach y llyn rhag trochi'i llanc
> â chrefydd wag ei chrafanc.

Cyfyd anffyddiaeth, gwacter ystyr a cholli ffydd.

> ond roedd Gwrach yn nyfnach nos
> llyn arall yn ei aros.

Mae am i'w mab fynd yn weinidog a thrwy ei roi i'r weinidogaeth, credai ei bod yn dadwneud ei phechod ond nid yw'n gwybod am deimladau ei mab sydd yn dadwneud ei ffydd:

> Ni wyddai i anffyddiaeth ei gymryd
> yn ôl, a dwgyd ei thaledigaeth.

ac mae'r mab yn mynd i'r llyn gwirioneddol:

> Y mae'r llanc ym merw'r llyn.
> Drwy y mwstwr, ymestyn
> mae mor wyllt am ryw welltyn
> o obaith, rhag wynebu
> ei hebrwng i'r gwag obry,
> i'r gwaelod di-waelod du.

Cefais flas mawr ar ei gerdd. Mae yma feddyliwr dwfn, mae'r canu'n llyfn ac mae'r grefft yn loyw ac, mewn mannau, cyfyd i dir uchel iawn ac, yn sicr, mae ymysg y goreuon.

Carnguwch: Rydym yng nghwmni bardd gwych yn awr. Ceir y dadeni yn nyfodiad y gwanwyn wedi heth y gaeaf, a thymor y gaeaf bob amser yw tymor y gobaith i bob un ohonom, sef y gobaith am weld y gwanwyn. Cynlluniodd ei gerdd yn ofalus, yn saith rhan, gyda phennawd uwch ben pob un. Amrywia ei fesurau ac mae'n gynganeddwr sicr ei gerddediad. Mae'n agor ei gerdd yn ddeheuig iawn gyda darlun o ddyfodiad y gaeaf. Tywysa ni drwyddo mewn darluniau gwych:

Haid o ddrudwy,
plant gaea'r plwy
yn hedeg yn gawodydd
a throi i darth hwyr y dydd.

Hir y bu'n hel,
duo'n dawel
a rhyw wynt o fôr yr iâ
yn aros: mae am eira.

Mae'n codi'r plant o'u gwlâu i weld y gawod eira, a phan dyrr y wawr mae'r
wlad wedi ei gorchuddio:

Coed yn angylion o boptu'r lonydd
a lliw diniwed y lleuad newydd

Caiff rhieni eu dadeni a chael cystal hwyl â'r plant yn taflu peli eira:

Y ddalen wen yn annog
y rhai hŷn dros y rhiniog
i droi'n ôl i Dir na'nOg

am awr, i gynnal miri
eilwaith a phledu peli
eto, yn iau na'n plant ni.

Nid yw'r caniad dan y pennawd 'Braich ym Mraich' lawn cystal â chorff y
gerdd. Go brin bod y llinell hon, 'Am y siopau neu dim swper!' yn talu am ei
lle wrth i'r bardd ddisgrifio'r wraig yn gorfodi ei gŵr i fynd i siopa. Ond prin
iawn yw pethau o'r fath. Ceir ganddo ganu gafaelgar sydd yn cyflwyno darlun-
iau gwych yng ngweddill ei gerdd. Mae'n mynd â ni i wlad hud a lledrith yr
eira, sydd yn dadeni pobl yn blant:

Dow-dow, daw allan o'i dŷ
â'i fag, gan ddal i fygu,
ac yn droetchwith mae hithau'n
rhyw ddod gyda'i rhestr, mae'r ddau'n
sadio'i gilydd yn sydyn,
yn dal llewys cotiau'n dynn,
yn bod o fewn un badell,
drwch brethyn berthyn o bell.

ac o beth i beth, maent yn bâr, yn dod
liw dydd ar y ddaear,
gam wrth gam, yn ddau gymar,

gan waltsio eto dan un siôl a'u lôn
fel les priodasol,
taith o gonffeti o'u hôl.

Wedyn daw'r meiriol, gan ddadeni'r gwanwyn,

Nid oes hoelio arch, torri tywarchen
na thynnu llenni ers rhewi'r ywen;
Annwn a'i byrth, tra bo gwyrth y garthen,
sy'n gynnil ei ddistryw, a byw sydd ben
nes daw llaw ddu at bluen y gwely,
dod 'nôl i'w chwalu, dan luchio'i halen.

Mae'r hin yn nechrau tymor y gwanwyn yn toddi'r eira ac mae'r holl wynder yn diflannu, a daw llaw ddu'r ddaear yn ôl i'r golwg gan ddadwneud yr hud a'r lledrith. Gwêl y bardd yr eira yn wynfyd dros dro ond mae'r gwanwyn yn dod ag afiechydon y ddaear i'r golwg. Mawrth a ladd ac Ebrill a fling, medd yr hen air:

felly daw gwacter y dadmer du
i'n rhan, a bydd eira'n baeddu.

Yna, cawn ddarlun o berson oedrannus sydd yn edrych yn ôl dros ei fywyd; diflannodd yr hud a'r lledrith gyda'r eira:

Mae blinder drwy'r marwor derw'n trymhau;
Mae 'nhymhorau yn y fflamau'n marw.

Cam ydi'r tinscl, crin ydi'r celyn
does neb yno i dystio i'r un llwncdestun,
gwawd yw sôn am lygedyn o obaith
a duo eilwaith o hyd yn dilyn.

Does dim dwywaith nad ydym yng nghwmni bardd. Canodd awdl newydd sbon a honno'n awdl afaelgar dros ben sydd wedi ei saernïo'n grefftus tu hwnt ac mae'n bendant yn deilwng o'r gadair.

Awdl syml sydd gan *Llygad y dydd*. Nid oes yma benawdau er bod yma raniadau sydd i gyd yn toddi i mewn i'w gilydd yn un cyfanwaith gorchestol. Hanes merch yn syrthio mewn cariad, yn geni plentyn ac wedyn yn ei golli sydd yma. Mae'r thema'n hen (onid y thema hon yw thema fawr y ddynoliaeth drwy'r oesoedd?) ond mae'r canu'n newydd. Eir â ni drwy garwriaeth y ferch a'i chymar cyn sôn amdani'n darganfod ei bod yn disgwyl plentyn – edrychwch arno'n symud yn y groth:

Tybed?! Ni fedraf gredu
er bod lleisiau'r greddfau'n gry,
amau yr hyn roed imi
a'r wyrth hardd drodd fy nghroth i
yn amlen; eto, teimlaf
chwarae rhwydd iâr fach yr haf,

> glöyn ewn tu mewn i mi
> rywsut yn troi a throsi'n
> friw afrwydd, yn wefr hyfryd
> yn fy neffro'n gyffro i gyd –
> ac o wrando ei gryndod
> ynof fi, mi wn ei fod.

Caiff y fam ei dadeni ar ôl rhoi genedigaeth; nid yr un ferch ydyw mwyach. Ond daw trychineb i'w byd: mae'r plentyn yn mynd yn sâl ac yn marw. Yn dilyn y golled hon, caiff y fam ei dadrithio a chyll ei fydd, sydd yn bwrw amheuaeth am fodolaeth Duw.

> O fewn arch mae 'nghyfan i,
> o'i mewn mae cof am eni,
> ac mae gwên yr heulwen iau
> yn fynwent ynof innau.

Ond mae'n ailddarganfod ei ffydd yn y cwpled hwn:

> Ac wrth y bedd mae 'ngweddi'n
> un fud, Dad – sef dy fod Ti.

Ni fedraf i weld bod angen yr englyn sydd ar ddechrau'r awdl na'r englyn sydd yn ei chloi, ac unwaith yn unig y mae'n baglu – yn y llinell, 'rwy'n fud, heb allu lleisio'r anfadwaith'. I'm clust i, mae'r gwant yn digwydd yn rhy gynnar – mae ar yr ail sillaf. Mewn llinellau decsill, fe ddylai fod ar y bedwaredd neu'r bumed sill.

Cynlluniodd y bardd ei awdl yn ofalus. Fe ŵyr am hanfodion y grefft o gynganeddu ac mae'n feistr ar ei gyfrwng. Ceir yma gynildeb ymadrodd a symledd mynegiant ynghyd â'r angerdd distaw â dyfnder ystyr bywyd, sydd yn ei godi i dir ychydig yn uwch na *Carnguwch*, er mor wych yw ei ymgais ef.

Daeth yr awdl hon i'r brig ar y darlleniad cyntaf ac, wedi sawl darlleniad pellach, ni laciodd ei gafael. Rydym ein tri, yn annibynnol ar ein gilydd, wedi dod i'r un penderfyniad. Cadeirier *Llygad y dydd*.

Yn dilyn arbrawf y llynedd, pan gynigiwyd y gadair am gasgliad o gerddi, am awdl y gofynnwyd eleni. Nid yw'r ffin bob tro yn amlwg i mi rhwng y naill a'r llall ac, yn sicr, gellid dadlau bod o leiaf un casgliad, os nad tri, yn y gystadleuaeth hon eleni. Ymgeisiodd chwech ac mae'n rhaid canmol pob un. Nid ar chwarae bach y mae sgwennu awdl. Mae gwneud hynny fel sbrintiwr yn ceisio rhedeg marathon. Mae angen tipyn go lew o amser yn y *gym*, chwedl Dafydd Rowlands, cyn mentro.

Diddorol oedd sylwi bod pedwar o'r chwech wedi mynd ati i adrodd stori. Mae hyn, wrth gwrs, yn rhan o briod waith barddoniaeth ers cyn cof. Heb gynulleidfa, 'does fawr o ddiben i farddoniaeth nac i unrhyw gelfyddyd arall.

Medad: Dyma'r gwannaf o'r chwe ymgeisydd o safbwynt crefft. Gwaetha'r modd, mae'r llinell gyntaf un yn wallus. Mae hyn yn syndod, gan ei bod yn amlwg o dystiolaeth gweddill y gerdd fod *Medad* yn ei medru hi fel arfer. Mae yma linellau a chwpledi sy'n gafael: 'Hergwd drws fel ergyd dryll' a 'Clyw eco'i llais yn clecian/yn y du fel drain ar dân'. Ar ei gorau, mae'r awdl yn llwyddo i ddarlunio perthynas plentyn a rhiant yn deimladwy ac i gyfleu naws man a lle yn synhwyrus a chofiadwy. Nid yw'n hawdd dilyn trywydd y stori yn y gerdd bob tro ac mae ambell ddarn lle nad oes modd gweld y tu hwnt i'r coedwig ddelweddau at yr hyn y mae *Medad* yn ceisio'i gyfleu; er enghraifft, 'â gwân y llafn gwagia'n llwch/ei dur o edau'r duwch; mae'r gwahanfur yn furddun/a gwelltyn yw'r tennyn tynn'. Nid yw *Medad* yn cynganeddu'n ystrydebol; nid yw'n mynd am y trawiadau hawdd ac amlwg ac mae hynny'n gryfder yn ei waith. Mae angen iddo, fodd bynnag, roi'r un sylw i ystyr geiriau ac i ddewis delweddau ag a wna wrth chwilio am gynganeddion gwreiddiol. Wedi dweud hynny, mae potensial mawr yn *Medad*. Os wyf yn iawn wrth ddyfalu mai un sydd wedi dechrau cynganeddu'n gymharol ddiweddar ydyw, yna mae yma dalent newydd gyffrous iawn.

Prysor: Os oedd awdl *Medad* weithiau'n goedwig, teimlwn ar adegau fel pe bawn yn y jyngl wrth ddarllen gwaith *Prysor*. Mae'n deg nodi mai fy niffyg gwybodaeth am faterion ysbrydegol oedd yn rhannol gyfrifol am hynny. Rwy'n ddiolchgar i Elwyn Edwards am dorri ymaith beth o'r dryswch ond hyd yn oed wedyn, cefais drafferth i ddilyn y trywydd. Fe â *Prysor* ati'n lew i ddisgrifio daliadau sylfaenol ei gredo ysbrydegol, sef bod 'Duwiau'r argyfwng' wedi gwneud 'epa yn Adda'. Crynhoir y weledigaeth hon yn y llinell anfarwol 'rhoi pŵer i epaod'. Er bod theori esblygiad graddol yn gallu egluro datblygiad bywyd, nid yw'n ddigonol i egluro'r gwahaniaeth sylfaenol rhwng pobl ac anifeiliaid, hynny yw, ein cyneddfau ysbrydol honedig. 'Nid graddau', medd *Prysor* mewn cwpled cofiadwy, 'impiad gwreiddyn/amiba dwl a mab dyn'. Ceir wedyn nifer o ganiadau yn myfyrio ar ddigwyddiadau ysbrydol penodol, rhai yn fwy hygyrch o

11

ran eu hystyr na'i gilydd. Ar y diwedd, cawn ddau ganiad sydd yn ymddangos fel pe baent yn egluro lle Iesu Grist yn y dehongliad hwn o'r bydysawd.

Mae gan bob un ohonom ei iaith ei hun, ei ddelweddau ei hun, ei ystyr preifat cyfrin ei hun i eiriau a digwyddiadau. Camp llenor yw llwyddo i ddefnyddio'r pethau hyn mewn modd sy'n cyfathrebu â phobl eraill, gan godi'r llen rywfaint ar y gyfrinach, hyd yn oed os na fydd y bobl hynny'n deall yn llwyr holl ystyr y gwaith. I lenor y bo materion ysbrydol yn ganolog i'w awen, mae'r her o gyfathrebu'n effeithiol gymaint â hynny'n fwy. Mae'n rhaid cadw gafael ar y ffaith nad yw eich geirfa na'ch delweddau chi yn rhan o brofiad eich cynulleidfa ac mae angen codi pont rhyngoch chi a hi. Dyma lwyddiant Ann Griffiths, Waldo Williams a William Blake yn eu telynegion. Maent yn siarad gyda'r rhai hynny ohonom na freiniwyd â'r un natur ysbrydol â nhw. Gwaetha'r modd, ni allaf ddweud hynny am *Prysor*, er cystal cynganeddwr yw.

CAASI: Dyma gynganeddwr medrus arall, yn adrodd stori fer am ragrith cymdeithas capel, wrth i ferch, ond nid ei chariad, gael ei thorri allan o'r capel am gael plentyn y tu allan i briodas. Mae dadansoddiad y bardd o hierarchaeth yr Hen Gorff yn un ffeministaidd, yn y bôn. Mae'n gweld arweinwyr crefyddol gwrywaidd yn rhai sy'n fficsio pethau er mwyn cynnal eu grym. Rhan o hynny yw gwadu i fenywod yr hawl i gael mwynhad cnawdol ac unrhyw hawl i fodoli'n berson cyflawn annibynnol o fewn cymdeithas. 'Eu crefydd/oedd eu hawydd i fod yn dduwiau', meddai am y bobl hyn. Mae'r stori'n bwrw yn ei blaen at bwynt lle mae plentyn y ferch yn dod yn weinidog ond ei fod yn anffyddiwr, ac mae'r diwedd yn awgrymu bod y felan wedi cydio ynddo i'r fath raddau nes ei fod yn gwneud amdano'i hun.

Er fy edmygedd o'r modd medrus a llyfn y mae'n creu penillion drwy gydio englynion a chwpledi at ei gilydd, mae'n rhaid i mi ddweud fy mod yn teimlo braidd mai stori fer, neu ddwy stori fer, oedd yma a fyddai'n gweddu'n well mewn rhyddiaith. Anaml y bydd yr awdl hon yn canu ac mae hynny'n drueni, gan fod yma ddawn yn ddi-os.

Caer Wydion: Mae yna draddodiad o ffuglen wyddonias a ffantasi yn y Gymraeg nad yw, efallai, wedi cael y sylw y mae'n ei deilyngu. Ar ei gorau, mae ffuglen wyddonias yn tynnu ein meddyliau i feddwl am bethau go iawn yn ein bywyd go iawn drwy gyffroi a rhyfeddu. Dyma gamp gweithiau fel *Ofnadwy Ddydd, Pe Symudai'r Ddaear, Y Dydd Olaf, Y Peiriant Pigmi, Wythnos yng Nghymru Fydd* a, doed at hynny, *Gweledigaetheu y Bardd Cwsc.*

Stori wyddonias a geir gan *Caer Wydion*, sydd eto'n gynganeddwr medrus. Yn y caniad cyntaf ('2001'), mae'n disgrifio natur fregus y Gymraeg yn ei chadarnleoedd. Mae hi fel Caer Arianrhod, wedi ei chwalu, ac nid oes 'Wydion/Ar daith, all gonsurio'r don/Yn hwyliau ac yn filwyr/cryfion' i'w hatgyfodi. Mae'n gorffen y caniad hwn drwy ddeisyf ar i Wydion ddod yn ôl ond eto, 'Yn ein dwylo y mae ein bodolaeth'. Cenir yr ail ganiad ('4001') ar blaned arall, lle mae trichant o ddewrion (mae adleisiau amlwg o'r Gododdin a Phatagonia yma) wedi dianc rhag byd llwgr mewn rhyw fath o long ofod a wnaed gan Gwydion allan o oleuni, er mwyn creu cymuned Gymraeg ei hiaith. Mae'r Gymraeg, bellach, yn 'iaith alaethol', yn 'llawn mytholeg, yn dechnolegol'. Plethir mytholeg drwy'r awdl, gyda chyfeiriadau at y Mabinogi yn arbennig. Eto, mae'r hen enwau 'Caer Wydion' a 'Chaer Arianrhod', yn enwau a roddir ar y llwybr llaethog hefyd. Ai awgrym sydd yma y dylem ystyried y cyfeiriadau chwedlonol fel rhai at ryw dechnoleg newydd a fydd yn achub y genedl o'r diwedd? Naill ai hynny neu mae *Caer Wydion* yn credu (fel yr ymddengys bod *Prysor* yn credu) mewn duwiau o'r gofod sy'n ymyrryd ym mywyd dyn ond bod duwiau *Caer Wydion* hefyd yn genedlaetholwyr Cymraeg. Pwy a ŵyr? Beth bynnag fo'r gwir, cefais hwyl yn darllen yr awdl bryfoclyd hon. Unwaith eto, fodd bynnag, teimlaf y byddai rhyddiaith yn hytrach na barddoniaeth gaeth (neu efallai gyfuniad o'r ddwy) wedi gweddu'n well fel cyfrwng i'r gwaith. Byddai wedi rhoi gwell cyfle i adrodd stori ddifyr a mynd i'r afael â themâu hunaniaeth a chenedligrwydd, ar yr un pryd.

Carnguwch: Casgliad o gerddi'n ymwneud ag eira a geir gan y bardd hwn. I mi, hwn oedd y bardd mwyaf cyffrous yn y gystadleuaeth. Hwn hefyd a'm gwnaeth i'n fwyaf crac. Mae ganddo allu athrylithgar i ddisgrifio pethau a digwyddiadau ar gynghanedd mewn modd sy'n eu llwytho ag ystyr ac â theimlad. Ystyriwch hyn, er enghraifft:

Mae'n bnawn grawnwin,
haul gwydr, liw gwin
yn llyfn a gwych, ond llafn gwyn
o lwydrew 'mhob pelydryn.

ac eto:

Mae'n hwyr yn y tŷ, mae'r gwely'n galw,
gwin Nos Galan yn gynnes a gwelw,
y grisiau'n llydan a'r sgwrs yn lludw
a gwywo lle bu'r tagellau berw.
Mae blinder drwy'r marwor derw'n trymhau;
mae 'nhymhorau yn y fflamau'n marw.

Pe bai *Carnguwch* wedi cynnal y safon hon drwy'r casgliad, hwn fyddai'n eistedd yn y gadair eleni, o'm safbwynt i. Nid felly, fodd bynnag. Y maen tramgwydd i *Carnguwch* yw tuedd i ddweud gormod. Er enghraifft, yn y gerdd sy'n dechrau: 'Mae'n bnawn grawnwin . . .', mae pedwar pennill. Mae'r cyntaf, yr ail a'r pedwerydd yn rhagorol. Dyma'r trydydd:

Fflam las, ias wen;
byw dan bawen

13

eithafol mae'r gath hefyd
yn gron, yn gynffon i gyd.

Mae'r pennill ar ei hyd yn dila ac fel pe bai'n bodoli er mwyn y llinell olaf drawiadol yn unig. Byddai'r gerdd yn well o hepgor y pennill hwn. Bydd cyfle eto i ddefnyddio'r llinell dda. Mae enghreifftiau eraill tebyg o linellau neu gwpledi neu benillion nad ydynt yn ennill eu lle ac mae hynny'n amlycach yng nghyd-destun y pethau gwych sydd yn cadw cwmni â nhw. Mae'n rhaid cyfeirio hefyd at bennill olaf y gerdd olaf, sy'n aneglur ac yn cynnwys y llinell, 'Bydd bara'r eira'n codi'r gwair trwy'r brwyn' sy'n anodd ei chyfiawnhau fel cynghanedd sain yn ogystal â bod yn anodd ei deall.

Fe ellid dadlau, hefyd, nad awdl sydd yma o gwbl, gan nad oes dilyniant amlwg rhwng y gwahanol ganiadau ond byddwn i'n hapus i ddadlau bod undod thematig yn ddigon i wneud awdl o gasgliad o gerddi. Mae darnau gorau awdl *Carnguwch* yn codi i dir uchel iawn a 'does gen i ddim amheuaeth na fydd yn eistedd yn y gadair cyn bo hir. Efallai ei fod eisoes wedi gwneud hynny.

Llygad y dydd: Ymson merch yw awdl y bardd hwn. Mae hi'n dweud hanes ei beichiogrwydd a geni'r plentyn. Mae'r plentyn yn mynd yn sâl ac yn marw ac mae hyn y peri i'r fam golli, ac yna adfer, ei ffydd. Mae dau englyn fel cromfachau o gwmpas y stori, sy'n annog y darllenydd i sylweddoli ei moeswers sef mai 'dy ddewis di/dy hunan yw'r dadeni'. Mae caniadau cyntaf yr awdl hon yn rymus ac yn delynegol. Mae'r dweud yn uniongyrchol mewn cynghanedd gelfydd sy'n llifo'n naturiol, gan gynnig y symlrwydd cymhleth sy'n nodweddu cerdd dafod ar ei gorau. Mae *Llygad y dydd* yn darlunio teimladau gwaelodol y fam feichiog yn drawiadol iawn, drwy fyfyrdod wedi ei bupro â chwpledi neu linellau epigramatig, fel 'Dy galon yw hon a hi/yw'r alaw sy'n rheoli' ac, yn yr un modd, wedi'r geni, 'deall mai arall wyf mwy'.

Mae'n rhaid i mi gyfaddef na chefais yr un boddhad yn y caniadau hynny sy'n sôn am salwch a marwolaeth y plentyn, er bod y grefft ynddynt o safon gyfuwch. Mae un darn o'r adran yma yn ysgytiol, sef yr hwiangerdd o gywydd marwnad sy'n dechrau fel hyn:

Dere'r un bach, mae'r machlud
yn bwrw'i aur . . .

Mae'r ddau ganiad olaf, sy'n sôn am golli ac ailadfer ffydd, yn gwanhau'r awdl, yn fy marn i. Nid wyf yn gweld sut y maent yn cysylltu â gweddill y gwaith. Pe bai yna ryw grybwyll wedi bod ar y themâu hyn yng nghynt yn yr awdl, yna byddent efallai yn ennill eu lle, er 'mod i o'r farn y byddai'r gerdd hyd yn oed wedyn yn gryfach hebddynt.

CADAIR YR EISTEDDFOD

Rhodd Anrhydeddus Gymdeithas y Cymmrodorion
Cynlluniwyd a gwnaed gan Chris Hilling

Yn yr hwiangerdd/y farwnad y soniais amdani uchod, daw *Llygad y dydd* yn agos at greu effaith debyg i'r hyn ag a geir yng nghywydd marwnad enwog Lewys Glyn Cothi i'w fab, Siôn y Glyn: 'Un mab oedd degan i mi . . .'. Pe bai *Llygad y dydd* wedi dewis gorffen yr awdl gyda'r cyfarchiad hwn i'r mab (gan ddilyn Lewys ei hun nad yw, yn ddiddorol, yn crybwyll crefydd o gwbl yn ei gywydd), byddai wedi bod yn ddiwedd teilwng a chynnil. Ond dyna ni, nid dyna wnaeth, a hawl *Llygad y dydd* yw hynny. Wedi'r cyfan, canu yn ôl ei weledigaeth ei hun yw hawl pob bardd ac mae *Llygad y dydd* wedi gwneud hynny yn grefftus ac yn gofiadwy. Rwy'n gyfan gwbl fodlon fod awdl *Llygad y dydd* yn deilwng o'r gadair. Am fod troed y bardd yma'n sicrach nag eiddo *Carnguwch*, *Llygad y dydd* sy'n cnnill clcni.

Yr Awdl

DADENI

Mae fy stori'n hen, ddarllenydd, a gwir
ei geiriau'n dragywydd,
'di bod o hyd – ond bob dydd
yn fy neall wyf newydd . . .

*

Diniwed fel lleuad newydd oeddem,
yn addo'n ddig'wilydd
y gwelem gyda'n gilydd
belydrau pob dechrau dydd.

Nid felly y bu, aeth ein byd yn fawr
yn fwy na'n nos hyfryd,
un ystrydeb ein mebyd,
a ni'n dau ond geiriau i gyd.

Ac ar wahân fu'n hanes, ar wahân
mor hir, hyd i ernes
gynnar dwy galon gynnes
ein tynnu ni eto'n nes.

Â 'mhen ar hen obennydd
rwyf ar blufyn derfyn dydd
yn dynn o dan d'adenydd.

Ni'n dau rhwng plygiadau plu
ein neithiwr, dau yn nythu
ac esgus mynd i gysgu,

nes daw'r wawr a'i stori hud
i'n chwalu, cyn dychwelyd
i'n gwely glân, i'n gwâl glyd.

Fe'n hunir y fan honno
yn ein hirnos, a dros dro'r
adenydd sy'n dihuno.

*

Tybed?! Ni fentraf gredu
er bod lleisiau'r greddfau'n gry,

amau yr hyn roed imi
a'r wyrth hardd drodd fy nghroth i
yn amlen; eto, teimlaf
chwarae rhwydd iâr fach yr haf,
glöyn ewn tu mewn i mi
rywsut yn troi a throsi'n
friw afrwydd, yn wefr hyfryd
yn fy neffro'n gyffro i gyd –
ac o wrando ei gryndod
ynof fi, mi wn ei fod.

Yn y dechrau, amau'r rhodd
ond rwyf yn gwybod rywfodd
na allaf wadu bellach
fod ynof fi dy wên fach.

Dan fy llaw, daw alaw deg
trwy'r symud di-resymeg,
a churiad dwrn eratic
ar y drwm yn chwarae'i dric.
Dy galon yw hon a hi
yw'r alaw sy'n rheoli.

Adnabod y dyfodol
yw dy law'n gadael ei hôl,
neu annel dy benelin
ar ras i ffoi 'mhell dros ffin
denau fy ngwast elastig.
I'r oriau mân, chwarae mig
a wnei di, a ni ein dau
yn gymun yn ein gêmau.

Ar y sgrîn, gweld fy llinach
mewn ynni un babi bach,
a hanner gweld fy hunan
yn y sgwâr, yn llwydni'r sgan.
Yn y darn rhwng gwyn a du
mae egin pob dychmygu,
a'r smotyn mewn deigryn dall
yw'r 'fory, yw'r fi arall –
hwn yr un a fydd ar ôl,
yr un, ac un gwahanol.

Fy hanes yw dy hanes di, un cylch
yn cau a'i ddolenni'n
ddi-dor, un yw ein stori,
a hon sy'n ein huno ni.

*

Mae seren ein hamserau heno 'nghynn,
ac yng nghân fy rhwymau
clywaf gŵyn dy gadwynau;
heddiw yw awr dy ryddhau.

Yn dy lef mae fy nefoedd, un waedd wen
yn ddyheu'r blynyddoedd,
a mi'n flin, mae hyn o floedd
yn fiwsig naw o fisoedd.

Heno, 'rôl nawmis uniawn, yn fy nghôl
fy nghalon sy'n orlawn,
cariad naw lleuad sy'n llawn –
yn ei goflaid rwy'n gyflawn.

Yn y cariad gweladwy
deall mai arall wyf mwy.

D'eni heno yw'n nadeni innau
i stori gariad ac ystyr geiriau
fel 'mam' a 'dad' tu hwnt i 'mhrofiadau,
a bywyd eilwaith mewn byd o olau.
Yn yr heddiw llawn lliwiau, ar unwaith
af ar y daith i'th yfory dithau.

Curaf yn eiddgar – mae drysau 'nghariad
yn dal i agor yng nglas dy lygad.
Rwy'n newydd sbon, a thi yw'r esboniad
yn magu miri – dyma gymeriad!
Watwarwr siŵr dy siarad, dy un wên
yw chwarae'r awen, yw'r ail-ddechreuad.

*

Ond heno'n dy wely tan dawelwch
na all ein twyllo, yn y tywyllwch
un haenen oer o ofn yw 'nhynerwch,
gwewyr â'i ystyr tu hwnt i dristwch –
oer ddwylo ar eiddilwch fy mabi,
a minnau'n sylwi ar dwymyn salwch.

Heddiw yw diwrnod 'nabod anobaith
wrth weld y cariad liw'r gwêr yn dadlaith
hyd y gannwyll – rwy'n ei wadu ganwaith,
rwy'n fud, heb allu lleisio'r anfadwaith.
Un ifanc, un â'i afiaith yn diffodd,
a'i wên anodd lle bu chwerthin unwaith.

*

18

Dere'r un bach, mae'r machlud
yn bwrw'i aur, ac mae'n bryd
cloi corlan dy deganau
a hi'r nos oer yn nesáu.
Dere i wrando'r stori
am y wawr, a gad i mi
mewn nyth twt, am unwaith 'to,
dy ddal. Estyn dy ddwylo
bach gwyn yn dynn amdanaf
cyn llithro heno i'th haf.
Dere, fe ddaw'r bore bach
â'i Frenin a'i gyfrinach.
Cwsg, cwsg fy nhywysog gwyn,
darfod mae'r dydd diderfyn.

*

Wedi'r ergyd, rhy wargam
yw'r ferch nad yw'n ferch na'n fam,
a rhy hen ydyw geneth
y wên drist, a'i byd yn dreth.
Rhy dlawd yw unawd ei dig
a'i heno, heno unig.
Mwy na'i siâr yw galaru
dime dime'i nosau du.
Gwêl gelwyddau'r llyfrau llwm
a rhegi ym mhob rhigwm,
hiraeth oer ei hiraeth hi
yn harddwch hwiangerddi;
distrywiwyd y storïau –
canu hallt yw'r hela cnau.

*

Amynedd ni ddaw â munud yn ôl,
nac eiliad o'i fywyd
mwy mi wn, ond am ennyd
â'r un bach, mi rown y byd.

Dim ond un yw 'nymuniad, un ennyd
unig, un amrantiad –
ond ai rhith fy mhader rhad
a mi'n dal dim ond eiliad?

Mae 'mreichiau gwag yn magu oferedd
fy hiraeth, a 'fory
nid yw ddim ond eiliad ddu
rhy gynnar y gwahanu.

Yng nghri'r un mae 'nghur innau, oen unig,
'namyn un' fy nagrau,
ym mref fy holl hunllefau
rwyt ar goll a'r iet ar gau.

Clyw, fy Nuw, os wyt Ti 'na, rho hanner
ennyd imi – gwranda
ar dy blant! . . . Twt! Rhamanta
fu galw Duw'n Fugail Da!

O fewn arch mae 'nghyfan i,
o'i mewn mae cof am eni,
ac mae gwên yr heulwen iau
yn fynwent ynof innau.

*

Ond mewn tusw bitw bach
fe rannaf Dy gyfrinach:

I'r heddiw rhoddaf wreiddyn
wedi'i godi o'r doe gwyn,
i flaguro ryw 'fory
nes troi'n ardd y ddaear ddu.

Ac wrth y bedd mae 'ngweddi'n
un fud, Dad – sef dy fod Ti.

Ac os daw heno ryw hen gwestiynau –
mwy ni holaf am na fynnaf innau.
Yn fam, ni feiddiaf amau yn rhy hir
nad ydyw'r gwir y tu draw i'r geiriau.

*

. . . Mae fy neges a'i hanes hi yn hen,
y mae'n hŷn na'r stori
ddistaw hon: dy ddewis di
dy hunan yw'r dadeni.

Llygad y dydd

Dilyniant o Gerddi: Muriau, sydd yn cynnwys o leiaf 10 cerdd, heb fod mewn cynghanedd gyflawn a heb fod dros 200 llinell

---

BEIRNIADAETH GWYN THOMAS

Derbyniwyd 20 o gynigion am y goron eleni. O ran ansawdd, yr oedd y gystadleuaeth yn un dda ac yr oedd yng ngwaith pob cystadleuydd bytiau, cerdd, neu gerddi y gellir eu cymeradwyo. Trafododd y beirdd y testun 'Muriau' mewn nifer o wahanol ffyrdd ac, ar dro, y mae gofyn pysgota'n o ddwfn i weld y muriau sydd gan rai ohonynt.

Fel hyn y gwelwn i'r cystadleuwyr yn ymrannu.

DOSBARTH 3

Tomos, Carn Alw, Brennig, Rhyd-y-Saint, Ifan, Deryn, Neb: Nodwedd gyffredinol y dosbarth hwn yw fod y mynegiant, at ei gilydd, yn llafurus ac ymdrechgar, yn gweithio hen bethau heb gynnig fawr o sbarc wrth eu cyflwyno neu'n cyflwyno pethau newydd heb lwyddo i roi tipyn o dân yn y cyflwyniad. Dyna'r nodweddion cyffredinol: yng ngwaith beirdd unigol yn y dosbarth hwn y mae gwahanol gymysgedd o'r nodweddion hyn. Y mae *Carn Alw*, er enghraifft, wedi seilio'i gerddi ar y bardd Waldo Williams ac yn fwriadol yn tynnu ar adleisiau o'i waith. Peth peryglus braidd yw hynny, gan fod ansawdd ei fynegiant ef/hi yn teneuo wrth gael ei gymharu â'r cynsail. Wrth sôn am argyfwng ffermwyr, fel hyn y mae *Ifan* yn geirio: 'Mae marchnad amaethyddiaeth o dan straen/A llawer un yn mynd o dan y don'. Y mae yma ffaith ond 'does yma ddim barddoniaeth. *Neb* yw'r gorau yn y dosbarth hwn a phe bai o/hi wedi llwyddo i gynnal safon dychan ei gerddi gorau, gallai fod wedi dyrchafu'n uchel iawn. Trafod byd addysg y mae a chondemnio'n hallt lawer o arferion y byd hwnnw. Dyma ei farn am asesu: 'Mae'n ffasiwn ymysg yr 'addysgol rai'/I asesu mwy a dysgu llai,/Ond welais i 'rioed na mochyn na llo/Yn pesgi dim wrth ei bwyso fo'. Rhagorol, a chyrhaeddgar. Mae'n drueni na chafwyd y brathu medrus hwn trwy'r dilyniant.

DOSBARTH 2

Yr wyf yn rhoi yn y dosbarth hwn y rheini y mae yn eu cynigion bosibiliadau pendant, gyda rhai yn fwy pendant na'i gilydd. Y 'mwy pendant' yw *Ofn gaddo, tra môr, Cynnig teg*, a *Zzzzz*.

Brawd Mawr: Y mae hwn yn dechrau'n eithriadol o hwyliog, gyda chenhedlu ei 'wron'. Y mae yn hyn rywfaint o'r annisgwyl chwareus a geir yn y nofel *Tristram Shandy* gan Laurence Sterne. Cynhelir yr afiaith ffug-arwrol trwy nifer o'r cerddi ond, gwaetha'r modd, nid trwy'r cyfan.

21

Ofn Gaddo: Cyflëir 'Muriau' y bardd hwn trwy nifer o brofiadau. Y mae, yma ac acw, ddweud tra gafaelgar, a dweud ysgytiol ar brydiau. Y mae ei gerdd 'Cansar Mam' yn un syml a thra phwerus ac yn un o ragoriaethau'r gystadleuaeth. Diffyg cysondeb safon yw'r gwendid.

Maes y Dderwen: Y mae'r cystadleuydd hwn yn gwybod yn iawn werth yr awgrym sy'n cyfleu llawer, a hynny sydd i'w gael yn ei gerddi gorau. Y mae'n ddawn i'w thrysori. Yn y gerdd 'Cymdogion', er enghraifft, sonia am dad a mam: 'Ac yng nghilfach eu hadnabod/Roedd y môr yn llyfn'. Yna, daw'r awgrym anesmwyth: 'Ond o'r bae nesaf/Fe gariai'r gwynt dros y penrhyn cul/Sŵn tonnau'n torri'. Os ydych chwi'n gyfarwydd â'r gerdd 'Y Gwyddau' gan R. Williams Parry, y mae'r trwst bygythiol sydd yn honno, 'Fel tonnau'n torri', yn ychwanegu at anesmwythyd y gerdd hon.

Gwawr Nos: Muriau enbydrwydd a geir yn y gerdd hon, ac enbydrwydd rhyfel yw hwnnw. Defnyddir geiriau gan Hedd Wyn yn deitlau i'r cerddi ac yng ngherddi gorau'r ymgeisydd hwn fe gyflëwyd gwae rhyfela yn rymus. Yn y gerdd 'Ar Orwel Pell' y digwydd un o linellau mwyaf trawiadol y gystadleuaeth i mi: 'Eistedd wrth erchwyn y mudandod'.

Ffrind: Cryfder arbennig y cystadleuydd hwn yw ei allu i greu argraffiadau cryfion, synhwyrus – yn enwedig rhai gweladwy. Ar ei orau, y mae, hefyd, yn gallu troi'r argraffiadau hyn yn drosiadau. Dyma enghraifft o'r gerdd 'Bore Gŵyl Dewi 2001': 'Yn nrych y car/gwelaf eto/goelcerth ddig/yn llosgi carcasau ein traddodiadau/a'r mwg yn fy llygaid . . .'.

tra môr: Y mae un gerdd gan y cystadleuydd hwn yn ddigon, bron, ynddi ei hun i rywun gael ei demtio i'w roi yn y Dosbarth Cyntaf. Y gerdd honno yw 'gwên y lampau neon'. Nid yw pob cerdd o'i eiddo'n cyrraedd safon hon ond y mae yma allu i greu delweddau trawiadol iawn ac y mae yma, yn aml, fynegi cyrhaeddgar.

Cynnig teg: Fe fûm i rhwng dau feddwl yn hir ynghylch union safle'r cystadleuydd hwn. Y mae'n sicr ar frig yr ail ddosbarth ond y mae ynddo bron ddigon o ragoriaethau i'w roi yn y Dosbarth Cyntaf. Prynu tŷ hen y teulu sy'n rhoi unoliaeth i'r cerddi. Y mae yma drafod y teulu presennol a'r teulu a fu. Y mae'r cyfan yn fodern ac yn graff, ac yn hwyliog iawn mewn mannau.

Zzzzzz: Dyma'r dilyniant mwyaf modern ei dechnegau yn y gystadleuaeth. Y mae'r dilyniant yn dechrau ar nos Sul 'a'm gwraig yn 'gwely', a cheir cerddi am eitemau ar y teledydd, ynghyd â 'thoriadau'. Trwy gyfrwng y rhain, crëir amryw sylwadau cyrhaeddgar. Y mae'n ddilyniant – er ei bod yn anodd weithiau gweld y cysylltiad rhwng y pethau sy'n dilyn ei gilydd – ynghylch natur realaeth. Ar dro, y mae'r bardd yn chwarae triciau er mwyn creu penbleth er ei mwyn ei hun, megis wrth ddatgelu nifer ei linellau â rhifau cyfrin.

Caer Drewyn: Dilyniant er cof am ei fam/mam yw hwn. Nid yw'r mynegi yn ei grynswth yn cario'r foltedd a ddisgwylid; mewn ambell linell neu sylw y mae'r bardd hwn yn dangos eithaf ei ddawn, megis yn llinell olaf y dyfyniad a ganlyn lle y daw ei fam i'w feddwl yng nghyffiniau Corwen: 'daw awydd dynol, normal/i ddweud wrthi fy hanes/ac i gynnig petalau i'r tywyllwch'.

DOSBARTH 1

Mair. Hynt – neu efallai mai 'stori' yw'r gair priodol yma – plentyn sydd wedi gorfod ymdopi â rhieni anghytûn yw'r dilyniant hwn. Ac y mae yma ddilyniant gweladwy, o blentyn y mae ei fywyd wedi'i amharu arno gan ei rieni i oedolyn sydd wedi troi'n debyg i'w rieni, yn enwedig i'w dad. Y mae'r ymadrodd 'gan ailafael yn hen drywel ei dad' yn y gerdd 'Yr awr ginio' yn dweud mwy na'i ystyr lythrennol. Y mae yma fynegi teimladwy a chraff iawn. Llwyddodd y bardd i draethu, fel yr awgrymwyd, ar fwy nag un lefel, a llwyddodd i wneud hynny'n gyson. Er enghraifft, yn ei gerdd 'Concyrs' y mae yna sôn am galedwch y gneuen gastan ond y mae yna awgrym pellach yn:

> . . . [yr] un galon feddal
> a drig ym mhob cneuen.

Y mae'r gerdd yn sôn am y bachgen hefyd. Y mae ambell beth yma y buaswn i'n ei alw yn ffansi, sef dychymyg hytrach yn ysgafn, fel cyfeirio at ymladd tafarn fel 'Rhyfel Byd yr Hormonau', a syndod mewn cystal bardd oedd gweld 'ac wrth weld llun o'i hunan' am 'wrth weld llun ohono'i hun'. Y mae yma lithriadau eraill hefyd, fel y gwêl y cyfarwydd. Ond manion bethau yw'r rhain.

Adwy'r Clawdd: Mynd trwy furiau hyd at warineb yw pwnc y bardd hwn. Tynna ei enghreifftiau o weithredoedd nifer o unigolion a faluriodd galedwch anwarineb, gan ddechrau gyda'r canwriad o Rufeiniwr a ofynnodd i'r Iddew, Iesu, am gymorth, a gorffen gyda Gordon Wilson a ddaeth yn fyw trwy ffrwydriad bom yn Enniskillen. Y mae'r bardd hwn yn gallu creu teimladau dwys ac ysgytwol, yn enwedig yn ei gerddi 'Llangollen 1953', 'Israel, 1998' ac 'Enniskillen, 1987'. Yn fy marn i, y mae hwn yn un o ddilyniannau trawiadol y gystadleuaeth.

Y Gwyliwr yn y Dŵr. Y mae ffugenw hwn yn debyg iawn o alw i gof 'Y Gwyliwr ar y Tŵr'. Y mae'r gwamalrwydd hwn yn fwriadol. 'Gweledigaethau pysgodyn aur', meddai'r bardd, yw'r cerddi. Trwy fur gwydrog ei fyd, fe sylla'r pysgodyn ar hynt pobol. Diffinnir y gweld fel gweld o bowlen yn 'Y bowlen', cerdd gyntaf y dilyniant, a dechreuir sôn am yr hyn sydd i'w weld ond yna ceir rhyw hanner ailadrodd y gerdd gyntaf yn 'Byd y bowlen'. Y mae rhai o sylwadau'r bardd hwn yn gynnil a chyrhaeddgar-ddychanol, fel ei gerdd 'Stori':

> Roedd ein perthynas ni'n dau
> mor ecsgliwsif

23

nes iddyn nhw
y papurau
ei galw hi'n hynny.

Y mae ambell beth arall, megis y gerdd 'Sbio i mewn', yn fwy trwm ei gyffyrddiad.

Maen Eryr. Dilyniant o gerddi am glwy'r traed a'r genau yw hwn. Y mae yma furiau adeiladau amaethyddol a muriau y mae swyddogion y tu ôl iddynt, a chaerau. Trwy gydol y dilyniant, dwyseir ei effaith, fel un ergyd ar ôl y llall. Y mae'r sawl a gyfansoddodd y cerddi hyn yn gwybod o brofiad, neu trwy glywed sôn a defnyddio'i ddychymyg, beth yw effeithiau'r aflwydd hwn. Y mae'r cerddi'n rhai syml iawn, bron yn ynganiadau sy'n rhoi inni fanylion alaethus y dioddefaint – yr unig eithriad yw'r cwpled ar y dechrau un, sy'n glyfar a chymysglyd-aneffeithiol:

Mae ofn yn bwyta fy mêr,
A'i rwd yn pylu'r hyder.

Crëir profiad synhwyrus-gryf o ddifodiant mewn sawl un o'r cerddi:

Stolion adnabod yn wag
ac aerwyon cyfarwydd y disgwyl
yn cylchu'r dychymyg.

Nid oes yma gynhesrwydd anner
dim chwys, dim carthion.

Mae bywyd wedi mynd. Ac yn ei le y mae:

. . . [y] tawch a'r budreddi heintus,
y coesau'n foncyffion coed
a'r cyrff glasddu'n llosgi'n grimp,
cyn diflannu'n y cymylau madarch
i nos ein dydd.

Trwy gydol y dilyniant y mae yna gysgodion o erchyllterau eraill – y mae un yn 'cymylau madarch' y dyfyniad diwethaf yna; y mae un arall, sef 'ofn dynoliaeth' [sef, ein hofn ni], yn edrychiad y fuwch ar fin cael ei lladd a welodd y bardd ar flaen y *Daily Post*; y mae eraill yn y cyfeiriadau at y Pasg. Y mae'r gwyn yn troi'n ddu yn y dilyniant a dydd yn troi'n nos. Yn y cyfan y mae yna gyfleu profiad go-iawn, uniongyrchedd teimlad, a chryfder teimlad sydd yn peri i mi ddal mai'r dilyniant syml hwn yw'r un gorau yn y gystadleuaeth.

Wedi dweud hyn, yr wyf yn gytûn â'm cydfeirniaid hynaws yn eu barn fod *Mair* yn llawn a theilwng haeddu Coron Eisteddfod Genedlaethol Sir Ddinbych a'r Cyffiniau.

Mentrodd ugain gystadlu am y Goron eleni ac roedd safon y gystadleuaeth drwyddi draw yn fy modloni'n fawr. Prin bod yma fardd na lwyddodd i ganu'n ddigon trawiadol yma ac acw ac, ymysg y goreuon, ceir safon uchel o ran crefft a dawn i fynegi, ac mae crefft bob amser yn gloywi'r farddoniaeth. Oes, mae yma ddiffyg rheolaeth ar y *vers libre* lle nad yw'r canu yn ddim gwell na rhydd-iaith ac fe deimlais i ambell un dorri brawddegau yn ôl mympwy a dim arall. Mae yma hefyd feirdd sy'n adnabod rhin geiriau ac fe ddylai Pwyllgor Llên yr Eisteddfod fod yn hynod falch o safon y cystadlu. Tasg anodd fu eu gosod yn nhrefn teilyngdod gan fod nifer sylweddol o'r cerddi, neu o leiaf ambell gerdd unigol, wedi rhoi pleser i mi wrth eu darllen.

DOSBARTH 3

Brennig: Gormodedd o bethau fel 'nerthol furiau' a 'sgarled lifrai' sydd yn y cerddi atgofus yma ac nid yw'r bardd yn feistr ar ei fesur chwaith. Mae yma nifer helaeth o ganu rhyddieithol iawn sy'n tueddu i wneud y gwaith yn llafurus i'w ddarllen. Teimlir bod tuedd gan yr ymgeisydd i dderbyn y gair cyntaf a ddaw i'w feddwl heb iddo fynd ati i saernïo digon ar ei frawddegau.

Brawd Mawr: Ymgais i fod yn drawiadol a modern, efallai, ond aeth y cyfanwaith yn draethodol a bron yn bregethwrol ar brydiau. Taith bywyd sydd ganddo fel thema ganolog, gan ddechrau, yn llythrennol felly, yn y dechrau. Ond beth wnewch chi â brawddeg fel hon: 'Does yna fawr o le i bêl-droed yn y groth'!

Tomos: Chwalu muriau a wna'r ymgeisydd hwn – chwalu muriau crefydd. Er bod ganddo ambell linell drawiadol, mae gwead yr holl gerddi yn llac a di-gyffro. Mae ganddo, hefyd, ambell drawiad digon anffodus sy'n tueddu at fod yn ddi-chwaeth, er nad yw hynny'n fwriadol, dw i'n siŵr.

Ifan: Er bod y gwaith yma yn gwbl destunol, aeth yr ymgeisydd hwn eto i bregethu yn lle barddoni. Mae yma nifer eitha' helaeth o hen drawiadau a diffyg newydd-deb. 'O furiau gwarth i furiau gwerthfawr' sydd ganddo yn is-deitl ond prin bod yma ddilyniant chwaith, a soned wan yw 'Mur Berlin.'

Neb: Cerddi eitha' crafog a direidus yn ymdrin â'r byd addysg ond er iddynt godi ambell wên, yn enwedig yn y gerdd 'Asesu', teimlais iddynt ddod yn rhy rwydd i'r bardd ac nid oes digon o ddyfnder yn y dweud chwaith.

DOSBARTH 2

Fe gefais bleser yng nghwmni sawl un yn y dosbarth hwn gan fod yma nifer o feirdd deallus sydd bron wedi taro deuddeg, yn enwedig felly gydag ambell gerdd unigol. Diffyg cysondeb, efallai, yw'r diffyg mwyaf yn eu gwaith ond peidied yr un ohonynt â theimlo iddynt fethu gan fod yma fwy nag addewid mewn sawl ymgais. Efallai i rai hefyd ganu'n rhy 'saff' y tro hwn heb ddangos digon o fenter ieithyddol ond mae yma nifer o berlau.

Caer Drewyn: 'Cerddi er cof am Mam, Wrecsam a Chorwen' a gaed. Canu gonest sy'n llawn lluniau a'r gerdd agoriadol yn dangos gallu ond, rywsut, troi yn yr unfan y mae'r dilyniant ac ni ddatblygodd y gwaith o'r dechrau i'r diwedd. Mae ganddo ddwy gerdd wantan ond mewn cerdd fel 'Erddig', mae'n profi y gall ganu'n llawer gwell.

Deryn: Y muriau sy'n gwahanu pobl sydd ganddo ond er bod ei thema'n ddigon derbyniol, mae yma ormodedd o ganu ffwrdd-â-hi, fel pe bai wedi bodloni ar y gair cyntaf a ddaeth i'w feddwl. Mae hefyd yn torri brawddegau heb sylwi iddo'n rhy aml dorri ar eu rhythmau wrth wneud hynny ac o ganlyniad aeth y dweud yn feichus.

Gwawr Nosi: Mae gan hwn eiriau diddorol fel 'lletemu', 'rhacanau', a 'llurig' yn britho'i gasgliad ac, yn sicr, mae ganddo'r ddawn i ddisgrifio'n gynnil ar brydiau. Muriau sy'n cadw'r atgofion o fewn y cof sydd yma a'r atgofion hynny'n deillio o brofiadau erchyll rhyfel a charchardai yn Siapan. Dilyniant eitha' crwn, er yn newyddiadurol ei naws ambell dro, ac fe gollodd y bardd reolaeth ar ei fesur yn enwedig tua'r diwedd. Ond mae yma ambell frawddeg gref iawn.

Maes y Dderwen: Cerddi atgofus am daith bywyd yn ei chyfanrwydd o blentyndod i'r 'dyddiau blin'. Mae ganddo nifer o linellau sy'n rhyddieithol iawn ac yna, yn sydyn, mae'n taro ar linell sy'n llawn barddoniaeth, ond ni lwyddodd i wneud hynny yn ddigon aml ac fe aeth i ganu'n glogyrnaidd. Mae'r gerdd i'r 'Parchedig Ebeneser Phillips' yn gerdd unigol dda ac yn sefyll ar ei phen ei hun yn y gwaith.

Rhyd-y-Saint: O drwch blewyn y daeth y gwaith yma i'r ail ddosbarth, gan fod y gwead yn hynod o lac a'r dweud yn flêr yn aml. Y gerdd 'Cariad' yw'r orau o ddigon ganddo, yn enwedig ei dechrau, gan fod y cerddi eraill yn wasgarog eu mynegiant a'u crefft.

Ffrind: Agoriad trawiadol i'w gerdd gyntaf sy'n hoelio sylw'r darllenydd gyda'i ddisgrifiad o stryd y ddinas. Muriau sydd wedi eu codi rhwng pobl yw thema hwn eto ac mae'n chwilio am ateb i'r hen gwestiwn: 'Beth yw bod yn Gymro?'. Mae ei gerdd 'Gwylan Frith' yn gynnil, gynnil ac edmygais bennill cyntaf y gerdd 'Gweld.' Pe bai wedi llwyddo i gynnal y safon honno, fe fyddai wedi bod yn uwch yn y gystadleuaeth.

Ofn Gaddo: Dilyn cwrs cariad o'r dechrau, lle mae 'Nos Sadwrn/Dau gariad chwil/Yn creu dyfodol yn erbyn wal . . .', y mae'r bardd yma ond mae i gariad ei siom hefyd. Mae'n canu'n hynod o grefftus ar brydiau, ac mae llygaid bardd ganddo, yn enwedig yn y gerdd am 'Henaint Nain,' lle mae'r hiwmor tywyll yn cryfhau'r dweud a'r teimladrwydd. Mae rhai o'r cerddi'n fyr iawn ac, o ganlyniad, yn datblygu fawr ddim ar y dilyniant, ond ymdrech dda oedd hon.

Adwy'r Clawdd: Dilyniant yn nhrefn amser a'r amser hwnnw'n dymchwel y muriau, a phatrwm y cyfanwaith yn hynod dderbyniol. Mae'n agor gyda'r Canwriad yng Nghapernaum ac yn diweddu gyda'r bom yn Enniskillen yn 1987. Gwelwn y gwaed ar bob mur sydd ganddo ac mae llinell fel hon yn dangos ei gerddediad cadarn: 'Roedd achub plentyn mor naturiol â lladd gelyn'. Ei wendid yw iddo ddefnyddio llinellau sy'n fwy o ryddiaith na barddon-iaeth ac mae hynny'n wir am bob un o'r cerddi, gwaetha'r modd. Mae mwy nag addewid yma.

Cynnig teg: Dyma fardd y cefais bleser yn ei gwmni er iddo yntau, yn rhy aml, droedio'r llinell gul sydd rhwng barddoniaeth a rhyddiaith, yn enwedig felly yn y ddwy gerdd 'Muriau' a 'Magu Plentyn.' Pan mae ar ei orau, gall greu yn wefreiddiol fel y gwnaeth yn ei gerdd 'Eira, ffrws a mur,' sydd ymysg cerddi unigol gorau'r gystadleuaeth.

Carn Alw: Bardd mydr ac odl sy'n agor gyda soned o deyrnged i Waldo ac mae'r gwaith yn llawn o gyfeiriadau at waith y bardd hwnnw. Dyfynnodd yn helaeth o'i waith, hefyd, heb drafferthu i gynnwys y dyfyniadau mewn dyfynodau. Mae nifer o'r odlau'n taro nodau a glywais eisoes ac mae'r diffyg newydd-deb yma yn gwanhau'r dweud, er bod yma ganu digon diffuant ambell dro. Sylwais ar debygrwydd y gwaith i ymdrech *Carn Gyfrwy* ym Mro Madog 1987. Er iddo gynnwys canu caeth yn ei ddilyniant, byddai'n well o fod wedi bod yn llai adleisiol.

Zzzzzz: Rwy'n cyfaddef i'r gwaith modern yma roi problemau i mi a dim ond wedi darllen sawl tro y daeth peth goleuni ond bu'n rhaid cloddio'n ddwfn i ddeall termau fel 'astalevista' ac 'arac(h)noffig'. Gŵr yn gwylio'r teledu sydd yma ac yn ystod y toriadau hysbysebu mae'n cael gyfle i ddweud gair am ei wraig sy'n cymell iddo ddod i'r gwely. Yn sicr, mae'r darluniau sydd ganddo yn hydeiml iawn ar brydiau, yn enwedig felly am Wal y Wylofain lle mae'r Iddewon yn casglu ond ni lwyddais i dreiddio i enaid y canu yma. Tybed hefyd a ydym wedi cael digon o ganu am y 'byd pentrefol'? Nid moderniaeth y canu sy'n fy mhoeni ond cymhlethdod y dweud a'r tueddiad at ryddiaith sy'n llyffetheirio'r pleser o ddarllen.

DOSBARTH 1

Erys pedwar bardd – pedwar y dylid yn sicr gyhoeddi eu gwaith am fod yma ganu gafaelgar sy'n gwneud beirniad yn wylaidd. Mae yma gysondeb o safon uchel yn dangos graen ar ddweud ac aeddfedrwydd heintus. Pleser oedd bod yn eu cwmni. Gair byr am y pedwar ymgeisydd ond nid yn nhrefn teilyngdod.

Y Gwyliwr yn y Dŵr. Mae'r ffugenw ei hun yn awgrymog a'r is-deitl 'Gweledigaethau pysgodyn aur' yn creu chwilfrydedd. Dilyniant crefftus lle mae'r bardd yn edrych allan ar y byd trwy furiau gwydrog ac yn gweld problemau'r byd modern ond mae'n sylweddoli hefyd bod 'cen ar fyd ei bowlen' yntau. Mae'r myfyrdodau sinigaidd wrth wylio'r rhaglen 'Dechrau Canu, Dechrau Canmol' yn hynod dreiddgar ac yn dangos breuder ein ffug grefydda, a'r gerdd 'CC-Tfi' yn berl sy'n dangos gwendid ein cydymdeimlad ag ambell haen o gymdeithas. Pam, tybed, y bu iddo bron ailadrodd ei bennill cyntaf yn ei bedwaredd gerdd? Mae'r ddwy yn rhy debyg o lawer ac yn arafu datblygiad y dilyniant cryf yma.

Maen Eryr. Dilyniant amserol yn ymwneud â'r gofid ynghylch clwy'r traed a'r genau, a'r ing o golli yn pefrio drwy'r gwaith bron i gyd, gyda'r gynghanedd yn cryfhau sawl brawddeg hefyd. Mae holl gryfder y bardd yn y gerdd 'Ymwelwyr' a rhannau o'i gerdd i'r 'Pasg Cynnar'. Cerdd wannaf y dilyniant yw 'Ni wyddant . . .' sy'n tueddu at fod yn bregeth ac er bod y gerdd i 'Lamonby, Cumbria' yn gerdd gref, mae ynddi hefyd y naws newyddiadurol sy'n tueddu i ymddangos yn aml yn y gwaith. Efallai fod yr elfen o frys yn anorfod mewn cerdd mor amserol â hon ond bai bach yw hwnnw mewn dilyniant mor dda.

tra mor. Mae un gerdd yn y casgliad yma sydd yn mynd i aros yn y cof am hir iawn, sef 'gwên y lampau neon'. Dyma i mi gerdd unigol orau'r gystadleuaeth gref hon a darllenais hi drosodd a throsodd. Saernïwr syber yw'r bardd yma, ei eirfa'n gadarn a'i grefft yn hynod gywrain. Er iddo fynd yn bruddglwyfus ar brydiau, mae'n hawdd maddau hynny iddo oherwydd yr enaid sydd yn ei waith. Mae'r boen o golli plant a'r newid yn nheimladrwydd dechrau a diwedd y gerdd, 'rhy hwyr', yn profi ei ddawn fel bardd. Fe fyddwn wedi bodloni coroni hwn oni bai am un arall.

Mair. Adeiladu muriau yn hytrach na'u dymchwel a wnaeth hon/hwn. Adeiladu dilyniant fu yma hefyd a'r adeiladwaith hwnnw'n grefftus dros ben. Plentyn yn adeiladu muriau yn ei ofn sydd yma, gan ddechrau yn ei gastell 'Lego' rhag y frwydr sydd yn datblygu rhwng ei rieni. Cuddio wedyn y tu ôl i'w ddesg yn ddihyder am na

> . . . feddai dalent
> i ddianc a dychmygu . . .
> a phrofiadau go iawn
> yn parlysu ei bensel.

Mae'r gerdd 'Concyrs' yn gynnil grefftus, yn cuddio mwy na'r hyn y mae'n ei ddweud ond mae'r llinellau a ganlyn yn ddiweddglo graenus:

mai'r un galon feddal
a drig ymhob cneuen.'

Prin bod cerdd well nag 'Un gusan' ond mae'r delweddu grymus a'r grefft yn cynnal y dilyniant ac mae'r holl waith yn datblygu'n gyfanwaith coeth. Mae yma saer geiriau a'r berthynas rhwng plentyn a'i dad wedi ei ddisgrifio mor awgrymog a chrefftus.

Er i mi bendilio am gyfnod rhwng *tra mor* a *Mair*, fe wyddwn ar ôl y darlleniadau cyntaf mai *Mair* fyddai fy newis i (er gwaethaf nifer o fân lithriadau) a hynny gyda theilyngdod llwyr mewn cystadleuaeth gref iawn.

BEIRNIADAETH CEN WILLIAMS

Ar ôl trafod gwir hanfod barddoniaeth yn ei feirniadaeth ar y bryddest yn Eisteddfod Genedlaethol y Bala, 1967, â John Gwilym rhagddo i nodi ystyriaethau allweddol eraill: '. . . meistrolaeth bardd ar y gair a'r ymadrodd cryno trawiadol, ei reolaeth ar ruthmau perthnasol, ei ymwybod â phensaernïaeth, ac o bob dim ei ddawn i gyffroi gan gywirdeb ei angerdd'. O ran yr hanfod, roedd yn disgwyl i'r bardd allu meddwl yn drosiadol, clymu argraffiadau â'i gilydd yn 'undod clos', medru dangos perthynas sylfaenol popeth a '. . . thrwy hynny fynegi gwirionedd gwahanol i wirionedd gwyddoniaeth, gwirionedd sydd y tu hwnt i ffeithiau . . .'. Dyma restr uchelgeisiol iawn o ofynion ar gyfer unrhyw fardd ac ynfyd fyddai disgwyl i bob ymgeisydd ateb pob un o'r gofynion hyn. Ond mae yma feini prawf sy'n werth eu hystyried a'u cadw mewn cof wrth drafod gwerth y gwahanol ddilyniannau. Dau faen prawf arall y byddwn yn eu hychwanegu, gan fod y testun yn un gosodedig, yw eu hymdriniaeth â'r testun, 'Muriau', a pha mor effeithiol fu'r beirdd wrth lunio dilyniant yn hytrach na chyflwyno casgliad. Dyma, felly, y prif feini prawf a ddefnyddiwyd wrth ddarllen y cynnyrch ond, yn naturiol, nid yw'r sylwadau'n manylu ar bob un.

Ar y darlleniad cyntaf, graddau'r cyffroi sydd amlycaf ac mae hynny'n arwain at yr ymateb greddfol sy'n gymaint rhan o feirniadu unrhyw beth. Os yw rhywun wedi'i gyffroi gan angerdd y dwcud, gan wirionedd y neges, gan effaith y rhythmau, neu gan bensaernïaeth a chrefft, yna mae'n anodd iawn dileu'r argraff gyntaf honno. Mae greddf yn ganolog i'r broses feirniadu ac mae lle amlwg iawn i oddrychedd a barn bersonol.

Fy argraff gyntaf oedd fod hon yn gystadleuaeth o safon uchel er mai dim ond 20 dilyniant a ddaeth i law, neu efallai, **oherwydd** mai dim ond 20 dilyniant a ddaeth i law. Yn sicr, mae'r safon yn wastad iawn gyda rhywbeth i'w ganmol yng ngwaith pob un. Rhannwyd y cynnyrch yn dri dosbarth ond ni fu unrhyw ymdrech i'w rhoi mewn trefn o fewn y tri dosbarth oni nodir hynny.

29

Brawd Mawr. Mae *Brawd Mawr* yn cael trafferth i benderfynu ar undod thema i'w gasgliad gan fod ei fur yn amrywio o fur yr ofwm i fur gwybodaeth ac o fur dihidrwydd merch i fur cysgodol ei fam. Gwyddonol iawn eu naws yw'r pedair cerdd gyntaf er bod naws rhyw ffug arwrgerdd lawn hiwmor yn perthyn iddynt. Anfarddonol iawn drwodd a thro yw'r dweud fel y tystia'r llinellau sy'n disgrifio genedigaeth, 'Gwasgwyd fel corcyn gan nerth y cyfangiadau,/A phopia allan, chwap!' Ceir yr argraff mai ychydig o hwyl a thynnu coes yw'r cyfan ganddo ond eto mae diffyg unoliaeth yma hefyd, gan ei fod yn ymdrin â phwynt difrifol sef hiliaeth a rhwystredigaethau'r plentyn tywyll yng nghanol plant gwynion. Mae'r soned olaf yn codi i dir rywfaint yn uwch na'r gweddill.

Brennig. Mynegi siomedigaeth a theimlad o fethiant a wna cerddi'r bardd hwn – y siom a ddaw o sylweddoli bod y muriau a warchodai ei Gymreictod a'i gymdeithas yn ystod ei blentyndod ar Fynydd Hiraethog yn awr wedi'u chwalu ac mai 'Anobaith ac aflerwch yw Afallon fy mebyd'. Mae syniad da yn clymu'r cerddi ond ceir gormod o gyffredinedd yn y dweud. Mynegiant plaen didrosiad a diysbrydoliaeth yw'r gwendid mewn nifer o'r cerddi unigol, datganiadau moel, ailadrodd dibwrpas weithiau ar air a chystrawen a thuedd i fod yn hen ffasiwn yn achlysurol wrth osod ansoddair o flaen enw. Mae ar ei orau yn y gerdd gyntaf ac ar ei wannaf mewn cerddi fel 'Yr Eglwyswen' a 'Lôn Fudur'.

Carn Alw. Y broblem yn achos yr ymgeisydd hwn yw penderfynu ai llinellau Waldo ynteu llinellau'r bardd ei hun sydd gennym gan fod yma gymaint o ddyfynnu llinellau ac adleisiau o farddoniaeth un o feirdd mwyaf y ganrif ddiwethaf. Oherwydd hynny, nid yw'r bardd yn gwneud cyfiawnder ag ef ei hun ac nid yw'n rhoi'r argraff bod unrhyw newydd-deb yma. Mae ei gerdd 'fy nghri' yn defnyddio union fesur 'Y Tangnefeddwyr' yn ogystal â rhai o'r geiriau: 'Tangnefeddwyr', taerai, 'yw/doed a ddelo plant i Dduw'. Mae yma ddawn trin geiriau, mae'n amrywio'i fesurau ac mae'n un o'r ychydig feirdd sy'n canu'n gyson ar fydr ac odl ond hoffwn ei glywed yn canu â'i lais ei hun.

Deryn. Stori sydd ganddo amdano'i hun yn codi pac a mynd am Cenia bron yn union ar ôl gofyn i'w gariad ei briodi. Mur daearyddol rhyngddyn nhw yw un mur sydd yma, felly, ond ynghlwm wrth hwnnw mae'r muriau sy'n cael eu codi rhwng hil, cenedl ac iaith y daw ar eu traws yn ddyddiol yn y wlad bell. Mae'r cerddi cyntaf yn addo'n dda ond gan ei fod wedi cynnwys deunaw cerdd, mae'r gwaith yn mynd yn rhy ddarniog a cheir tuedd yma i lunio cerddi tebyg o ran eu cynnwys, e.e., 'Cyfnewid Enwau', 'Wrth Sgwrsio â Sais' a 'Jelo'. Cerddi yw'r rhain sy'n trafod ei berthynas â rhai y mae'n cydweithio â nhw ond nid oes digon o wahaniaeth rhyngddynt o ran cynnwys i gyfiawnhau tair cerdd. Colli gafael wrth fynd yn ei flaen y mae'r dilyniant hwn er bod y cerddi byrion sy'n efelychu'r hen benillion yn effeithiol er mwyn cyfeirio'r darllenydd.

CORON YR EISTEDDFOD

Rhodd Cangen Llansannan o Undeb Cenedlaethol yr Amaethwyr
Cynlluniwyd a gwnaed gan John Price, Corris

Mae'r ffaith bod mwyafrif llethol y dilyniannau yn yr ail ddosbarth ac nid yn y trydydd yn brawf i safon uchel y gystadleuaeth yn gyffredinol. Yng ngwaith pob un o'r rhain wedyn, mae safon rhai cerddi yn uchel, mae yma syniadau a dull dweud sy'n taro deuddeg ac mae rheolaeth ar rythmau. Pam, felly, maen nhw yn yr ail ddosbarth ac nid yn y cyntaf? Y prif resymau yw anallu i gynnal yr un safon uchel drwy'r dilyniant, neu nad ydynt yn meddu ar yr elfen ychwanegol honno 'A dania feddwl dyn a'i fêr', chwedl R. Williams Parry. O leiaf nid ydynt yn gwneud hynny i mi, tra bo rhywbeth yn y dilyniannau a ddaw i'r dosbarth cyntaf yn llwyddo i danio'r naill neu'r llall. Cefais hi'n anodd iawn gosod trefn teilyngdod gan fod cymaint i'w ganmol mewn cynifer o ddilyniannau ond mae'r chwech olaf a drafodir yn y dosbarth hwn ychydig ar y blaen i'r pedwar cyntaf.

Caer Drewyn: Cerddi coffa i'w f/mam sydd yma ac mae ing tawel y cofio i'w deimlo mewn cerddi fel 'Cofio ei Hwyneb' ac 'Angladd'. Mae'r bardd ar ei orau yn y gerdd 'Llyn Hollingworth', mewn llinellau fel, 'O'i ddŵr dadweiniwn Galedfwlch/ein hatgofion, ei anwesu/cyn ei daflu yn ôl i'r dyfnder . . .' ond nid yw'n gallu cynnal yr un safon drwy'r dilyniant. Efallai fod yma beth anhawster wrth geisio ffitio cerddi coffa i'r teitl 'Muriau' gan fod yma duedd i dynnu'r geiriau 'mur', 'muriau', 'caerau' i'r cerddi i'w gwneud yn destunol. Ond mae yma fardd gafaelgar a allai daro deuddeg yn y dyfodol.

Ifan: Mae *Ifan* mor ymwybodol â minnau mai casgliad o gerddi sydd ganddo ac nid dilyniant gan mai dyna'r pennawd a ddefnyddiodd. 'Muriau ein gwarth' yw teitl y gerdd gyntaf a thema'r casgliad. Datgan ffeithiau yn unig a wna'r soned 'Mur Berlin' ac mae peth cloffni yn y mydryddu ond mae'r ddwy soned olaf 'Caban y bugail' a 'Preseli – "Mur fy mebyd"' yn sonedau glân eu crefft a gafaelgar. Mae 'Muriau Hiliol Peckham' yn gerdd sy'n apelio hefyd ac mae cydymdeimlad *Ifan* drwodd a thro gyda'r gwan mewn cymdeithas – y bugail yn y soned, 'Stephen Downing', a'r croenddu sy'n dioddef, 'Bu mur y distawrwydd llethol/Yn gwarchod ing y gwae erchyll, –/Y gormes yn y gwyll'.

Rhyd-y-Saint: Muriau cell yn llythrennol sydd gan yr ymgeisydd hwn ond mae hefyd yn syllu ar furiau'r cof sydd fel 'darluniau hen ffilm 'di llwydo'n/trio deud stori'. Roedd muriau ei fagwraeth Gymraeg ac yn yr Eglwys hefyd yn gwasgu arno ond, yn y carchar, mae ei atgofion yn dod â rhyw fath o ryddid er bod '. . . anga mor bell â bywyd' iddo. Mae ar ei orau ar ddiwedd y gerdd 'Llenydda' lle mae'n disgrifio'r sioc o weld beth a ddigwyddodd i rai o'r sloganau y bu'n eu creu a'u hysgrifennu: 'a hannar wal lle buon nhw'n lledu'r lôn,/a llai na hannar slogan/rhwng yr iddaw,/fel cof yn pydru'. Ond mae yma rai rhannau lle mae'r grefft yn llai sicr a'r cerddi'n colli eu hygrededd. Gwaetha'r modd, mae'r gerdd gyntaf un yn un ohonynt a'r cerddi olaf.

Tomos: Muriau capelyddiaeth y teidiau'n cael eu chwalu gan grefydd(au) newydd cenhedlaeth eu hwyrion sydd gan y bardd hwn. Yn ei farn ef, dechreuodd y chwalu yn y chwe degau gyda Ferlinghetti, cyhoeddwr peth o waith Ginsberg a Kerouac ac un o feirdd y *Beat* ei hun. Ef, yn ôl y bardd, oedd 'uchel offeiriad yr hafau o gariad'. Awgrymir mai 'Gwesty Torcalon' a 'serch tragwyddol' yw profiadau'r ddwy grefydd fel ei gilydd ac nad yw crefydd Seion na chrefydd Woodstock yn ddigonol gan fod muriau'r naill fel y llall yn dymchwel. Ym myd natur y mae'r gobaith: '. . . Clywir ordinhad o'r newydd/yn siffrwd y dail,/llawenydd yng nghrawc/y llyffant . . .'. Mae crefft rhai o'r cerddi yma'n gynnil a diwastraff ac mae rhai rhannau gafaelgar iawn ynddynt. Ar y llaw arall, tueddu i ogor-droi y mae'r gwaith fel dilyniant, gyda'r bardd yn dychwelyd at yr un syniadau droeon mewn gwahanol gerddi.

Ffrind: Ar un wedd, muriau 'anweledig y dre' sydd yma ac mae'r gerdd gyntaf, 'Sbectol', yn ein cyflwyno i'r testun wrth i wahanol olygfeydd gael eu hadlewyrchu yn sbectol y bardd. Mae hwn yn ddechrau trawiadol i'r dilyniant a thrwy'r cyfan mae gwylan cydwybod y ferch sy'n llefaru yn y cefndir yn ei gwylio oddi ar y mur. Ond mae'r dre'n ei chaethiwo hefyd a muriau Cymreictod a magwraeth yn ei rhwystro rhag datblygu'i chariad er ei bod yn ceisio'i gorau i'w chwalu gan: '. . . [g]uddio fy enw mewn cwpwrdd,/cuddio tu ôl i eiria fy ysfa,/cyfieithu fy nghymeriad . . .'. Ymdrech i chwalu'r muriau a chael rhyddid sydd yma ac mae'r adeiladwaith yn un diddorol. Mae yma ddweud effeithiol ar brydiau ond nid yw'r ail hanner lawn mor afaelgar â'r hanner cyntaf fel cyfanwaith, er bod cerddi unigol trawiadol yma. Dilyniant y closiais ato'n fawr, er hynny.

Gwawr Nosi: Muriau'r cof sydd gan y bardd, y muriau hynny sydd wedi'i gaethiwo yn ei atgofion am ddyddiau'r rhyfel yn Siapan ac mae'r dilyniant wedi'i wau'n grefftus iawn trwy i'r bardd ddefnyddio geiriau Hedd Wyn yn ei gerdd 'Rhyfel' yn deitlau, gyda phenillion byrion mewn print italig yn dod â ni'n ôl at bresennol Johnny, y cymeriad sydd bellach mewn ysbyty meddwl. Crefftwr wrth ei waith. Gwelir ei ragoriaeth, a'i wendid o bosib, yn y gerdd 'Sŵn yr Ymladd'; y trosiad effeithiol: 'Gwifrau'n llarpio cnawd,/pelenni tân yn ddisgord/ar erwydd yr anwel . . .' ar y naill law a'r gorddio erchyllterau sydd mewn nifer o gerddi yn yr hanner cyntaf. Byddai mwy o gynildeb awgrymog y gerdd 'A'i Gysgod ar Fythynnod Tlawd', sy'n sôn am ei rieni gartref yn meddwl a 'Lleithder y waliau fel dagrau a drain/ar noson G'langaeaf/a'r dydd yn byrhau', wedi codi'r dilyniant i'r dosbarth cyntaf.

Cynnig teg: Mae'r dilyniant hwn yn gwella gyda phob darlleniad. Muriau bwthyn sydd yma'n llythrennol, bwthyn a oedd wedi ei godi gan deulu'r bardd, a'r famgu wedi byw ynddo. Heddiw mae'r bardd wedi magu digon o blwc i frasgamu'n hyderus 'fel Cerys Mathews' i'w brynu. Mae'r cerddi wedyn yn gymysgedd o ddychmygu bywyd y nain, ei hatgofion hi'n dod yno'n blentyn gyda'i chwaer a Teleri – 'y tair tomboi' – a'i hanes yn dod yno gyda'i bechgyn ei hun yn y cyfnod presennol. Cryfhau wrth fynd yn ei flaen a wna'r dilyniant hwn ac mae'r cerddi 'Eira, thus a mur' (sef ei hanrhegion arbennig hi a'i mab teirblwydd ar ôl treulio pnawn 'Dolig yn crwydro o amgylch y bwthyn), 'Oriel y Llofftydd' (sy'n gyfoethog o gyfeiriadaeth o fyd Celfyddyd ac yn llawn teimladau cynnes mam wrth fyfyrio am y tri gwrywaidd yn ei bywyd), a'r gerdd 'I ŵyn eleni' (sy'n cymharu lladd mochyn y gorffennol â lladd a llosgi ŵyn y presennol), yn gerddi gafaelgar dros ben.

Maes y Dderwen: Y muriau y mae pob un ohonom yn eu codi o'n hamgylch ein hunain gyda cherrig y blynyddoedd a geir yma ac yn achos y dilyniant hwn mae'r muriau'n rhwystro'r bardd rhag cyfathrebu â'i deulu ei hun. Ei unig obaith am ryddhad yw'r llymaid a gaiff cyn mynd i'r gwely neu'r teimlad gobeithiol 'Y daw rhyddhad eleni' trwy ei farwolaeth. Mae hi'n gerdd drist ar sawl ystyr, yn dangos pa mor galed y bu'n rhaid i fab yng nghyfraith y bardd weithio i greu twll ym mur senoffobia'i dad yng nghyfraith trwy ddysgu'r Gymraeg ac fel y mae rhagfur dwy genhedlaeth yn rhwystr iddo deimlo'n rhydd gyda'i wyrion. Mae hi'n gerdd wastad iawn o ran ei safon ac mae'r bardd yn feistr ar ganu yn y mesur rhydd er efallai fod clywed yr un rhythmau drwy'r dilyniant ar un dôn bruddglwyfus yn gallu creu peth undonedd.

Neb: Dilyniant bywiog a difyr yn disgrifio blwyddyn fel athro ysgol o fewn muriau academia. Bydd hon yn apelio at athrawon ledled Cymru a byddant i gyd yn adnabod y teipiau a ddarlunnir yma, e.e., yr un a welwn yn troi gwers yn 'gêm/o chwarae mig rhwng dau . . . Dim beiro, dim llyfr, dim bag,/dim,/ond arlliw o grechwen/ar wefusau tynn'. Ond mae yma goegni, hefyd, yn y gerdd 'Cynghreiriau', lle sonnir am yr ardaloedd tlawd neu'r plant na ddoniwyd â'r un gallu yn cystadlu yn erbyn ei gilydd yng 'nghynghrair Blunkett', ac yn y gerdd fer, 'Ystadegau'. Mae'r gerdd 'Prifathro' yn llawn hiwmor trist sy'n dangos bellach bod yn rhaid i'n prifathrawon gael popeth ar bapur ac mae'r soned 'Brics' yn ein tagu gyda gwirionedd yn y cwpled cyntaf: 'Nid oes yr un wladwriaeth fawr a fynn/Ddinesydd sydd yn meddwl drosto'i hun'. Dilyniant difyr sydd heb amcanu'n uchel iawn sydd yma ond dylai weld golau dydd yn rhywle gan ei fod yn adleisio teimladau cymaint o athrawon Cymru.

Adwy'r Clawdd: Yn y ffugenw y mae'r allwedd i'r thema yn y dilyniant hwn. Sôn y mae'r bardd am rai a lwyddodd i dorri adwy mewn muriau trwy wneud yr annisgwyl. Mae ganddo gerdd i filwr o Brydeiniwr a gymerodd law Almaenwr (pan oedd hwnnw ar fin marw yn y ffos ac yn gweiddi *Mutter, Mutter*) i'w gysuro yn ei funudau olaf. Gwrthrych arall yw Gordon Wilson a ymatebodd mewn ffordd mor Gristnogol wedi'r gyflafan a fu yn Enniskillen. Mae'r bardd wedi ymchwilio'n ddygn i gael hanes gwrthrychau ei gerddi ond heblaw'r ffaith bod dilyniant o ran amser yma, byddwn yn tueddu i ddweud mai casgliad o gerddi ar yr un thema a gawn. Mae'r bardd yn grefftwr ar ei fesur ond mae rhai o'i gerddi *vers libre* yn rhyddieithol ar brydiau (e.e., 'Merthyr Tudful' a 'Coedwig Mametz, 1916'). Byddent yn gweddu'n well fel ymsonau dramatig, gan fod bron bob un yn y person cyntaf unigol neu'r cyntaf lluosog.

Mae'r chwe dilyniant yn y dosbarth hwn yn llwyddo i gyffroi mewn rhyw ffordd neu'i gilydd ond nid o angenrheidrwydd mewn ffordd deimladol.

Y Gwyliwr yn y Dŵr. Syniad ac adeiladwaith y bardd hwn sydd wedi gafael ynof. Mae yma hiwmor clyfar yn y syniad ein bod ni i gyd yn ein bywydau bach fel pysgod mewn powlen a bod y muriau yr ydym yn eu llunio o'n cwmpas ein hunain yn rhai tryloyw. Mae'r saernïo yn grefftus yma, hefyd, gyda'r dilyniant yn rhannu'n dair a phob rhan yn cael ei chyflwyno gan drioled. 'Byw a bod rhwng muriau gwydrog' yw testun y rhan gyntaf ac mae'r ddwy gerdd sy'n dilyn y drioled yn sôn am ein trafferthion dyddiol ni,

> am ŵr sy'n gwrthod gwrando
> neu wraig sydd ddim yn malio digon i glywed . . .

a'r ffordd y down weithiau at y gwydr i rannu ein problemau er ein bod yn ceisio cuddio'r trueni gan amlaf. Mae'r ail ran yn canolbwyntio ar y muriau anhrugarog sy'n galluogi pobl eraill i weld y trueni sydd y tu mewn i'r bowlen, trwy raglen Jerry Springer neu'r 'CC-TFi'. Yn yr adran hon, y mae rhai o gerddi gorau'r dilyniant, cynildeb 'Y Pethau Bychain' a 'Sbec', sy'n sôn amdanom i gyd fel pobl – 'maen nhw'n trio/peidio sbïo,/perffeithio/chwarae cuddio,/peidio malio/a nofio heibio/mor ddihidio/dim ond actio ydio –/maen nhwthau wedi'u brifo/eneidiau wedi cracio,/ac maen nhwtha'n crio/tu mewn'. Mae'r drydedd ran yn ymwneud â'r cen sydd yn hel ar ymylon y bowlen ac yn ein rhwystro rhag gweld ein byd yn glir. Dilyniant gafaelgar ond efallai fod y ddwy drioled gyntaf a'r gerdd 'Stori' yn wendid yn y cyfanwaith.

Ofn Gaddo. Ar y darlleniad cyntaf, daeth dilyniant y bardd hwn yn uchel iawn yn fy rhestr ond llithrodd beth wrth i mi sylweddoli bod ergyd llawer o'r cerddi yn y llinell neu ddwy olaf. Thema'r gwaith yw'r ddwy linell a geir yn gyflwyniad:

> Pobol sy'n gwneud i furiau gwympo a throi gwaed y graffiti'n llwch.
> Pobol, hefyd, fydd dan y sbwriel – dyna pam na ddylai neb guddio tu ôl i waliau.

Mae un o'r cerddi yma'n manylu mwy:

> Mae yna fur
> lle mae'r bobol sy'n byw, un ochr iddo fo.
>
> A'r bobol
> sy'n dweud wrthyn nhw sut i fyw – yr ochr arall,

ond dengys y gwaith hefyd bod y muriau sydd yn cael eu creu yn y meddwl yr un mor arwyddocaol yn ein bywydau, yn arbennig y rhai sy'n:

. . . wytnach na cherrig – yn g'letach na mortar –
wrth amddiffyn
rhagfarnau am yr hunan
a blannwyd ynom
i'n carcharu mewn caerau.

Mae'r gwaith yn f'atgoffa o waith Roger McGough gan fod y dweud yn eich sobri'n sydyn, weithiau yng nghanol doniolwch, wrth ddangos mor galed yw bywyd i rai. Ceir yma dalp o wirioneddau am ein byw a'n bywydau. Mae yma eironi mewn idiom fodern a cherddi fel 'Nain', 'Cariad', 'Dyn y Fferi', 'Graffiti'r Croen', 'Cansar Mam', 'Helpu'ch Hun', 'Mewn Cerdd' a 'Dringo', y dylai pob chweched dosbarth eu hastudio. Ond mae yma beth canu anwastad hefyd ac ambell un o'r cerddi byrion iawn fel 'Geni' nad ydynt yn ychwanegu dim at y cyfanwaith.

Maen Eryr. Testun y bardd hwn yw'r muriau y mae clwy'r traed a'r genau wedi'u codi o amgylch bywyd amaethwyr a chefn gwlad eleni ynghyd â'r muriau sydd o'i gwmpas ar y fferm. Mae'r gwaith wedi'i ysgrifennu mewn mis ac wedi'i seilio ar ddigwyddiadau yn ystod mis Mawrth 2001. Felly, pan gofiwch mai Ebrill 1af yw dyddiad cau'r gystadleuaeth hon, ni allai fod yn fwy cyfoes. Uniongyrchol a chynnil yw'r arddull ond mae cyffro yn nyfnder arwyddocâd y delweddau, e.e., wrth ddisgwyl awr tymp y mamogiaid yn y sied:

Minnau ar fêl eu cynhaliaeth
yn disgwyl y wawr ddigroeso
yn ei galarwisg laes . . .

meddai, ac eto, yn y beudy yn y gerdd 'Gwacter', gwêl:

Stolion adnabod yn wag
ac aerwyon cyfarwydd y disgwyl
yn cylchu'r dychymyg.

Mae'n ail-fyw hunllefau'r ffermwyr ond gellid dadlau bod yr arddull yn rhy newyddiadurol mewn cerddi fel 'Lamonby, Cumbria', 'Ymwelwyr', 'Gehenna', 'Ailagor'. Ond mae ganddo gerddi gwirioneddol drawiadol fel y gerdd 'Cartref', un o gerddi gorau'r gystadleuaeth. Yn hon, mae'r bardd ar ei orau yn ei ddelweddu cyffrous:

Ac wedi i garlwm y gwyll
erlid y wawr gynffonwen
o warin i warin,
a'r gannwyll yn stwmp yn ei phoer,
deuai'r cysgodion llaes
fel lleng o ysbrydion
i chwarae mig ar foelni'r parwydydd.

Mae arwyddion bod *Maen Eryr* wedi rhuthro'i ddilyniant gan nad oedd yr amser ganddo, oherwydd ei destun cyfoes, i saernïo pob cerdd fel y gwnaeth gyda'r gerdd 'Cartref'.

Zzzzz: Muriau'r deml y mae'n ei hadeiladu iddo'i hun 'ar lun lluniau/o faw ufferndai pobl eraill', yw muriau *Zzzzz.* Daw'r lluniau ato trwy'r teledu ar nos Sul ac mae o'i hun yn rhan o bob un ohonynt. Y dimensiwn ysbrydol yn y gyrrwr ambiwlans yn Israel a galwad Allah sydd yn ei yrru i fentro trwy'r bwledi 'i drin clwyfau arwynebol ei gyd-Arabiaid'. Ond mae eironi hefyd yn y ffaith mai ei grefydd yntau sy'n gyrru'r Iddew at Wal y Wylofain. Deuoliaeth y crefyddau sydd gan y bardd a'r ffaith bod yr allanolion yn rhwystro'r unigolyn rhag cyrraedd y gwir Dduw. Yr hyn sy'n arwyddocaol am y gerdd 'Dere i'r gwely', lle mae ei wraig yn galw arno, yw mai yn ystod yr hysbysebion y mae bywyd go iawn yn digwydd a bod ein bywydau wedi'u troi ar eu talcen gan ein harferion. Y gerdd hon a'r un sy'n ei dilyn yw'r rhai gwannaf gan fod y dilyniant yn cryfhau o'r 'Ail eitem: Cartrefi Plant' ymlaen. Mae rhai delweddau'n gignoeth gyffrous, e.e., pan ddisgrifir un a fu'n cael ei cham-drin mewn cartref plant:

> yr hemoffiliaid (benywaidd) sy'n swatio i'r cysgod
> gan gnoi'i hewinedd
>   i'r byw,
>   i'r byd,
> wrth bigo crawn ei chof
>   yn gyfweliad dulas, dwys.

Gwelir gwerthoedd ein bywydau wrth i'r bardd ddisgrifio'r pâr 'Ikeaidd' y bu i'r llifogydd ddifetha eu cartref:

> Ym mhwll eu darfodaeth, nid yw ef yn credu
> na hithau'n chwerthin, dim ond teimlo'r dŵr
> yn chwarae â labeli eu hesgidiau gwlyb.

Mae'r cyffro'n dod yn hon wrth ymlafnio i ddarganfod yr ystyr ac er na allaf honni fy mod yn llawn ddeall popeth, rhoddodd dull dweud clyfar y gerdd fodernaidd hon gryn wefr a boddhad i mi, yn ogystal â pheth anesmwythyd.

Er ei holl rinweddau a phe bai'r tri beirniad yn cytuno mai gwaith hwn yw'r gorau, byddai'n rhaid ystyried yn ddwys cyn coroni cerdd sydd mor anodd i'w deall ym Mhrifwyl y 'Werin' – yn enwedig o gofio ein bod mewn cyfnod lle gwneir cymaint i boblogeiddio barddoniaeth yn hytrach na'i neilltuo i fod yn rhywbeth tywyll, ymylol na ddylid disgwyl i neb ei ddeall yn llawn!

Dau ddilyniant storïol, haws eu deall a'u gwerthfawrogi, sydd ar ôl, dwy stori fer wedi'u gosod ar gerddi.

tra môr. Mae'r dilyniant hwn yn dechrau'n gryf gyda'r gerdd 'yr eneth' yn cyf-lwyno drama'r sefyllfa:

Crogai cymylau'r hwyr
yn feichiog gan gyfrinach . . .
a lleisiau diwyneb Cwm Pen y Daith
yn sibrwd y tu hwnt i'r llenni
lle mae clustiau bach y gors
yn gwrando.

Mae rhyw ddirgelwch ar droed ac mae'r ferch yn colli baban ac yn colli chwaer iddo pan fo'n honno'n dianc i'r ddinas yn yr ail gerdd. Y gerdd 'gwên y lampau neon' yw'r gerdd unigol a apeliodd fwyaf ataf yn y gystadleuaeth gyda'i hawgrymiadau cynnil am uffern merch y strydoedd cefn mewn tref:

. . . A does dim un o'r teithwyr
yn sylwi pa mor hyll
yw'r hwyr tu hwnt i'r muriau,
nac yn clywed yn y gwyll

y camau'n y tywyllwch
mewn esgidiau hoelion mawr,
na sgrechian merch y cyfnos
yn llusgo tua'r wawr.

Awgrymir yr holl ing, unigrwydd a thrueni sy'n perthyn i'w bywyd mewn ffordd dawel sy'n ennyn ein holl gydymdeimlad. Mae'r cerddi eraill hyd at 'dant y llew' yn afaelgar ac yn cyfrannu'n gyfoethog at ddatblygiad y stori ond mae'r plot yn mynd yn rhy gymhleth o'r fan honno ymlaen a'r storïwr yn mynd rywfaint yn drech na'r bardd. Er hynny, mae yma ddelweddu cadarn a llinellau cofiadwy.

Mair. Stori sawl plentyn sydd gan *Mair*, y plant hynny sy'n gorfod codi mur-iau eu caer Lego eu hunain er mwyn gallu dianc iddi, gan fod 'bastiwn' y berthynas rhwng y tad a'r fam yn dadfeilio ac 'yn darnio'n y gegin'. Gwelwn y bachgen yn yr ysgol yn y delyneg 'Clusten' yn dal i deimlo'r chwydd a blasu'r gwaed,

a phrofiadau go iawn
yn parlysu ei bensel,
tra bod pawb o'i amgylch
yn boddi mewn geiriau ffug.

Rhan o brofiad pob athro sensitif, ysywaeth. Ond mae'r hyn a awgrymir yn y gerdd 'Concyrs', sef bod bachgen yn y sefyllfa hon yn caledu fel concyr a fu mewn finag er mwyn cuddio'r galon feddal, yn cyfrannu tuag at y cynllun sydd i'r stori trwy ragfynegi'r hyn sy'n digwydd iddo. Mae'r delweddu, y trosiadau a'r cymariaethau'n cyfoethogi'r dweud yn yr holl gerddi ac mae diweddglo 'Parti', sydd wedi'i seilio ar gyfeiriadaeth o lyfrau plant Angharad Tomos, yn ingol ei arwyddocâd. Parti unig ydoedd heb neb ond y tad, y fam a'r tyndra yno gyda'r bychan:

> Penderfynodd Hwyl ag [sic] Asbri gadw draw
> rhag amharu ar y ddefod . . .
>
> Ar alwad y corn gwlad
> diffoddwyd un ar ddeg o ganhwyllau
> cyn i Heddwch garthu'i wddf,
> a sylwodd neb ar y ddawns flodau'n
> gwywo ar ganol y bwrdd.

Awgrymir y cyfeiriad a gymer y bachgen gan ddelwedd y friallen 'a fynnodd ddianc at glystyrau'r grug' ymhell cyn marwolaeth ei fam ac mae'r gerdd 'tydi bechgyn mawr ddim yn crio' yn arwydd cwbl eglur o'r hyn sydd i ddod. Mae hon yn gerdd ardderchog a'r gair mwys ar ddiwedd y llinellau a ganlyn yn cyfoethogi'r ystyr:

> tydi bechgyn mawr ddim yn crio
> wrth golli mam
> maen nhw'n ysgwyd llaw a disgwyl
> i'r galarwyr wasgaru
> cyn taflu llwch i lygad pres yr arch.

Mae'r dagrau'n gorlifo'n drais yn y tair cerdd olaf, trais tuag at gyfoedion, trais geiriol at ferched yn gyffredinol a thrais corfforol at ei wraig. Nid wyf yn siŵr pa mor gadarn yw'r ddamcaniaeth hon ac nid yw'r ymdriniaeth â'r testun gosodedig mor uchelgeisiol â rhai o'r ymgeiswyr eraill ond barddoniaeth *Mair* sydd wedi fy nghyffwrdd i a'm hysgwyd gyda'r delweddu. Mae'r dilyniant yn fwy cyson drwyddo draw ac yn wir deilwng o Goron Eisteddfod Dinbych, 2001.

Diolch i'r holl feirdd am eu llafur a'u hawen ac am roi cymaint o bleser a chur pen!

Y Dilyniant o Gerddi

MURIAU

Castell *Lego*

Eisteddai'r Bwda bach ar garped y Nadolig
a'i lygaid yn gwibio fel mewn gêm denis
o'r **Lego** i'r llun ar y bocs.
Bricsen wrth fricsen lwyd
fe gododd furiau'r gaer
tra bod bastiwn ei fam a'i dad
yn darnio'n y gegin.

Hon oedd y gaer,
lle gallai'r milwr bychan
ddianc mewn arfwisg blastig
i godi'r bont a chau drws
ar y rhyfel cartref

Clusten

Wrth ei ddesg,
ni feddai'r dalent
i ddianc a dychmygu
gan fod arswyd ac ofn
yn rhan o barsel bywyd
a phrofiadau go iawn
yn parlysu ei bensel,
tra bod pawb o'i amgylch
yn boddi mewn geiriau ffug.
Ond gallai deimlo'r chwydd ar ei dalcen
a blasu'r gwaed yn ei boer,
ac wrth weld llun o'i hunan
yng nghwarel wydr y drws,
gwelodd haul y gaeaf
yn machlud yn ei lygaid.

Concyrs

Yn hyderus, estynnodd ei goncyr
ar gortyn beindar digon bregus
i herio'r byd.
Cylch o wynebau coch
yn rhyfeddu at wytnwch cnau
heb wybod cyfrinach y finag
a wnaeth un yn ddiguro
na deall
mai'r un galon feddal
a drig ym mhob cneuen.

Un gusan

Yn ei wely
rhyngddynt fel erioed;
roedd dieithrwch eu sgwrs
yn atsain o'r muriau clinigol
ac yn y munudau hir o ddistawrwydd
dechreuodd y grawnwin sgrechian
a throi'r afalau yn gleisiau i gyd.

Roedd ei fam yn edrych rownd corneli
a llygaid ei dad yn bygwth y cloc
i daro diwedd awr yr ymweld.

A'r ddyletswydd drosodd,
plygodd ei dad yn annisgwyl
a'i wyneb fel hen balmant
i blannu'n drydanol ar ei dalcen
un gusan, y gyntaf a'r olaf,
un gusan i bara oes –
un gusan.

Parti

Dim ond y tri ohonynt –
roedd y tŷ yn rhy fach i Wahoddiad
a chyhoeddodd Trefn
nad oedd neb yn deilwng
o'r gadair wag.
Penderfynodd Hwyl ag Asbri gadw draw
rhag amharu ar y ddefod,
ond roedd y llestri gorau,

y cardiau a'r gacen yno
a daeth y jeli a'r hufen iâ
ar ymweliad blynyddol.

Ar alwad y corn gwlad
diffoddwyd un ar ddeg o ganhwyllau
cyn i Heddwch garthu'i wddf,
a sylwodd neb ar y ddawns flodau'n
gwywo ar ganol y bwrdd.

A'r gwynt i'r drws bob bore

Bore o wanwyn,
cerdda law yn llaw â'r haul
hyd lwybrau'i arddegau,
nes cyrraedd carnedd gynta'r llechwedd.
Yma, yng nghanol cylch o gerrig
mae gardd o hwiangerddi,
lle bu'n meithrin blodau amddifad
ar dannau'r gwynt.
Gweld un friallen
a fynnodd ddianc at glystyrau'r grug . . .

Ebrill yn halio
piseri'r glaw dros y gamfa
gan wthio dwylo i bocedi gwag
a dilyn llwybr yn ôl at gysgod muriau
lle nad oes dim yn tyfu.

Cwmwl

Gwybod, wrth ddringo'r grisiau
fod hen ddwylo cyfarwydd
yn ei gymell i'r llofft
lle roedd cwmwl du yn garthen.

Gorwedda, â'i llygaid gwag yn taflu lluniau
digyswllt ar sgrîn y pared
a'r stympiau sigarets yn cofnodi
hyd y prynhawn.

Gwybod, na fyddai gwaedd na chusan
yn agor y drws i'w dryswch
a gweld wrth gamu yn ôl
y llenni'n cau dros ei llygaid.

Hualau

Trwy ffenestr fach y llofft
roedd ei lygaid yn dilyn
llwybr dolurus y fam
a fu'n llnau y tŷ fel lleian
ar ei gliniau yn oriau y bore bach
cyn galw'r byd i ginio Sul ei salwch.

Cerdded at y glwyd
a'i chefn fel criafolen
cyn troi a thaflu aeron ei gobaith i fympwy'r gwynt;
trwy ddrws cerbyd
camu i wyll yr anghall
â'i byd i gyd yn ei bag llaw.

Caeodd y llygaid yn ffenestr fach y llofft
gan ailagor fel clicied camra yn y gegin;
un llun arall i'r albwm
o'r tân yn darfod yn y grât.

tydi bechgyn mawr ddim yn crio

tydi bechgyn mawr ddim yn crio
na dangos poen
maen nhw'n tywallt gwaed yn lle dagrau
yn llyncu ofn a phoeri diflastod
yn gwteri o fflem.

tydi bechgyn mawr ddim yn crio
ar lan y bedd
maen nhw'n sythu eu cefnau
rhag cyllyll y gwynt
yn gwisgo mygydau'r llwyth
i warchod y drefn.

tydi bechgyn mawr ddim yn crio
wrth golli mam
maen nhw'n ysgwyd llaw a disgwyl
i'r galarwyr wasgaru
cyn taflu llwch i lygad pres yr arch.

tydi bechgyn mawr ddim yn crio
yn y fynwent

maen nhw'n claddu'r ing
yn selerau'r cof
ond rhyw ddydd daw rhywun
i brocio argae'r dagrau
yn orlif o drais.

Stop tap

Ar ganiad y gloch i gau'r bar
fe dry'r dafarn yn dalwrn
ac wedi troethi'r cwrw mwyn
yn erbyn wal y tŷ bach,
daw'r llanciau o'r corneli coch a glas
i ganol y llawr i glochdar teyrngarwch
a cheisio torri crib.

Gŵr y bar fel pob dyfarnwr
yn ennill dim ond llid y dorf:
'Hogia bach, dim ond gêm oedd hi' –
ond roedd hi'n llawer mwy na hynny;
roedd *Rhyfel Byd yr Hormonau*
yn mynnu bod un yn llorio'r llall,
am nad oedd lle i fwy nag un
ar ben y domen.

Ymhen yr awr,
roedd tafarnwr yn cyfri papurau decpunt ei fendithion,
a'i wraig yn sgubo teilchion llencyndod
unwaith eto i fin sbwriel y nos.

Yr awr ginio

Ar lwyfan styllod y sgaffaldiau
mae 'na glown,
yn ei het felen a'i wyneb sment
yn barod i dyrmentio'r byd islaw.
Chwiban.
'Oi! Blondi!
Tisio reid ar gaseg forter –
tisio gweld fy lefel wirod?'
Symudai ei dîn yn ôl ag ymlaen
yn awgrymog fel rhyw ddawnsiwr ecsotig;
godro'r gymeradwyaeth

nes i'r flonden godi dau fys ar ei faswedd
a rhoi iddo'r sylw a grefai.

'Hwren!'

A'r perfformiad drosodd,
troiodd yn ôl at y wal
gan ailafael yn hen drywel ei dad.

Angel pen ffordd . . .

Llenni'n agor ar y paun
yn camu draw at y drych
i edmygu plu ei hunanhyder
cyn hwylio i gyfeiriad *Y Ship.*
I'r byd mae o'n glên, yn un o'r hogia –
y cyntaf i godi rownd,
yr olaf i adael seiat y bar;
ef yw canolbwynt sgwrs
a churiad pob *Calon lân,*
ffynhonell ffraethinebau,
arwr y bore bach.

Llenni'n cau
a rhyw ddistawrwydd oer yng nghlep y drws –
hithau'n esgus cysgu
wrth i'w gorff noeth feddiannu'r nyth;
llaw yn cripian fel pry copyn
hyd ei chnawd i geg ei gwain,
cyn i'w hosgo dynhau
a thynnu gwynt o hwyliau'i chwant.

Daw'r haul edifar
i oleuo'r llwyfan
a'r tebot crynedig
i geisio tywallt balm ar y bore.
Mae hi'n tin-droi o'i gwmpas fel gast
yn erfyn briwsion o dosturi
ac yntau'n cuddio ei ben yn ei bapur newydd.

Yna'r act o godi llaw ar y trothwy
a'r laswen yn cuddio'r cleisiau.

Mair

Englyn: Camera

Yn fy mhrofiad i, deuawd go anghymharus yw ffermwr a chamera. I gloriannu'r englynion eleni, fe ddaethpwyd â'r ddau at ei gilydd. Tipyn o gyfrifoldeb, yn wir. Prun bynnag, dyma destun sy'n cynnig sawl trywydd i'w ddilyn. Roeddwn i'n hollol bendant ar un peth o'r dechrau, sef na fyddai englynion a ganolbwyntiai ar ddisgrifio neu ddiffinio'r gwrthrych yn dod yn uchel ar fy rhestr. Chwiliwn am ryw fath o weledigaeth neu ogwydd gwahanol ar y testun.

Wrth fynd ati i lunio englyn, byddaf bob amser yn cofio'r cyngor a gefais gan hen gymydog pan oeddwn yn llefnyn: 'Pan fyddi di'n bwydo'r gwartheg ac angen cario swp o wair ar draws y buarth, gwna di goflaid fach a'i gwasgu'n dynn.' Felly, rhaid osgoi ymadroddi llac a mynnu bod pob gair yn talu am ei le.

Derbyniwyd 46 o gynigion. Mae tri o'r rhain yn gwbl ddigynghanedd, sef eiddo *Ap Braint, Isaac Newton 1* ac *Isaac Newton 2*.

DOSBARTH 3

Er bod mwyafrif y rhain yn eithaf cywir o ran cynghanedd, eu gwendid yn aml yw bodloni ar fynegiant braidd yn ffwrdd-â-hi. Mae'n wir bod rhai wedi llwyddo'n well na'i gilydd i gael gafael ar syniad go dda ond ni lwyddwyd i gyflwyno hynny'n ddigon caboledig. Dyma enghraifft:

Wats ddy byrdi:

> Un tawel ar nyth tywyll – yn oedi'n
> Llawn hud yw'r cyw cudyll;
> Pesga wrth chwipio'i esgyll
> Ar yr hardd fel ar yr hyll.

Yn y dosbarth hwn, hefyd, y mae: *Y Brawd Mawr* ('Drwy orwelaidd dreialon . . .'), *Atgof, Tŷ Brith, Beca 1, Beca 2, Snap, Ennyd Fechan, Hyphnia 1, Hyphnia 2, Garfon, Hoff Lun, Samariad, Robin Fronheulog, Y PC, Gwyliwr ar y Tŵr, Y Browni bach, Moelyci, Trem yn ôl, Paparatzi, Toni Bont, Blinciad, Llifor, Diana, Y Brawd Mawr* ('Orwelaidd hawdd yw'r ôl-ddyddio . . .'), ac *Argraff*.

DOSBARTH 2

Erbyn hyn, mae'r beirdd yn dangos rhagor o ddychymyg a'u henglynion yn fwy crefftus eu gwead. Hwyrach fod ambell un yn nesáu at drothwy'r dosbarth cyntaf ond, er eu darllen droeon, anodd fu eu dyrchafu oherwydd rhai llinellau gwan neu hen drawiadau. Dyma enghraifft:

Armon:

> Fe gaf fy nal fel gwyfyn – a hudwyd
>   Gan fflachiadau sydyn
> Dy lens a'm hoelio'n dy lun
> I oedi am byth wedyn.

Gwendid arall gan rai yn y dosbarth hwn yw diffyg gwastadrwydd rhwng y paladr a'r esgyll, fel yn englyn *Rhys*, sy'n dechrau'n addawol:

> Yn nyfnder fy selerau – y mae un
>   Sy'n creu mwy na lliwiau,
> Fe wna hwn i mi fwynhau
> Y llawenydd mewn lluniau.

Yn y gorlan hon efo'r ddau uchod y mae *B.M.*, *Tymorhew*, *Minolta*, *Hendaid*, *Kodak* ('Awena deg a gadwodd . . .'), *P.O'Laroid*, *Gwesyn*, *Gohebydd*, a *Fflach*.

DOSBARTH 1

Hanner dwsin o englynion sydd wedi cyrraedd cyn belled â hyn. Gan fod y rhai sydd ar y brig o ddiddordeb i ddarllenwyr yn gyffredinol ac, yn enwedig, i gystadleuwyr a beirniaid answyddogol, dyma gyfle i bawb eu barnu. Nid ydynt mewn unrhyw drefn teilyngdod.

Kodak:

> Mae'n wir na ddwêd anwiredd – ond â'i drwyn
>   Megis dryll pa ryfedd
> Pan fo llu yn hybu hedd
> Mab y diawl sy' 'mhob delwedd.

Brawddeg o englyn yn rhedeg yn llyfn. Er ei fod yn agor braidd yn rhydd-ieithol, y mae'n cryfhau'n arw wrth fynd ymlaen.

Hefin:

> Yn ofer ceisiaf gofio – y dwylaw
>   A'm daliodd a'm mwytho,
> A wyneb y fam honno
> Heb yr un ar y biwrô.

Ai canu am brofiad personol sydd yma? Gellid dadlau ei fod fwy am lun nag am gamera. Serch hynny, hoffais ei ogwydd annisgwyl a'r teimlad sydd ynddo.

Huw.

> O Dad, fry yn dy stiwdio, – tro dy lens,
>> Tyrd i lifoleuo
>> Un go wael, fel y gwelo
>> Anwiredd ei ddelwedd o.

Englyn esmwyth ei rediad a'r geiriau wedi'u dethol yn ofalus i gyfleu'r erfyniad.

Y Brawd Mawr.

> Uwch pob llwyn ac uwch pob llan, – yn y dre,
>> Uwch pob stryd a phentan,
>> Y mae Ef ym mhob un man
>> Yn cofio'r darlun cyfan.

Englyn naturiol, diymdrech. Llygad Duw, meddai'r bardd, yn edrych ar y greadigaeth. Tybed a oes gormod o ailadrodd yr un geiriau? Hwyrach mai 'gweld' ac nid 'cofio' a ddylai fod yn y llinell glo, ond bod y gynghanedd yn rhwystr.

Tomos Didymus.

> Petai un dirgel i weled ei faen
>> A'r fan lle bu'r weithred,
>> Yna'i lun daenai ar led
>> Y gwir am fedd agored.

Bardd medrus yn cyflwyno syniad gwreiddiol yn hynod o dwt. I fod yn fanwl, 'a daenai' sy'n gywir, a hawdd fyddai newid y llinell i 'Ei lun a daenai ar led'.

Meirion:

> Dymunol wrth droedio mynydd – yw dal,
>> Mewn delwedd, lawenydd
>> Y daith, cyn i'r ymdeithydd
>> Godi'i bac i'r copa cudd.

Englyn cryno, cofiadwy sydd, ar yr wyneb, yn sôn am gerddwr yn tynnu lluniau. Wrth gwrs, fe awgrymir yma lawer iawn mwy. Hoffais y cynildeb a'r elfen o ddirgelwch tua phen y daith.

Heb orfod pendroni, englyn *Meirion* sy'n fuddugol eleni.

Yr Englyn

CAMERA

Dymunol wrth droedio mynydd – yw dal,
   Mewn delwedd, lawenydd
   Y daith, cyn i'r ymdeithydd
Godi'i bac i'r copa cudd.

Meirion

Englyn ysgafn: Codi Sgwarnog

BEIRNIADAETH DAFYDD EMRYS WILLIAMS

Siomedig iawn oedd nifer y cystadleuwyr eleni – dim ond 19 o englynion a ddaeth i law – a mawr obeithiaf nad adlewyrchiad ar y dewis o feirniad oedd y bai am hynny! Ar nodyn mwy gobeithiol, ni chefais yr un ymgais yn ddi-gynghanedd a diolchaf i'r englynwyr am eu gwaith.

Yr unig wall cynganeddol y deuthum ar ei draws oedd yr un yn englyn *Cymro* ond mae ganddo ddawn dweud di-flewyn-ar-dafod sydd yn gogleisio'r darllen-ydd a byddai'n agos i'r brig oni bai am esgeulustod. Gwaetha'r modd, y mae'r ddwy *d* sydd agosaf at ei gilydd yn y llinell gyntaf yn caledu'n *t* a dylid eu hateb gyda *t*, a hefyd nid yw wedi gorffen yn acennog gydag un llinell yn yr esgyll:

> Diwerth yw'th Gyfrifiad di – ond yna
>   Un dan din 'ti Tony;
>   Ennyn hunaniaeth inni?
> Diawl, dwi ddim yn bodoli!

Y mae ôl straen ar waith *Cyfieithydd*, *Cefnhendre* a *Dyn y Brains* ac nid yw'r stori'n ddigon amlwg i mi, o leiaf. Nid yw *Rhosydd* yn codi'r un sgwarnog ond, yn hytrach, yn gofyn y cwestiwn sydd ar feddwl pawb mewn priodas. At hynny, mae'r geiriau *galon/gilydd*, *curo/cariad* wedi eu cynganeddu hyd syrffed. Y mae'r englyn hwn yn f'atgoffa o'r dywediad Celtaidd 'Yr unig wellhad i gariad yw priodi':

> Dwy galon gyda'i gilydd – yn curo
>   Mewn cariad digerydd;
>   Ai uniad o boen beunydd
> Neu siriol ddyfodol fydd?

Aeth *Tony* i sôn am helyntion Peter Mandelson ond ni lwyddodd i'w fynegi ei hun yn ddigon clir ac felly hefyd *Ann Elwig*, ond hoffais ei llinell olaf yn disgrifio'n grafog sefyllfa ein llywodraeth yng Nghaerdydd yn aml: 'Ni allwn yw'n Cynulliad'.

Teimlaf fod *Refferî, S. Geulus, Llwyn y Brain* ac *Esgair Ebrill* yn rhy blwyfol eu mynegiant. Er eu bod yn eithaf doniol mewn mannau, nid ydynt yn rhoi digon o gnawd ar yr esgyrn i'r darllenydd. Dyma *S. Geulus*:

> A Goli'r ci rhech yn gelain, a'r ast,
> (Mam y wraig) yn ubain
> Â'i cheg gam, wedi'r ddamwain
> Fe ges hen hanes fy nain.

Y mae *Sgwarnog Mawrth* yn dal i gorddi'r dyfroedd oherwydd y tâl cystadlu: 'Codaf lais am dâl ymgeisydd – a saith/Geiniog bob syll prydydd'. Gwaetha'r modd, ar i lawr yr â'r englyn wedyn a chredaf mai 'sill', nid 'syll', a ddylai fod yn yr ail linell.

Codi sgwarnog yn llythrennol a wna *Milgi* – trueni na fyddai wedi crybwyll pa sgwarnog yw hi. Byddai 'Es i'w nôl' yn esmwythach yn y llinell olaf pe bai'r gynghanedd yn caniatáu:

> A'r hewl yn deithwyr di-ri' – un hwyrnos
> Ca'dd sgwarnog ei chloffi
> Oherwydd rhyw hen lori,
> Es i'w hôl a chodais hi.

Ystyr 'codi sgwarnog' yn *Llyfr o Idiomau Cymraeg*, R. E. Jones, yw 'dwyn i mewn i drafodaeth bwnc amherthnasol', un o driciau gwleidyddion mewn cornel, dybiwn, a disgrifio hynny y mae *Fferet*. Unwaith eto, mi fyddwn wedi hoffi cael mwy o wybodaeth am y sgwarnog:

> Rhown lonydd i'r hen lwynog – yn ei ffau
> A heb ffeit unochrog
> A rest i'r laicabl rôg.
> Os gornest codwn sgwarnog.

Deuwn yn awr at oreuon y gystadleuaeth, yn fy marn i. Hoffais englyn *Seimon* yn fawr ac y mae'n dweud llawer o wirionedd, fel y gwyddom yn achosion Penyberth, Tryweryn a hanes ein hiaith yn gyffredinol, ond mi fyddwn wedi hoffi gweld yr esgyll yn rhwyddach:

> Pe baem yn hil o chwilod, a honno
> ar fin ei llwyr ddarfod,
> haerai'n Senedd-dai 'run nod –
> 'Ymgyrchwn mwy i'w gwarchod!'

Rhyw gynnen ym myd y beirdd gan amlaf yw testun *Poen y Puryddion*. Mae'r bardd yn poeni, pe bai'r gair 'cwrw' yn unsill yn lle deusill, y byddai ei beint hefyd yn llai o faint! Gyda llaw, os caf i brocio'r ddadl ymhellach, deusill yw 'tusw' ac unsill yw 'cwrw' ond bod gan y bardd hawl i'w ddefnyddio'n unsill neu'n ddeusill. Dyma'i englyn:

> Taerant, yn fawr eu twrw, taw unsill
>   nid deusill yw 'tusw'.
> Ai dyma'u nod – damo nhw! –
> haneru 'mheint o gwrw?

Nid wyf yn hoff o'r gair gwneud 'prifarddes' yn englyn *Bwni*. Serch hynny, mae'r neges yn ddigon clir, ond y gwir amdani yw nad oes ar hyn o bryd ryw lawer o ddewis o ferched gyda'r cymwysterau i'r 'barchus arswydus swydd'. Ond, gyda llawer mwy o'r rhyw deg yn ymgymryd â'r gynghanedd a barddoniaeth yn gyffredinol, pwy a ŵyr.

> Mewn prifardd a phrifarddes – rhoed inni
>   Orau dyn a dynes,
> Er hyn oll nid ŷm fawr nes
> Heddiw i Archdderwyddes.

Yr wyf fi, fel *Dioddefydd*, yn rhyfeddu at allu merched i siarad, y ddawn i ddramateiddio digwyddiadau syml, a'r nesa' yn eu hailadrodd gydag arddeliad wrth un arall – y math o siarad sy'n hollol ddibwys i ddyn. Yn yr englyn hwn, ceir anerchiad awr ac yna'r diolchiadau fel pe baent yn cymryd dwyawr (ac weithiau, i mi, mae'r diolchiadau'n llawer mwy diddorol!):

> Er eich dawn, chwi Ferched y Wawr – 'rydych
>   yn siaradwyr hirfawr;
> wedi hwyl anerchiad awr
> eich diolch â'n faich dwyawr!

Y mae *Cochyn* wedi taro ar bwnc sydd yn hen, hen stori ers degawdau bellach, sef capeli'n cau ac, yn anffodus i gwmni E. C. Harries, ei adroddiadau ef fel cwmni fydd yr hoelen olaf yn arch ugeiniau mwy o gapeli ag aelodaeth isel ar hyd a lled Cymru. Mewn gwirionedd, ar yr olwg gyntaf, nid englyn ysgafn mo hwn ond englyn trist iawn sy'n dangos ein difaterwch ni heddiw am yr hen werthoedd. Ond, o'i ailddarllen, gwelir doniolwch y sefyllfa lle mae'r bardd yn rhoi bonclust eiriol i'r sefydliad. Y mae, trwy lunio englyn ysgafn a chrafog, yn ceisio dwyn i'm sylw yr argyfwng ysbrydol sydd yn bodoli yng nghysgod argyfwng materol clwyf y traed a'r genau. Diolchaf i *Cochyn* am wneud i mi chwerthin a chrïo yr un pryd. Gwobrwyer *Cochyn*:

> O Dduw, a oes 'na ddewis – i warchod
>   yr Arch yma'n Sardis?
> Neu ei rhoi am unrhyw bris
> I wared E. C. Harries.

Yr Englyn Ysgafn

CODI SGWARNOG

O Dduw, a oes 'na ddewis – i warchod
    yr Arch yma'n Sardis?
Neu ei rhoi am unrhyw bris
I wared E. C. Harries.

                                        Cochyn

Telyneg mewn mydr ac odl: Carreg ateb

BEIRNIADAETH GLYNDWR THOMAS

Dyma'r eildro, er 1980, i'r Eisteddfod Genedlaethol ofyn yn benodol am delyneg mewn mydr ac odl. Ar wahân i ambell gerdd gan feirdd fel Gerallt Lloyd Owen ac Alan Llwyd, troes y rhan fwyaf oddi wrth y delyneg. Canodd y Prifardd Gerwyn Williams fel hyn ei faniffesto barddol:

> Lluchiaf, yn hytrach,
> Fy llinellau anghyson,
> Anghynganeddol yn ddiscord ynghyd.
> Does dim modd symleiddio'r
> Sŵn sy'n tynnu'n groes o'm cwmpas,
> Na gwasgu gwironeddau mawr
> I linellau telyneg ry dynn.

Yn 1969, darlithiodd yr Athro Derec Llwyd Morgan ifanc ar y testun 'Claddu'r Delyneg'. Er 1980, gofynnwyd ddwywaith am ddilyniant o dair telyneg; ddwywaith, ni osodwyd cystadleuaeth delyneg o gwbl. Gwobrwywyd chwe thelyneg mewn mydr ac odl a naw yn y *vers libre*! Ataliwyd y wobr ddwywaith. Y mae geiriad y gystadleuaeth hon yn gwbl eglur, a hawl cyfeillion Dinbych a'r Cyffiniau oedd gwneud y dewis. Yr hyn sydd fwyaf perthnasol, wedi'r cwbl, pa gyfrwng bynnag, yw'r ffaith fod yr Eisteddfod yn dal i ddweud wrth y coediwr o dan ganghennau'r delyneg, 'Gad hi y flwyddyn hon eto'. Diolchaf i Bwyllgor Llên Dinbych am y pleser o gael beirniadu'r gystadleuaeth ac i'r 33 ymgeisydd am ymddiried eu gwaith i mi. Parchodd pob un y gofynion o gyfansoddi mewn mydr ac odl, yn benillion a chwpledi odledig, ac un soned. Rhannaf y gwaith yn dri dosbarth, a'r trydydd dosbarth yn dri grŵp, yn ôl natur y telynegion.

Grŵp A: Braidd yn ddi-fflach ac ystrydebol yw'r rhain. Clywsom lu o rai tebyg o'r blaen. Mynegant brofiadau sy'n ddilys inni i gyd, sef hiraeth am leisiau hen gyfoedion. Nid oes yma unrhyw ymdrech i roi golwg newydd ar y testun na chwaith i ymadroddi'n ffres. Nid ymhelaethaf, felly, ar gynigion *Maelor, Seren, Llywelyn, Rhodri, Morlais, Rob, Gwyn* na *Pen y Dalar*, dim ond ychwanegu bod ambell beth yn swnio'n ffuantus a sentimental. Hoffais *Adlais* pan ddywed: 'Cymdogion yn eu cannoedd/A'r ffrindiau'n un neu ddau . . .', gan ychwanegu'r ffaith drist mai eco'r Saesneg sydd bellach o'n cwmpas.

Ceisiodd *Esmor* a *Petra* gael gogwydd gwahanol ar y testun – y bardd ei hun yw'r garreg ateb. Ymfalchïa *Esmor* fod ynddo gân o hyd sy'n ateb lleisiau bro Carndochan ond, ysywaeth, nid yw'n ei chanu yma, dim ond sôn amdani. Croes-dueddiadau ei bywyd mewnol sydd gan *Petra*: 'Clustfeinio tua'r Bedol, yn Salem ail-fyw mam'. Gan mai oddi mewn y mae'r cyfan, nid oedd angen am Graig y Dwn, mewn gwirionedd!

Grŵp B: Crefyddol a metaffisegol yw'r cynigion hyn, a thuedd ynddynt i fod yn drymaidd.

Trawle. Atgyfodiad Crist sydd gan y bardd hwn ond â ar gyfeiliorn ar ôl y cwpled amwys, 'Mae atsain y ffrwydrad ers tri-deg-tri/Rhywle ym mur ein hallorau ni'.

Chwalu'n fân. Mae'r cwpledi odledig a geir yma yn eco weithiau o wewyr eneidiol Islwynaidd ond mae'r bardd yn gwbl ddidwyll pan sonia am heulwen Duw yn torri allan trwy ei blant a phethau gorau'r amgylchfyd. Naws bryddestol sydd yma wedi'r cwbl a cheir llinellau llac a diffyg caboli.

Un Atebol wyf. Bardd sy'n fwy annisgybledig eto yn ei gais i gael atebion i'r sefyllfa ddynol y cawn ein hunain ynddi. Brithir y llinellau eto ag ymadroddion rhwydd; camdreiglir ('Na glywir . . .'), a cheir tor-mesur yn y pennill olaf sy'n merwino'r glust ar ôl penillion mor gyson reolaidd.

Dim siw na miw. Dyma'r ymgeisydd gorau yn y grŵp yma, ac fe gân fath o emyn anghrediniaeth; er gofyn am ateb, ni ddaw yn ôl ond 'sibrwd annelwig am Faban mewn siôl'.

Grŵp C: Mae gwaith y rhain yn fwy gwreiddiol a glanach eu hymadrodd.

Iolo. Distawrwydd llethol cefn gwlad ar ôl saethu'r da byw sydd gan *Iolo*, distawrwydd sy'n cael ei dorri gan 'Ddidostur ergydion cyflafan y da . . .'. Myn roi'r ansoddair o flaen yr enw heb fod eisiau ac y mae'n pario geiriau gor-gyfarwydd fel 'erwau ir'/'deffro y tir'; 'bryn'/'twyn'; 'machlud'/'gwawr'; y mae hyn yn gwneud yr arddull yn gyffredin. Er ei fod yn llefaru'n gyhyrog, mae'n rhy ymenyddol i delyneg.

Elinor: Soned sydd gan *Elinor*, a sonia'n hyfryd am fynd â'r wyres fach i 'alw'r llais o draw . . .'. Rhyddieithol yw ychwanegu ôl-feddwl fel 'weithiau dau neu dri . . .' a chwithig yw sôn am sŵn rhythmig fel 'Amseriad hefyd fyddai'n sŵn yr ordd . . .'. A sut y mae hynny'n 'cynhyrfu'r gro'?

Gwynfryn: Ef yw'r mwyaf hael ei odlau: a.b.c.b.e.e. – ac odlau mewnol! Difyr yw ei ddilyn ef a'i ŵyr bychan, linc-di-lonc, at droed y Rhinog Fawr. Eithr hamddena ystorïol sydd yma ac annhelynegol yw sôn y byddai pob hogyn yn nyddiau ysgol Taid 'i gau ei geg heb holi neb'. Mae deunydd sawl telyneg yma o ddethol ac angerddoli'r myfyrdod.

Pen fy nhennyn: Helynt clwy'r traed a'r genau sy'n gefndir i'r gerdd hon. Y mae'r drasiedi yn ennyn cydymdeimlad, wrth reswm; ing yr amaethwr a neb yn gwrando! Mae gafael yn yr ymadrodd 'tir fy nghlod . . .', a'r 'un fyddarol lef . . .' ond y mae'r cyfan mor glinigol a didactig o gofio mai telyneg a ddisgwylid.

Leroy: Teimlaf mai 'atgof' yw'r gwir destun. Cofia'r bardd am Paul Robeson (dybiwn i) yn canu 'Ol' Man River' ac yn actio glöwr du (ym mhob ystyr) yn un o byllau glo'r cymoedd. Ac atgof yw'r cyfeiriad wedyn am 'siant y caeau cotwm'.

Mor wir: Effeithiol yw'r trosiad am y bannau'n chwyddo sŵn ei chwerthin, 'Ffrwydrodd erwydd yr anwel/Yn gytgan gref . . .', ond nid ydynt yn ateb sŵn distaw y galon fach yn torri. Oni ddywedodd Saunders Lewis yn rhywle rywbeth i'r cyfeiriad nad oes neb yn gallu cydymdeimlo â phoen.

Dolefus: Dyma, mi gredaf, yr ymgais gryfaf yn y dosbarth hwn. Mae clwy'r traed a'r genau wedi lladd sŵn plant ac anifeiliaid ar lwybrau sydd bellach yn waharddedig. Ceir naws plentyndod hyfryd mewn un pennill hwiangerddol ei naws ond, trwy'r delyneg, mae gor-rwyddineb sy'n ei rhwystro rhag prifio.

YR AIL DDOSBARTH

Arianrhod: Â'r bardd â ni i ben Tre'r Ceiri yn Llŷn. Cerdda'n fyfyrgar ond y mae elfen o ddigrifwch anfwriadol wrth iddi weiddi 'Hwrê!' ar y copa. Hoffais ddarllen y delyneg ond traethodol yw'r pennill olaf lle dywed, 'Diddordeb daearegol sydd i hon . . .'.

Trem y Nant: Blinir y delyneg fach hoffus hon eto gan fynegiant chwithig, e.e., eco 'i'r aer yn treulio'n llai', ac yna'r ymadrodd gramadegol chwithig, 'A'r adlais gydai'n [*sic*] chwerthin . . .'.

Peredur: Nid wyf yn hoffi'r syniad o'r garreg 'yn sychu gruddiau llaith' wrth gyd-alaru â'r bardd am oresgyniad y Saesneg yn ein gwlad. Nid yw'r hyn a alwai ein beirdd yn gamsyniad teimladol yn gweddu i'r meddwl cyfoes.

Gweld y Wawr: Dyma lais un a fu drwy'r blynyddoedd yn brwydro dros Gymru yn ateb i'r wŷs o Lys Sycharth. Gallwn gydymdeimlo â'r mater ond y mae eto yma beth digrifwch wrth i'r bardd ddweud ei fod, wrth i'r amser fynd heibio, 'yn dal ar dŵr y mast . . .'. Cyfres o osodiadau yw corff ei ymgais.

Pais Dinogad: Telyneg gynnes, enyngar sydd yma; yr hen yn sylwi ar nodweddion teuluol yn wyneb y bychan ond y mae hynny'n codi hiraeth.

A feddo gof: Mae'r ieithwedd yn draddodiadol: 'bore oes', 'lleisiau croch', 'brig y gwynt'. Serch hynny, mae gwir naws y delyneg ganddo, ac awgrym 'y swynwr gwell' yn effeithiol.

Rosa: Un pennill chwe llinell, un-odl, a saethu Martin Luther King yw'r thema. Ysgogir dychymyg gan y cymal, 'ar we fy nghydwybod', ac efallai fod ystyr dwbl i 'du a gwyn'.

Y Gri Olaf: Un claf yn ei boenau yn cofio crwydro'r Fenni Fawr yn blentyn gyda'i fam. Sylweddola hefyd mai'r un cyflwr afiechydol poenus a fu'n angau iddi hithau. Mae sôn am ofal y nyrsys braidd yn llipa, o'i alw'n 'ddi-drai'. Mae'r ymadrodd 'Rwy'n grimpyn yn fy ngwely' yn anaddas yn fy marn i.

Cefais fwynhad o ddarllen gwaith y rhan fwyaf o'r dosbarth yma.

Y DOSBARTH CYNTAF

Erys tair telyneg.

B.M.: Bu dawn gan Fynydd Hiraethog erioed i ennyn ymateb telynegol ac felly y bu yn achos y bardd hwn. Ceir camsyniad teimladol gan *B.M.* hefyd, yn y trydydd a'r pedwerydd pennill, yn y syniad o'r mynydd yn atseinio ei emosiynau dynol (cymharer 'Cwyn y Gwynt', John Morris-Jones). Ni ddigwydd hynny yn y pennill cyntaf na'r ail. Ceidw natur yn ddi-hid. Y mae, fodd bynnag, ryw swyn digamsyniol yng ngwaith *B.M.* er fy mod yn cael y ffurfiau lluosog 'taraniadau' a 'bloeddiau' (er yn eiriadurol gywir) yn rhai stiff. Mae'r llinell, '. . . A chlywed Mynydd Hiraethog loes fy llef . . .' yn swnio'n anystwyth o gofio bod rhythm y llinellau amgylchynol mor rheolaidd. Eithr bardd grymus yw *B.M.*

Iestyn: Dyma fardd gorau'r gystadleuaeth ar sawl cyfrif. Cân i ddiflaniad Jac y Saer a'i grefft o'r tir. Odla bennill un a dau a.b.b.b., efo diwedd llinell gyntaf y ddau bennill yn odli. Gan fod newid mawr yn neges y gerdd yn digwydd wedyn, rhydd odl newydd rhwng llinell gyntaf y trydydd a'r pedwerydd pennill. Ond yn y trydydd pennill, af i drafferthion. Beth yw'r 'malltod yn y tir'? Ai catastroffi sydyn ynteu effaith dirywiad graddol yr amserau sy'n creu hafoc yng nghefn gwlad? Nid yw'r cof yn Amos 4, adnod 9, yn help gan nad oes awgrym o ddialedd

Duw yma. Gan fod y gair 'heno' yn dod yn y pennill cyntaf a'r pedwerydd, pam nad oes boddi'r adleisiau yn digwydd ar y dechrau, ac yna yn digwydd cyn y bore ar y diwedd? At bwy, hefyd, y cyfeiria'r rhagenw 'yntau' yn y pedwerydd pennill – at y saer ynteu at y gweithdy? Onid awgrymwyd eisoes bod oes y saer wedi mynd heibio? Rwy'n deall y gerdd yn emosiynol ond caf anhawster ar y lefel ddeallol, a hynny gyda'r ddau bennill olaf, labyrinthaidd, sy'n fy ngyrru'n ôl i'r man cychwyn bob gafael.

Trecoed: Telyneg syml, ddi-rwysg yw hon, gyda'i hymdeimlad byw o golled trwy ladrad. Eto, 'does dim byd o'i le, dim byd ar goll, dim i 'wylltio'r llygad' (ymadrodd diddorol). Rhifir y pethau dwyngar sydd yno o hyd nes ennyn chwilfrydedd. Mae'r trydydd pennill yn gampus, a phan ddaw'r dadleniad, a gwybod beth sydd wedi ei ddwyn, mae'r cyfan yn bodloni dyn. Ond y mae rhywbeth dyfnach na hyn, sef beirniadaeth gynnil, dau air, ar ein cymdeithas seciwlar, yn y geiriau 'golud cartref'. Nid ym mhethau materol ein byw crafangus y mae gwir olud! Mae *Trecoed* wedi dweud y cyfan mewn dull digon celfyddydol i haeddu'r wobr.

Y Delyneg

CARREG ATEB

Ymddengys popeth fel y bu
A dim i wylltio'r llygad,
Ond digon ydyw cam i'r tŷ
I wybod cawsom ladrad.

Aeth dim o'r gist na'r seld ar wib,
A chipiodd neb y stereo,
Ond gwyddom heb roi'r tŷ dan grib
Fod rhywbeth nad yw yno.

Ein hen ddifyrion sydd gerllaw
I ysgafnhau ein nawnddydd
Nes disgyn arnom bwysau'r taw
Sy'n troi yr hwyl yn gelwydd.

Os gwaeddwn enwau'n plant, nid oes
Ond carreg ateb heno,
Aeth golud cartref, er ein loes,
I'r byd, sydd wedi eu hawlio.

Trecoed

Cywydd o 18 llinell: Arwr

BEIRNIADAETH GWYNN AP GWILYM

Derbyniwyd 13 o gywyddau ac yr oedd safon y gystadleuaeth yn dderbyniol. Gŵyr pob un o'r 13 reolau'r gynghanedd, er nad pawb a lwyddodd i'w throi'n llawforwyn i'w syniadau. Ceisiais roi rhyw fath o drefn ar yr ymgeiswyr, gan weithio fy ffordd at y goreuon.

Dyn Heb Enw. Yr arwr yw un o'r milwyr hynny a orfodwyd i ymladd yn y Rhyfel Byd Cyntaf. Y mae'r gynghanedd weithiau yn llesteirio'r mynegiant, e.e., 'A bedd rhwng nadredd *i nhw*' (yn lle 'iddynt hwy'), ac 'Yn gelain wedi'r *galwad*' (yn lle 'wedi'r alwad'). Nid wyf yn siŵr iawn beth yw ystyr y cwpled agoriadol: 'Alltud heb symud o'r Somme/A dreisiodd yr Hun drosom'. Os yr arwr yw'r alltud, prin fod y ferf 'treisio' yn addas i ddisgrifio'i arwriaeth. Beth bynnag, anffodus yw'r defnydd o'r gair sarhaus '*Hun*', ac ni hoffais y cyfeiriad at Haig, y cadfridog, yn y llinell olaf.

Jaguar. Milwr yn yr Ail Ryfel Byd yw'r arwr y tro hwn a'i iechyd bellach yn pallu. Y mae yn y cywydd rai cwpledi da, e.e., 'Llew ieuanc y llu awyr,/Arwr taith eryrod dur,/Diarbed y targedai/Arswyd ei wn y rhes dai'. Eithr y mae gwendidau hefyd. Gair a gynhwyswyd er mwyn y gynghanedd yw'r gair 'carn' yn y llinell 'Rhyfelwr carn yn darnio'; un *n* ddylai fod yng nghanol y gair 'brennin'; a llinell glo wan iawn, o safbwynt ystyr a chynghanedd, yw 'Nid hwn yw Dai Bomer 'te?'.

Er Cof. I wrtharwr ('meistr . . . ar bob camystryw') y canodd *Er Cof* ac nid yw, gan hynny, yn gwbl destunol. Y gwrtharwr yw George Thomas, Iarll Tonypandy – gwaredwr yr ymerodraeth, yn ôl y bardd, a 'dyn mwy duwiol na Duw'. Cywydd dychanol yw hwn a gellir dweud i'r bardd lwyddo, i ryw raddau, yn ei amcan, er mai gwan iawn yw ei gwpled clo yntau: 'Er d'weda rhai bradwyr hy,/"Poendod oedd Ton-y-pandy" '.

Jotham. Iesu Grist, 'Y Gair, mab i Fair firain', yw'r arwr. Braidd yn dreuliedig yw'r ymadroddion, e.e., 'Y dwyfol, anfeidrol Fod', 'Hwn ein Naf a'n tangnefedd', 'A Cheidwad y pechadur', ac y mae cynganeddu'r geiriau 'adnabod' ac 'yn obaith' yn hen, hen drawiad. Moli Iesu yn y dull hwn a wneir yn y pennill cyntaf a'r ail. Yn y trydydd, troir yn ddisymwth i fyd yr Hen Destament, gan gyfeirio at yr hanes yn Llyfr y Barnwyr, pennod 9, am Abimelech yn ei wneud ei hun yn frenin ar yr Israeliaid, a'r ddameg a adroddodd ei frawd, Jotham, wrtho am y coed yn dewis y fiaren yn frenin arnynt. Yr ergyd, wrth gwrs, yw mai: 'Arwyr o blith mieri/Inni'n nawdd a fynnwn ni', ond nid yw'r pennill yn asio'n esmwyth â gweddill y gerdd.

Bob. Trafod yn gyffredinol y mae'r ddau bennill cyntaf awydd pawb ohonom i 'hel arwyr' i'w hefelychu, ond byr iawn yw parhad pob un ohonynt. Erbyn dyfod henoed, y mae'r oriel yn 'rhy lawn', ac mae'n rhaid dewis un. Yr 'un' hwnnw yw'r un 'A hoeliwyd dros ei elyn', sef Iesu Grist. Y mae rhyw ddeubeth yma yn peri tramgwydd. Er fy mod yn deall y cyfeiriad at grogi lluniau o arwyr ar y pared ac yna'u tynnu i lawr, ni allaf weld ystyr y cwpled: 'A phell yw'r pared wedyn/Gan lwch anwadalwch dyn'. A all pared fod 'ymhell gan lwch'? Nid wyf ychwaith yn deall yr ymadrodd 'talu'r pris/A wnawn yn rhad' cyn bwrw coel-bren o blaid Iesu fel y gwir arwr. Onid Iesu ei hun a dalodd y pris yn rhad?

Cedni: Gŵr mwyn 'O'i binacl ar "Y Bannau"' yw'r arwr ac y mae'n rhaid, felly, mai E. Llwyd Williams ydyw, gan mai pryddest 'Y Bannau' a enillodd iddo ef Goron yr Eisteddfod Genedlaethol yn Ystradgynlais yn 1954. Y mae'r saith cwpled cyntaf yn deyrnged ddiffuant a thaclus i ddylanwad Llwyd Williams ar y bardd. Methais yn llwyr, fodd bynnag, â datod ystyr y ddau gwpled olaf: 'A rhoes ei lywiad cadarn/Rhyw (*sic*) dinc fel bywyd i'r darn/Di-gost, adduned y gŵr/Hwnnw, a erys yn arwr'. Beth yw'r 'darn di-gost'? Ai'r 'pill brau' y cyfeirir ato yn y pennill cyntaf, yr anadlodd yr arwr 'ei wyrth' iddo? Os felly, pam y dywedir ei fod yn 'ddi-gost'? Onid yw gweddill y cwpled olaf wedyn yn awgrymu mai '*adduned* y gŵr', yn hytrach na'r gŵr ei hun, 'a erys yn arwr'? I'm tyb i, diffygiol iawn yw'r mynegiant yn y pennill hwn.

Diolch amdani: Mam y bardd yw'r arwres a chenir iddi ar ei gwely angau. Gwendid y cywydd yw mai ar gystudd y fam, yn hytrach nag ar ei harwriaeth, y mae'r pwyslais. Gwendid arall yw gorsymlrwydd y cynganeddu: yn y deunaw llinell, y mae pum cynghanedd lusg (un ohonynt yn gynghanedd lusg wyrdro), tair cynghanedd draws fantach, a phum cynghanedd sain. Anfoddhaol, yn fy marn i, yw'r cwpled: 'O'i gweld fel delw yn gwelwi/Oen di-nam oedd mam i mi'. A all delw welwi? A yw'r ddelwedd o ddelw lonydd yn gydnaws â'r ddel-wedd o oen bywiog? A yw 'oen' yn ddelwedd addas o fam yn ei henaint?

Monwysyn: Cywydd moliant i Fachraeth, Derwydd Gweinyddol Gorsedd Môn, a ddisgrifir fel '[y] mwyaf ym Môn', 'bardd o bwys', 'cawr i'w Grist', 'a gŵr calon-agored'. Eir ymlaen: 'Ond er hyn mae'n dad i'r Hwch', sef cyfeiriad at un o englynion enwocaf Machraeth yn Ymryson y Beirdd yn y Brifwyl, gan faentumio ei fod 'Yn eilun â'i ddoniolwch'. Mae'r cywydd yn ddi-fai o safbwynt cynghanedd. Teimlir, serch hynny, mai canu â'i dafod yn ei foch y mae'r bardd; tystied y gormodiaethau a ganlyn:

> Y mae coron Goronwy [h.y. Goronwy Owen]
> Ym mherchnogaeth Machraeth mwy.
>
> . . . rhoi'i oes i garu hedd
> Ac i rannu Gwirionedd.

Perygl gorganmol afradus fel hyn, yn enwedig o'i gysylltu â disgynneb y cyfeiriad at 'dad yr Hwch', yw croesi'r ffin rhwng moliant a dychan.

B.M.: Colin Jackson, y rhedwr, yw'r arwr y tro hwn. Nid wyf yn sicr o addasrwydd y cwpled cyntaf:

> Tawel disgwylia'r tewyn,
> Y marwor i danio'r dyn.

Sylwer bod coma ar ôl y gair 'tewyn'. Ymddengys, felly, mai'r hyn y bwriedir ei ddweud yw 'Y mae['r rhedwr] yn disgwyl yn dawel am y tewyn, y marwor, i'w danio'. Ond at beth yn union y mae'n cyfeirio? Ai at y gwn cychwyn ras? Os felly, anaddas yw'r geiriau 'tewyn' a 'marwor', gan mai mudlosgi, nid ffrwydro, a wna'r rheini. Ai ynteu at ryw ysbrydoliaeth oddi mewn? Os felly, nid disgwyl yn dawel amdani a wna rhedwr, fe dybiwn i, ond ymarfer yn galed i'w meithrin. Fodd bynnag, a bod yn fanwl, y mae'r llinell gyntaf, fel y mae, yn awgrymu mai'r tewyn ei hun sy'n disgwyl. Disgwyl *am* y tewyn y byddai'r rhedwr, a disgwyl *yn dawel* y byddai, a bod yn gywir. Y mae rhai llinellau da yn y cywydd hwn, e.e. 'Ei gorff yn deflyn y gad', 'Mor rhugl â charlam yr hydd', a'r cwpled hwn (ac eithrio'r ansoddair 'ffrom', sydd yno i gwblhau'r gynghanedd):

> Gwennol, gwib chwim y gwanwyn,
> Neu luched ffrom gwalch di-ffrwyn.

Ond y mae yma linellau gwan hefyd, e.e., 'Y mae c'n ŵr o fwriad', 'Rhy ei her i bawb bob tro', 'Rhes anferth, wyres, henfam'. Cywydd anwastad, felly, ond nid heb ei apêl.

Paolo: Cywydd i Paolo di Canio o dîm pêl-droed West Ham, y dywedir wrthym, mewn nodyn ar waelod y dudalen, iddo wrthod rhwydo'r bêl i gôl wag am fod gôl-geidwad Everton yn ddiymadferth wrth y smotyn. Y mae'r bardd yn agor ei gerdd, a'i chloi, yn foddhaol, a gall gynganeddu'i stori yn rhugl:

> Un yr un oedd, a munud
> I fynd, a'r dorf a fu'n fud
> Yn fyw, y bel (*sic*) ganddo fo
> A'i droed ar fedr ei rhwydo.

Gwaetha'r modd, difethir y cyfan yn llwyr gan un llinell sydd, i'm tyb i, yn wirion o ddiystyr: 'Rhoes sws, rhoes fonws i fedd'.

Edmygydd: Cywydd i chwarelwr sydd bellach wedi marw. Llwyddwyd i greu teyrnged ddiffuant, ac y mae yma gynganeddu gyda'r mwyaf egnïol yn y gystadleuaeth. Serch hynny, nid yw'r gwaith heb ei wendidau. Ystyrier, er enghraifft, y tri chwpled cyntaf:

> Dan ysgythredd dannedd dig
> Y Moelwynoedd mileinig
> Mae dwy law ar y grawen
> Yn glwm dan y mwsogl hen,
> A dwylo gŵr tadol gynt
> Yn y twyn oddi tanynt.

Dywedwyd eisoes yn yr ail gwpled fod dwylo 'Yn glwm dan y mwsogl' (h.y., mewn bedd) dan y Moelwynoedd, fel mai dianghenraid yw ychwanegu 'A dwylo . . . yn y twyn oddi tanynt' yn y trydydd cwpled. Gan mai sôn am y dwylo y mae'r saith llinell gyntaf, braidd yn ddisymwth hefyd yw'r ail linell yn y cwpled nesaf:

> Y medrus, ddilys ddwylo,
> I'r pridd rhoed dihareb bro.

Y mae'r cwpled clo, fodd bynnag, yn boddhau:

> Fy arwr, fy nhŵr, – hwn oedd
> Naddwr fy ngwyn flynyddoedd.

dim: Yr arwr yw R. S. Thomas. Mae'r cywydd yn dechrau â'r gair 'Ond': 'Ond y môr a'i dymhorau/Yw yr hyn sydd yn parhau'. Nid wyf am ei gollfarnu am hynny, gan mai'r bwriad yw creu'r argraff fod y bardd eisoes wedi myfyrio ar fyrhoedledd dyn. Yr hyn sy'n peri anesmwythyd yw'r llinellau nesaf:

> y gwymon sy'n dygymod
> yn y don sy'n mynd a dod,
> ac mae anrheg o gregyn
> Porth Neigwl dan gwmwl gwyn.

Ni ddywedir dygymod â beth y mae'r gwymon. Yn fwy difrifol, nid yw'r llinellau'n asio'n ystyrlon â'i gilydd. Mae'r cyfeiriad at y gwymon fel pe bai'n barhad o'r cwpled cyntaf, h.y., y mae'r gwymon yn un o'r pethau hynny 'sydd yn parhau'. Mae'r cyfeiriad at y cregyn yn dynodi newid trywydd ond eto fe'i cysylltir â'r cwpled blaenorol â'r cysylltair 'ac'. Ymhellach, gellir gofyn paham, onid i fodloni anghenion y gynghanedd, '*anrheg* o gregyn'. Mae'r cywydd yn cryfhau'n sylweddol yn yr ail bennill, gyda'i ailadrodd effeithiol ar y gair 'neb', teitl hunangofiant R. S. Thomas:

> neb yno'n gwylio gwylan
> yn troi, a neb ar y traeth
> yn dal ei hysbrydoliaeth

Ac y mae'n cloi'n eithaf grymus hefyd:

> a neb ar grib y dibyn
> wyneb yn wyneb â'i hun.

Dweud y mae'r bardd, wrth gwrs, nad oes neb bellach yn y lleoedd hyn, ond y mae'r defnydd o'r gair 'neb' yn peri i rith R. S. Thomas ymddangos yn fyw o'n blaen.

Cadfan: Cywydd sy'n llwyddo o'r dechrau i greu naws ac awyrgylch. Ar Ionawr 9 eleni, cafwyd diffyg ar y lleuad a barodd iddi droi'n goch fel gwaed. I'r ofergoelus, darogan gwae y mae peth felly ond i'r bardd hwn, dwyn i gof y mae farwolaeth Llywelyn ein Llyw Olaf. Yn hyn o beth, gellir dweud ei fod yn efelychu awdl 'Cilmeri', Gerallt Lloyd Owen. Llywelyn yw'r arwr ac eir ati i ddyfalu amgylchiadau ei lofruddio mewn cyfres o ddelweddau. Nid wyf yn gwbl sicr o effeithiolrwydd y math hwn o beth. Ar y naill law, y mae'n gatalogaidd, ac y mae hefyd yn arbed y bardd rhag gorfod cynganeddu berfau: yn wir, un ferf sydd yn y cywydd i gyd ('yw' ddwywaith). Ar y llaw arall, y bwriad yw cyfleu trychineb mewn cyfres o ddarluniau sy'n gwibio drwy'r meddwl, ac yn hyn o beth fe lwyddwyd i gryn raddau.

Bûm yn pendroni cryn dipyn rhwng *dim* a *Cadfan*. Bai *dim* yw ei anwastadrwydd. Pe bai pennill cyntaf ei gywydd cystal â'r ail, fe fyddai'n ddiamheuol ar y blaen yn y gystadleuaeth. Bai *Cadfan* yw ei draethu catalogaidd, di-ferf. Gan nad yw rheolau'r Eisteddfod yn caniatáu imi rannu'r wobr, deuthum i'r penderfyniad o'r diwedd mai gan *Cadfan* y cafwyd y cywydd sy'n rhoi mwyaf o foddhad, a'i fod hefyd yn deilwng o'r wobr.

Y Cywydd

ARWR

A lliw gwaed i'w harcholl goch,
Atgof yw lleuad waetgoch:

O ŵr yn gloywi'i darian,
O gwyr a mwg oriau mân,
O negesau'n gwau drwy'r gwyll,
O gynnwrf yr ymgynnull,

O sgwrsio, o gyffro gwin,
O waedd yn tanio byddin,
O gri, ac o ruthr a gwres,
O anrhaith llwyr y flaenrhes;

O olau dall haul y dydd,
O drywaniad arweinydd,
O ager yn y llygaid
Ac o lyw mewn magl o laid;

O garlam ac o amarch,
O gae du, o gaead arch,
O fil mwy ar lawr fel moch:

Atgof yw lleuad waetgoch.

Cadfan

BEIRNIADAETH ALED RHYS WILIAM

Clasurol a disgybledig yw traddodiad haicw a sefydlwyd yn Japan ganrifoedd yn ôl, gan gyrraedd ei uchafbwynt yng ngwaith Basho, bardd enwocaf y cyfrwng hwn (1644-94), dan ddylanwad athroniaeth Zen.

Cryno a diwastraff yw'r haicw traddodiadol – pennill o dair llinell a nifer ei sillafau'n bump, saith a phump. Eithriad yw cael llai o sillafau. Awgrymu, yn hytrach na dweud a disgrifio, yw gwaith haicw; rhoi cyfle i ddarllenydd arfer ei ddychymyg. Amhersonol ac ymneilltuedig yw'r arddull, ysgafn a chlir, 'fel nant yn llifo dros wely o dywod'. Arfer gyffredin yw dechrau â sylwadaeth ar ryw agwedd ar Natur neu'r tymhorau: gwireb yn sôn am y tywydd neu ran o olygfa, efallai: cerrig, coed, dŵr, lleuad a haul, niwl, eira, ac yn y blaen. Disgwylir toriad ystyr neu newid cywair rhwng dwy ran o'r gerdd: naill ai rhwng llinellau 1 a 2 neu rhwng 2 a 3. Prin y gwelir brawddeg ddi-dor gyfan.

Derbyniwyd deuddeg ymgais i'r gystadleuaeth hon: wyth yn dilyn patrwm traddodiadol, a phedwar afreolaidd. Wele air byr am bob un:

Cwmtwrch Issa: *Vers libre*, efallai, a phob llinell heb fod yn fwy nag un gair. Nid haicw mo hyn o gwbl: penillion afreolaidd, a thywyll eu hystyr. Prin y buasai Basho yn eu hystyried yn haicw, er iddo gael ei enwi ar du mewn y clawr.

Yr Afal Mawr: Argraffiadau wrth wibio trwy Efrog Newydd, heb ddim o ffurf haicw ond y tair llinell arferol â nifer y sillafau'n amrywio. Tebycach i *vers libre*.

Cnonyn: 26 o benillion didoriad heb ddim ond awgrym o ffurf haicw. Mae nifer y sillafau'n amrywio o bennill i bennill a'r ystyr braidd yn dywyll.

Hywel Llewelyn: 40 ymgais: llinellau 1 a 3 ymhob pennill yn odli ond yn anghyson eu hyd. Mae llinellau 3 a 4 yn cynganeddu. Un frawddeg heb raniad yw pob pennill a nifer y sillafau'n afreolaidd.

Anabel Li: Mae gan hwn amryw o gynigion (39 i gyd) ar amryw destunau â naws athronyddol: dŵr, coeden, lleuad, haul, glaw, rhosyn, cadwyn, niwl, iaith, a brawddeg ddidoriad gyfan bron ymhob un. Mae'r penillion yn dilyn patrwm sillafau 5: 7: 5 yr haicw.

Maes Gwyn: 27 o gynigion ar thema tymhorau'r flwyddyn; brawddegau didoriad eto a'r meddwl yn llifo'n esmwyth o bwnc i bwnc mewn penillion rheolaidd 5: 7: 5 telynegol.

Y lleuad yn y ffenestr. 40 o gynigion athronyddol grefyddol. Brawddeg ddidoriad yw pob un a blas dihareb ar ambell bennill; prin iawn yw'r cyfeiriadau at Natur. Sôn am ei brofiadau personol y mae'r bardd hwn.

Seu Cu Swyd: 27 o gynigion am Deithiau: ar droed, mewn llong, ar y trên i Lundain, yn y tiwb, ar y A470. Cerddi o un frawddeg ddi-dor eto. Ac eithrio nifer y sillafau, prin yw nodweddion yr haicw. Argraffiadau cymysg dyn ar wib.

Ioto: 5: 7: 5 o sillafau ymhob pennill ond bod y 7 wedi rhannu'n ddwy linell. 36 o benillion ar dymhorau'r flwyddyn. Ymson sylwedydd wrth synfyfyrio. Didoriad yw'r brawddegau. Ymateb personol i'r golygfeydd a wêl y bardd.

Cerat: 22 o benillion rheolaidd sydd yma ar amryw bynciau â blas Hengerdd ar ambell un; mae rhaniad ystyr a hynny ymhob pennill yn llawn dychymyg. Canmoladwy, ac ambell dinc o gynghanedd, ond heb fawr o sylwadau ar Natur.

Trinca: 30 o gerddi rheolaidd am y Dwthwn Hwn: pynciau amrywiol, amserol, cyfoes a phob pennill yn unodl, didoriad, gydag ambell awgrym o Natur. Canmoladwy a chrefftus ond bod tuedd yma i bregethu gwers.

Crych a Llyfn: 35 ymgais, 4 yn benillion unodl ac arnynt flas y Gododdin. 'Hwnt ac Yma' yw'r is-deitl ac mae rhaniad ystyr bron ymhob pennill. Dyma'r unig gystadleuydd y gellir yn deg ei wobrwyo.

Y Casgliad o Haicw

1. Gwynt yn y dderwen
   A'i grafanc am ddeilen grin:
   Egni marwolaeth.

2. Barrug ar feddfaen
   Yn troi'n ddiferion o haul.
   Dagrau f'atgofion.

3. Tân yn yr awyr
   A meirch llwyd o gymylau'n
   Carlamu drwy'r storm.

4. Glendid y nefoedd
   Yn disgyn fel plu elyrch
   I'w faeddu gan ddyn.

5. Coesau yn cerdded
   Ar y pelmynt, y meysydd
   A'r swnd, – i'w tynged.

6. Cnwd o gylchgronau
   Yn pyngad yn y siopau.
   Drych ein meddyliau.

7. Crefftau ar silffoedd
   Fel ffrwyth ynghrog ar gangau.
   Dŵr yn ein dannedd!

8. Y nos ar ddi-hun
   Tra bo dynion yn cysgu:
   A'r sêr yn gwylio.

9. Ar ôl y gawod
   Agorodd yr awyr las
   Ei sgeileit i'r haul.

10. Combein ar frys gwyllt
    Drwy'r maes, a'r Lleuad Fedi
    Yn ysgwyd ei phen.

11. Aderyn y storm
    Yn curo paen y ffenestr:
    Cennad marwolaeth.

12. Pyst o oleuni
    Yn dal yr haul yn y nef:
    Bydd glaw'n gwreichioni.

13. Â'r dydd yn marw
    Mewn llyn o waed, daw'r bore
    Fel bachgen bochgoch.

14. Daw llais y wennol
    I'n galw o'r awyr fry
    Ar ffôn symudol.

15. Ni all 'run fideo
    Ddwyn y cnawd i'w siwrnai'n ôl
    O bridd y fynwent.

16. Dryw bach yn printio
    Stori'r daith ar eira'r lawnt.
    O! rhowch iddo ddisg.

17. Ewyn yn genlli
    Ar greigiau'r traeth yn torri.
    F'addewidion i.

18. Ôl traed ar y swnd
    Glân, yn hyll ac afrosgo.
    Tramp y ddynoliaeth.

19. Cestyll o dywod,
    A breichiau'r llanw yn dod!
    Traeth i'r gwylanod.

20. Lliw coch yn hofran
    Yn farcud mewn gwynt simsan
    Fel dyn hanner pan.

21. Cwch gwag ar y traeth
    Yn mallu fel hen forwr
    Sy'n byw ar hiraeth.

22. Wêc ar y tonnau
    Yn lledu ... yn toddi'n ddim ...
    Fel ein taith ninnau.

23. Hwyaden ar lyn –
    Pig aur yn chwilio'r gwaelod.
    Mae llaid yn rhywle.

24. Corwynt yn udo
    Yn y coed a'r simneiau.
    Dynion yn dawel.

25. Perthi llwyd o rug
    Yn symud ar lethrau'r foel.
    O! na, cwningod.

26. Llestri bach o aur
    Yn hongian ar gelfi'r rhos.
    Neb eisiau eithin.

27. Llwyni'r drain duon
    Ar gloddiau'n cyfarch y Pasg
    Mewn gwisg angylion.

28. Dadmer pibonwy'n
    Syrthio'n ddagrau o'r dderwen:
    Mae'r cryf yn wylo.

29. Mor llonydd yw'r wawr
    A'r wlad dan amdo'r eira.
    Bu cyffro'n y nos.

30. Beth yw tynerwch?
    Blodau'r gwlith yn pefrio'r maes,
    A'r ŵyn yn dawnsio.

31. Pwy sydd yn dryllio
    Cadwyni'r gaeaf yn sarn?
    Awelon Ebrill.

32. Yr haul ar wyliau.
    Hen dro oedd anghofio'r haf
    A noethi'r traethau.

33. Gwib y gwenoliaid.
    Torheulo. Crinddail. Lluwchfeydd.
    Gwenoliaid eto.

34. Diwyg noson oer;
    Cawod gesair fel glafoer
    Yn disgyn o'r lloer.

35. Diferion o haul
    Yn gloywi glas y tonnau
    Ar Ddydd Ffŵl Ebrill.

Crych a Llyfn

64

Salm gyfoes: Hunanddewisiad

BEIRNIADAETH W. I. CYNWIL WILLIAMS

Duw ym mhrofiad dyn yw cynnwys y Salmau, hen ganeuon a etifeddwyd ac a ddysgwyd gan gredinwyr y canrifoedd. Ynddynt, fe gynhwysir yr holl elfennau sydd o fewn ffydd a phroffes, clod a chyffes, cred ac amheuaeth, sicrwydd a phryder. Fe'u gwisgwyd mewn barddoniaeth, fe'u llefarwyd ar bererindod bywyd, a'u cyflwyno gyda chymorth odl ac offerynnau cerdd.

Ni luniwyd yr un o Salmau'r Iddew ar gyfer cystadleuaeth ond yr ydym ni'r Cymry yn wahanol. Ac eleni, blwyddyn lansio *Caneuon Ffydd*, mae'n dda gweld tri ar ddeg yn y gystadleuaeth hon, er nad yw'r Salmau Cyfoes a dderbyniwyd i gyd yn gerddi *Ffydd*.

Beth yw nod y Salmydd traddodiadol? Rhoi mawl a chlod i'r Creawdwr a'r Achubydd, medd yr esbonwyr. Byd o benblethdod poenus oedd eu byd hwy, fel ein byd ni, a byddent yn fynych yn galarnadu ac yn ocheneidio. Och enaid tyrfa'n addoli, neu unigolyn yn ymofyn, sy'n rhoi dilysrwydd i'r Salmau hyn. Deuent i'w Gwyliau mawr â'u gweddïau'n llosgi'n dân yn eu calonnau. Byddent yn cyrraedd yn flinedig a dig ond ar ôl adlewyrchu'n feddylgar, dychwelent o'r cynteddau â'u llawenydd yn dystiolaeth y gallent ymdopi eto â byw mewn byd a fu'n ddryswch iddynt. Teithient adref yn eu hadnabod eu hunain yn well ac yn fwy abl i ddirnad arteithiau'r ddynoliaeth. Gwelent anhrefn a dioddefaint o'u hamgylch ond gobeithient, wrth droi'n ôl i'w hardaloedd, y gwelid gwell trefn ar fyd a chymdeithas. A phwrpas mawl yn y pen draw yw newid dyn a'i fyd. Wedi'r huodledd a'r gorfoledd, medrent ddygymod â'r elfennau bygythiol unwaith eto. Fe'u sicrhawyd bod y Cyfamod yn parhau ac nad oedd angen cuddio dim. Yr oedd iaith eu mynegiant wedi lledu'u gorwelion a gallai'r addolwyr hyn, a fu'n byw ar y dibyn, ddal ati ar ôl iddynt roi ffurf ar eu profiadau gerbron Duw yn Ei gynulleidfa.

Felly, ffurf lenyddol Iddewig yw'r Salm ac yng nghyd-destun esboniadaeth Feiblaidd y ceisiais i bwyso a mesur y Salmau cyfoes a anfonwyd i'r gystadleuaeth ond heb anghofio ein bod yn byw yng Nghymru, a hynny ar drothwy mileniwm newydd. Yn wir, mae'r cyfansoddiadau'n adlewyrchu'n glir iawn yr amrywiol safbwyntiau sydd yn ein tir heddiw. Mae athroniaeth a seicoleg, gwleidyddiaeth a chymdeithaseg wedi cyffwrdd crefydd y Cymry. Daeth i'm llaw ambell Salm heb ynddi gyfeiriad at Dduw. Mae'n rhaid dechrau gyda'r Salmau seciwlar hyn.

Mae dau wedi canu i'r rhyngrwyd, sef *Caethwas y We* a *Y We*, un i Famon, dan y ffugenw *Bil Llidiardau*, ac un, *Agar*, i athronwyr yr oesau.

Caethwas y We. Mae iaith a theipio'r cystadleuydd hwn yn wallus, sy'n awgrymu nad yw mor gyfarwydd â'i 'dduw', y cyfrifiadur! Mae ei ddefnydd o briodddulliau'r Beibl i ganmol ei dduw yn bur effeithiol. Pe bai wedi gwneud y we yn ddelwedd o Dduw, hollbresennol, hollwybodol ac anweledig, gallai fod wedi creu campwaith.

Y We: Cymysgfa ryddieithol yw'r Salm hon, yr unig un a gyflwynwyd mewn llawysgrifen. Fodd bynnag, mae ynddi'r canfyddiad o'r Duw anweledig fel rhyngrwyd sy'n hollwybodol. Gwelodd y gyffelybiaeth ond ni allodd ei sianelu'n fedrus i'w Salm. Mae am gynnwys y sanctaidd ac mae siffrwd hwnnw yma.

Bil Llidiardau: Mae'r Salm hon i Famon yn lân a chrefftus ond dychangerdd a geir, cerdd sy'n feirniadaeth ddilys o'r dyn bydol, a lyncwyd gan ei gyfoeth.

Agar: Ymateb i *Sophie's World,* llyfr poblogaidd diweddar, yw Salm *Agar* ac mae'n ddatganiad cryno o feddwl prif athronwyr y canrifoedd. Hoffais y syniad ond rhestr sydd yma, fel honno yn y bag siopa.

Dyneiddiol yw gweddill y Salmau yn y gystadleuaeth ac ambell un o'r cystadleuwyr yn cofio'r gorchymyn mawr, i garu Duw yn ogystal â chymydog.

Martha: Mae wedi dyddio'i gweddi hi, a rhoi teitl iddi: 'Salm Nadolig 2000'. Trueni iddi wneud hynny oherwydd mae yn y Salm hon ddeunydd nad yw'n heneiddio. Prif fater ei gweddi yw'r gyflafan waedlyd yng ngwlad Iesu, ac mae honno'n parhau, ac fe wna, rwy'n ofni. Hoffais arddull *Martha* a'i heddychiaeth iach. Ni ellir pyncio cân hebddi heddiw. Mae yma ddidwylledd mawr ac mae'r diweddglo yn don o eiriolaeth iachusol.

Shalom: Cyffesu pechodau ein cenedl a wna *Shalom* – y Gymru sydd wedi gwerthu'i henaid am 'gonffeti' ac am fyd cysurus. Tueddu i bregethu y mae a dweud y drefn ein bod yn ddifater am ein hiaith, ein diwylliant a'n crefydd. Ond ef a roddodd i ni'r Alarnad draddodiadol, y Salm a fyddai'n cael 'Amen' y ffyddloniaid. Ond ni cheir ynddi lygedyn o obaith. Gan iddo ddisgyn yn isel i'r pydew du, ni all godi a rhoi gair o fawl.

Y Tir Pell: Molawd i Fôn, Mam Cymru, sydd ganddo, ac yn nhraddodiad Goronwy Owen a beirdd eraill fe all foli'n rhydd ac yn rhwydd. Hwn yw'r bardd gorau yn y gystadleuaeth ac mae ganddo'r adnoddau i ganmol a cheryddu, i adrodd am y gogoniant a fu ac i edliw am yr hagrwch a ddaeth ac a ddaw.

Carmel: Mae angen gweddi ar y 'gwrthryfelwyr', y rhai sy'n ceisio creu chwyldro ym mhob oes. Eiriol ar eu rhan y mae *Carmel*, gan eu canmol am eu gwytnwch a'u dewrder. Rhydd gerydd i'r rheiny sy'n esmwyth yn Seion a geilw ar i bawb ddychwel at y pwerau ysbrydol a welodd Cymru gynt. Ond braidd yn esgeulus yw *Carmel* gyda'i iaith ac ambell ffaith.

I gymhlethu'r gystadleuaeth amrywiol hon, mae dau *Amos* wedi cystadlu. Mae Salm y cyntaf yn agor gyda mawl a chyffes gyffredinol ond, yn sydyn, mae'n troi at Gymru ac yn sylwi ar 'freichiau'r melinau gwynt' a'r 'gwastraff niwclear'. Cyfansoddwyd y Salm eleni, gan ei bod yn eiriol dros y ffermwyr a gollodd eu hanifeiliaid i glwy'r traed a'r genau. Gwasgaredig iawn yw'r Salm ac nid oes iddi gynllun. Ond fe afaelwyd ynddo gan ysbryd yr Amos hwnnw a fu'n troi ymhlith gwartheg Basan.

Canmol dyn, ei gelfyddyd, ei ddiwylliant, ei fasnach, ei ddyfeisgarwch, ei waith a'i ddyngarwch a wna'r *Amos* arall. Ond mae'n camsillafu'r gair cyntaf yn y Salm. Mae'n agor pob pennill gyda berf gyfansawdd, sy'n creu diflastod, yn enwedig i'r glust. Molawd i ddyn yw hon, Salm i ddyneiddiaeth o'i dechrau i'w diwedd.

Didymus: Mae'r cystadleuydd hwn, fel yr awgryma'r enw, wedi troi pob carreg yn ei ymchwil am Dduw. Ef piau'r diwylliant crefyddol dyfnaf yn y gystadleuaeth. Perthyn i draddodiad y Gŵr Doeth yn Israel y mae hwn ac mae gofidiau awdur Llyfr Job ynddo yntau. Weithiau, bydd yn adleisio ambell bennill o Salmau'r Iddew ac yn gwneud hynny'n effeithiol. Mae ei fynegiant yn awenyddol, ei grefft yn sicr ond, gwaetha'r modd, mae cymhlethdod ei fyd a'i fywyd mor real iddo – collodd y nodyn hwnnw a gawn yn y Salm a fydd yn ennill y wobr.

Eilian: Mae'n cyflwyno'i Salm i'r Cymwynaswyr, ac yn eu cyflwyno'n ystyriol a thyner. Mae naws myfyrdod a diolchgarwch trwy'r Salm ac mae'n tywys rhywun i ysbryd addolgar. Nid yw'n Salm faith ond mae'n effeithiol iawn. Buaswn yn ddigon bodlon ei gwobrwyo, a'i chynnwys mewn gwasanaeth.

Ond mae *Hedd* yn y gystadleuaeth. Tebyg yw ei nodyn yntau yn ei 'Salm i Weithwyr Tawel Duw'. Mae'n rhaid ei fod yn eu hadnabod yn dda. Gwyddom am eu gwerth, y Cristnogion Anhysbys, fel y galwodd Karl Rahner hwy. Mae yma bortread tyner a thelynegol o'r saint dirodres hyn. Mewn llinellau glân a chynnes, ac mewn ysbryd rhagorol, cyflwynir i ni rai gwylaidd sy'n addurno byd ac eglwys – y bobl sy'n cadw Duw yn fyw yn ein byd. Cyfoethogir llawer o wasanaethau gan y Salm syml a thangnefeddus hon o eiddo *Hedd*.

Y Salm Gyfoes

SALM I WEITHWYR TAWEL DUW

Ti, Arglwydd, a'u creodd hwy,
y rhai sy'n anelu at gymdeithas glòs;
y rhain sy'n sychu chwys o dalcen poeth,
neu ddagrau o lygaid y galarus
â'u hancesi eu hunain;
Llawenhawn yn eu cwmni.

Anwylant ruddiau creithiog,
sychant friwiau gwaedlyd
heb ofni baeddu eu dillad gorau;
penliniant yn y llwch i anwesu'r anafus,
neu godi'r meddwyn yn ddigerydd.
Eu tiriondeb sy'n llefaru cyfrolau
pan na lefara eu gwefusau air.
Dy ddwylo di yw eu dwylo hwy.

Curant ar ddrws cymydog oedrannus
pan fydd y llenni heb eu tynnu,
cariant negesau pan fydd yr eira'n lluwchio,
a chodant galonnau pan syrth y cenllysg.
Hwy, O Dduw, yw ein cysgod mewn storm.

I'r dall, darllenant;
i'r unig, cadwant gwmpeini;
cysgodant yr ofnus
a rhoddant bwrpas byw i'r gwan-galon.
Brodiaist eu mentyll â thangnefedd.

Safant ar gorneli strydoedd y dre
â'u blychau'n araf lenwi,
am i lygaid apelgar y newynog
gyffroi angerdd a thosturi yn eu calonnau;
dyfalbarhânt yn siriol,
er i lawer ddymuno osgoi eu gweld.
Molwn di am iti eu geni i'n daear.

Dy weithwyr tawel di, ein Tad,
sy'n esmwytháu llwybr eu plentyn methedig
yn llawen o ddydd i ddydd,
heb deimlo caethiwed;
Maent fel bordydd wedi'u hulio
â chariad, amynedd ac ymroddiad parhaus –
danteithion o'th stordy di, eu Cynhaliwr.

Creaist weithwyr tawel
i gadw drws dy Dŷ ar agor;
cerddant trwyddo o Sul i Sul:
gwrandawant a myfyriant,
a rhoddant dy gannwyll mewn canhwyllbren,
gan oleuo'r ffordd i'th Deyrnas di i eraill:
Eu Sul a barha am wythnos.

Hwy yw llawenydd a harddwch bro,
hwy sy'n iro olwynion cymdeithas
a'u cadw i droi'n esmwyth,
yn enw dy Fab.

Mae eu hosgo'n wylaidd, eu ffydd yn gynhaliol,
a'u lleferydd mor addfwyn ag awelon y gwanwyn.
Gwyn eu byd dy weithwyr tawel di.

Hedd

Cerdd ar batrwm un o ugeinedau Euros Bowen: Hunanddewisiad

BEIRNIADAETH GWYNNE WILLIAMS

Fe ellid gwneud dadl gref mai dim ond dau fesur newydd o unrhyw fri a ddaeth i mewn i'n canu rhydd ni yn ystod yr ugeinfed ganrif, sef y rhigwm a'r ugeined. Perffeithiwyd y naill, wrth gwrs, gan T. H. Parry-Williams a dyfeisiwyd y llall gan Euros Bowen yn ei gyfrol gyntaf, *Cerddi*, lle ceir pedwar dwsin union (ac nid 49 fel yr honna Alan Llwyd yn *Barddoniaeth Euros Bowen – Cyfrol 1*). Ar y llaw arall, mae'n rhaid cytuno ag Alan Llwyd pan ddeil mai ymysg yr ugeinedau hyn y ceir rhai o gerddi cynnar gorau Euros. Yn wir, fe awn i gam ymhellach ac awgrymu bod rhai o gerddi gorau'r ugeinfed ganrif yn eu plith. Yr hyn sy'n od ac yn drychineb ydy'r ffaith bod Euros wedi rhoi'r gorau i'r mesur hwn wedi i'w frwdfrydedd cynnar oeri.

Fodd bynnag, dyma beth a ddywedodd am y modd y daeth y ffurf iddo: "Mi luniais gerdd ar Gwenallt a ddaeth yn ugain llinell union, cerdd o deip soned, er nad oeddwn am ei gweithio hi yn null cynllun soned, ond wrth fy nhrefn fy hun, oherwydd credaf mai cwbl briodol i fardd yw bod yn greadigol o ran ffurf yn ogystal â chynnwys. Gwelais wedyn y gallwn i ymarfer â rhyddid creadigol o fewn cwmpas cerdd o ugain llinell yn daclus, ac arfer pob math o amrywiaeth yn y fframwaith hwnnw. Ymserchais gymaint yn y ffurf nes peri imi roddi enw ar sail y gair 'soned'. Felly'r enw 'ugeined' ac 'ugeinedau'". Ymhlith yr amrywiaethau fyrdd a geir o fewn y fframwaith, mae rhai'n gynganeddol, rhai'n ddigynghanedd, rhai'n ddi-odl, a rhai'n lled-odledig. Ac fel yr ychwanegodd: 'Does yr un ohonyn nhw, wrth gwrs, wedi ei weithio'r un fath â'i gilydd'. Felly, er mai rhigwm ydy rhigwm ydy rhigwm, fe all ugeined fod yn unrhyw beth dan haul.

Ond all hi byth bythoedd fod yn chwe llinell ar hugain! A dyna lle mae un o'r cystadleuwyr wedi llithro oherwydd mae gan *Dioddefwr yn Kosovo* chwech ar hugain o linellau yn ei 'ugeined'! Mae'n ymddangos ei fod o neu hi wedi darllen gofynion y gystadleuaeth fel 'cerdd ar batrwm un o *ganiadau* Euros Bowen'. Er bod ambell fflach yma ac acw sy'n lled awgrymu bod ganddo fo well crap ar ysgrifennu na darllen, ofnaf fod *Dioddefwr yn Kosovo* yn gorfod troi'n *Ddioddefwr yn Ninbych*!

Diolch byth fod pedair ugeined o'r iawn ryw ar ôl gan feirdd aeddfed a phrofiadol.

Fe gafwyd ugeined gynganeddol hyfryd gan *Yr heulwen amryliw* yn darlunio 'Y Machlud dros Lyn Tegid':

> Mae anrheg dros Lyn Tegid
> fel rhodd a rwygodd ar agor
> dros fro dyn yn dra syfrdanol.

Fel y gwelir, mae'r cynganeddu'n naturiol a diymdrech – braidd yn rhy ddi-ymdrech ar brydiau, efallai, ac wn i ddim beth fyddai sylw Euros Bowen ar yr ymadrodd 'yn dra syfrdanol'. Ar y llaw arall, mae'n siŵr y byddai yntau, fel finnau, yn cymeradwyo'r ddwy linell: 'awyr o liw'n adlewyrchu ar lyn/o dawelwch diwaelod', ynghyd â'r ymgais i greu undod trwy ddod yn ôl at y ddelwedd o rodd yn y llinell olaf. O safbwynt techneg, roedd un llinell fach yn fy mhoeni, sef 'haul y dydd ar fachlud yw'. Does dim byd o'i le ar honno, meddech chi, ac mi rydych chi yn llygad eich lle hefyd. Ond fe'i hysgrifennwyd hi fel tair llinell a chyda phob ymdrech i fod yn garedig tuag at yr ymgeisydd, alla i ddim yn fy myw weld cyfiawnhad barddonol o gwbl dros wneud hynny. Ar wahân i greu ugeined, wrth gwrs! Mae'n siŵr y byddai'r gerdd ar ei hennill efo dwy linell gyflawn yn eu lle. Ar y llaw arall, fyddwn i ddim wedi gadael i hyn fy rhwystro i rhag rhoi'r wobr i'r ymgeisydd hwn. Eithr nid da lle gellir gwell.

Un o'r rheini ydy ugeined *Gwern* a ganodd i'r 'Clwy'. Dyma sut y mae'n agor ei gerdd:

> Ar draed o rew y daeth i orymdeithio,
> y Brenin Braw yn gwasgar ei gysgod
> yn ddistaw hyd ddôl,
> a'i rym iasol yn rhychwantu'r meysydd
> ar sang farus angau.

Â yn ei flaen wedyn i ddarlunio fel y daeth ei fwledi anweledig i droi cae yn warthdir cad a'n 'dyfodol ar ddibyn difodiant'. Ac o dipyn i beth mae'r holl ddôl yn mynd o'r golwg 'am mai Annwn ei hunan sydd yma heno/yn fyw ar faes'. Mae'n rhaid cydnabod ei fod o wedi llithro peth yn gynganeddol yn y llinell, 'a'r drewdod yn dyfod o draw'. Eithr does dim dwygwaith nad ydyw'n deall gofynion y mesur i'r dim, fel y prawf y modd y lluniodd y ddwy linell gynganeddol a ganlyn: 'a'n hamddifadu i gyd/o fwrlwm o ddefaid ac ŵyn'. Does dim angen clust fain na llygaid craff i glywed cyfoeth y ddwy linell yma ac onid oes cyfiawnhad barddonol dros rannu'r rhain? A thrwyddi draw mae hi'n amlwg bod y bardd yma yn dechnegol yn feistr penigamp ar ei fesur a'i fynegiant. Sylwer yn y darn agoriadol hwnnw, er enghraifft, fel y mae'n llwyddo i amrywio'i rythmau a'i gynganeddion yn null Euros ar ei orau:

> Ar draed o rew y daeth i orymdeithio,
> r dr d r   d th   d th
> y Brenin Braw yn gwasgar ei gysgod
> br n br   g sg   g sg

ac wedyn yn goferu'r llinell nesaf i greu cynghanedd sain estynedig efo'r llinell sy'n dilyn:

> yn ddistaw hyd dd<u>ôl</u>,
> a'i rym ias<u>ol</u> yn rhychwantu'r meysydd
> r m s   r m s

Ac mae'n cloi'r adran yn grefftus â llinell seml o gynghanedd lusg sy'n hynod o effeithiol yn ei huniondeb diwastraff a didderbyn wyneb: 'ar sang farus angau'.

Ond er cystal crefftwr ydy *Gwern*, ac er y byddai yntau hefyd yn gwneud buddugwr haeddiannol, nid fo ydy'r bardd gorau yn y ras eleni. Achos, fel y profodd Euros dro ar ôl tro, y mae rhagor rhwng crefft a chelfyddyd.

Ugeined i 'Waldo' a gafwyd gan *Parc y Blawd*. Roedd hwn yn ddewis braidd yn feiddgar ar ei ran o gofio bod Euros Bowen ei hunan wedi llunio ugeined i'w gyfaill. Yn y gerdd honno, fe'i delweddodd o fel ysgyfarnog gan gyfleu'r mwynhad a gawsai ei bum synnwyr wrth ei godi a'i hela yn ei waith. Roedd rhaid i mi gyfaddef fy mod i wastad wedi gweld Waldo yn debycach i wiwer nag i sgwarnog – nid yn unig o ran pryd a gwedd ond am fod coed a dail pren mor bwysig yn ei waith. Ac yn bennaf, wrth gwrs, oherwydd grym y gân fach ingol honno sy'n sôn am 'wiwer gwynfyd' sy'n gwneud ei gwâl yn yr isel gaer. Roeddwn i'n credu ar y dechrau bod *Parc y Blawd* yn cytuno efo fi oherwydd dyma sut y mae'n cyflwyno Waldo i ni: 'Fe'th welsom yn ymrithio rhwng y dail a'r canghennau'. Ond buan y sylweddolir mai plentyn yn dringo coeden sydd yma. A chan fod cynifer o gydnabod a chyfeillion wedi tystio bod llawer iawn o ddiniweidrwydd y plentyn wedi aros yng nghymeriad Waldo, mae'n ddarlun hynod o addas. Felly, hefyd, yr ymestyniad: 'Yn dalp o addfwynder Mai, a'r gwlith yn diferu/Yn ddagrau o ddiniweidrwydd yn yr haul'. Fe gyfoethogir hyn ymhellach yn y llinell nesaf gyda'r cyfeiriad at 'gadernid y rhuddin' sydd ynghudd yn eiddilwch ei gnawd. Ond, gwaetha'r modd, yn fy marn i, y mae o'n cloffi mymryn wedi hyn gan droi i ddelweddu'r goeden ei hun 'a'r glesni'n sugno maeth o wreiddiau'n llên'. Wedi hyn, mae'n hwylio yn ei flaen yn disgrifio Waldo o'i droedle uchel yn gweld bryniau ei faboed. Fe hoffais yn arbennig y ddelwedd:

A phan ddôi'r nos i hongian ei distawrwydd
Ar fachau'r sêr.

Yn bersonol, fodd bynnag, mae'n rhaid i mi gyfaddef nad oedd yr uchafbwynt, sef yr hen Waldo eiddil a gofiwn yn dringo'r goeden o gangen i gangen o'n cyrraedd ni, yn cydio cymaint yn fy nychymyg â gweddill y gerdd. A doedd y ffaith ei bod hi'n ddelwedd braidd yn dreuliedig fawr o gymorth chwaith.

Gyda llaw, os oes bron i hanner canrif er pan ddechreuodd Euros lunio ei ugeined gyntaf, mae deng mlynedd ar hugain union er pan fu farw Waldo! Roedd y ddau'n gyfeillion, wrth gwrs, ac fe gyfaddefodd Euros bod Waldo wedi dweud wrtho un tro bod yr ugeined iddo yn 'syndod cyffrous.' Wel, wn i ddim beth am y syndod ond mae cerdd *Parc y Blawd* yn sicr yn ddigon cyffrous! Yn wir, mae ei holl adeiladwaith o'r dail a'r canghennau yn y frawddeg gyntaf hyd at y 'goeden werdd yn gân i gyd' yn y llinell olaf, ynghyd â'r delweddau addas a chyfoethog a'r cyfeiriadau awgrymog, yn ei gwneud yn gyfanwaith canmoladwy.

Ac ofnwn y byddai rhaid i mi golli sawl awr o gwsg yn ceisio'i phwyso a'i mesur ochr yn ochr â cherdd *Gwern*. Ond, yn ffodus, doedd dim rhaid i mi boeni rhyw lawer am hyn oherwydd roedd gan *Parc y Blawd* (o dan enw arall) saeth arall i'w fwa. Ac fe drawodd honno'r marc o'r darlleniad cyntaf un.

o'r ffenestr ydy ei ffugenw gogleisiol ac o'r fan honno fe welodd o 'Sguthan ar Gangen'. Ond nid fel sguthan y mae'n ei chyflwyno hi i ni ond fel:

> . . . breuddwyd yn clwydo
> Ar golfen onnen yn unigrwydd yr hwyr.

Ac er ei bod hi'n sguthan go iawn o gig a phlu,

> A'i chŵan oer yn nhawch y nos
> Yn ysgwyd f'esgyrn,

y mae hi, ar yr un pryd, yn ddelwedd neu'n symbol o 'arafwch y canrifoedd' a 'phenllâd dymuniad dyn'. Try'r bardd yn naturiol ddigon wedyn i ddyfalu'n bryderus beth a ddaw o'r sguthan wrth iddi gysgodi yno yn y gwyll. Ond does dim rhaid iddo boeni gan y bydd hi yno o hyd yn y meinwynt yn ddrych o amynedd:

> Yn disgwyl . . . disgwyl . . . am drywaniad y wawr
> I'w chodi i'r nef o drybini ein hoes,
> Yn disgwyl y nwyd i'w hesgyll.

A dyna ni'n ôl efo'r freuddwyd. Ac fe all y freuddwyd honno fod yn unrhyw beth y dymunwn i'n dychymyg creadigol iddi fod! Does dim rhaid ychwanegu bod celfyddyd y bardd hwn gymesur â'i weledigaeth a bod *o'r ffenestr* yn rhinwedd hynny yn llwyr deilyngu'r wobr a phob anrhydedd. Fe fyddai Euros Bowen ei hunan ar ei orau, mae'n siŵr gen i, wedi bod yn falch o ysgrifennu'r ugeined hon – er na fyddai o byth bythoedd yn cyfaddef hynny! Ond peidied neb â meddwl mai cysgod gwelw o ddewin Llangywair ydy *o'r ffenestr*. A pheidied yntau â meddwl am ei ddilyn ymhellach a rhoi'r gorau i fesur mor ystwyth a chyfoethog y mae'n amlwg cymaint o feistr arno!

Yr Ugeined

SGUTHAN AR GANGEN

Gwelaf freuddwyd yn clwydo
Ar golfen o onnen yn unigrwydd yr hwyr
Yn wedd o lonyddwch,
Y freuddwyd o lwydni sy'n codi uwch y waun
Yn agen y brigau
A'i chŵan oer yn nhawch y nos
Yn ysgwyd f'esgyrn;
Gweld gwawl pob cyfnos yn ei haros hir,
Arafwch y canrifoedd,
A phenllâd dymuniad dyn
Yn dân yn ei hadenydd.
Beth ddaw ohoni wrth gysgodi'n y gwyll:
Ai rhewi yng nghnoad yr awel,
Troi'n dalp o lwydrew a distewi
Yn gelain oer ym magl y nos?
Y mae hi yno o hyd yn y meinwynt
Uwch y mawn yn ddrych o amynedd
Yn disgwyl . . . disgwyl . . . am drywaniad y wawr
I'w chodi i'r nef o drybini ein hoes,
Yn disgwyl y nwyd i'w hesgyll.

o'r ffenestr

Cerdd ysgafn/grafog: Opera Sebon

BEIRNIADAETH DAFYDD IWAN

Daeth pum cerdd i law.

ap Mabon: Rwy'n amau bod hwn yn tynnu fy nghoes ond, os nad yw, ymddiheuraf o waelod calon. Cyflwynodd 29 llinell o ryw fath o wers rydd, gyda pharodi talcen slip o rai o linellau Ceiriog yn eu plith. Dyma damaid i roi blas:

> Gweinidoges gloyw hoyw
> Gall gydymdeimlo â hon a hwnnw

Ac eto:

> Aros mae'r teledu mawr
> Yn y parlwr megis cynt
> Clywir eto gyda'r hwyr
> Actorion mawr yn torri gwynt.

Cerdd ysgafn yn bendifaddau, a digri yn ei ffordd fach od ei hun, ond braidd gyffwrdd a wna â'r testun.

Nid Enid Blyton mohonof: Cafwyd 17 o benillion pedair llinell wedi eu llunio'n ddigon crefftus ar y cyfan ond heb lawer o fflach. Hanes yr awdur yn mynd ati i greu sgript ar gyfer cyfres debyg i *Pobol y Cwm* sydd yma ac mae'n ei iselhau ei hun wrth wneud hynny, gan fod y cymeriadau mor goman, eu hiaith mor sathredig, eu moesau mor isel, a rhyw ar bob llaw. Ofnaf mai argraff go wael a geir o'n prif opera sebon Gymraeg yng ngwaith yr ymgeisydd hwn (a nifer o'r lleill o ran hynny) ond ceir mwy nag un tinc o ragfarn digon snobyddlyd yma:

> Pob math o ystrydeb a rhegi di-ri'
> O enau plant bychain, fel sydd yn stryd ni,
> Bydd hanner y rheiny yn fratiog eu hiaith,
> A'r mamau'n y Bingo, a'r tadau'n ddi-waith.

Rhag eu cywilydd! Ac y mae nodyn digon anhyfryd yn y pennill olaf hefyd:

> I reidio'r trên grefi, i hyn mae 'di dod,
> Rhaid gwerthu egwyddor i gyrraedd y nod.

Crafog, yn siŵr, ond dw i ddim yn gwbl glir pa egwyddor sydd dan sylw chwaith.

Ma Ma Mia!: Ceir 14 o benillion wyth llinell carlamus gan un sy'n eitha siŵr o'i bethe. A dweud y gwir, mae hwn (neu hon, wrth gwrs) yn swnio fel 'tai'n gwybod cryn dipyn am ddirgelion a chyfrinachau Cwm Deri. Mae Terry (Dyddgen, decini) yn galw cynhadledd frys yng Ngregynog am fod ffigurau gwylio *Pobol y Cwm* yn disgyn, a'r ffordd i achub y gyfres yw cael gwared o'r rhan fwyaf o'r cast a chodi crematoriwm ar eu cyfer. Dyfeisir ffyrdd digon difyr o gael 'madael â sawl wyneb cyfarwydd ac awgrymir wrth gloi (gydag ergyd ddoniolaf y gystadleuaeth, ond odid) fod y Cynulliad yn ystyried adeiladu ffordd osgoi i Gwm Deri. Cerdd ysgafn a chrafog – gan gyn-actor, efallai?

Hen Gardi: Hwn yw'r bardd sy'n dod agosa at ddweud rhywbeth o bwys ond heb daro'r hoelen ar ei phen. Rhyw ffurf ar wers rydd sydd ganddo ond nid yw'n hollol gartrefol yn ei chwmni ac nid yw ei iaith yn ddi-fefl chwaith. Wedi dilorni byd ffals a gwag *Pobol y Cwm*:

> Blinais mewn cegin werinol
> Wrando helbulon anhygoel y Deri,

mae'n mynd am dro i'w gynefin i gwrdd â phobol go iawn, i glywed hynt cymeriadau'r pentre ac i fwynhau harddwch ei fro:

> Clywaf ar aelwydydd pell
> Adlais o'r Sir Aberteifi a fu.

Ond yna, mae fel pe bai'n cofio mai am 'gerdd ysgafn/grafog' y gofynnwyd a cheir pennill olaf braidd yn anghydnaws ond digon gwreiddiol, lle mae dau gi yn gwylio'r dillad yn troi yn y peiriant golchi, gan led-awgrymu bod hynny'n llawer mwy o hwyl na gwylio'r opera sebon arall honno ar y teledu:

> . . . yn gwneud i'm chwerthin fyrlymu
> i'r wyneb fel trochion y *Daz*.

Un o'r Ffans: Cyflwynwyd 13 o dribannau digon slic yn sôn am operâu sebon yn gyffredinol; rhyw draethawd bach ar fydr ac odl yn cyfeirio at wahanol agweddau ar y testun ond heb gael llawer o hwyl ar gosi nac ar grafu. Gwneir defnydd diangen o eiriau Saesneg wedi'u Cymreigio, yn enwedig 'sôp', a buasai'n hawdd hepgor yr un ar ddechrau'r pennill hwn sydd, fel arall, yn ddigon effeithiol:

> Daw episôd min-dibyn
> o dro i dro drwy'r flwyddyn;
> a phawb, o'r lleiaf hyd at nain
> ar bigau'r drain 'n ei dilyn.

Unwaith eto, ceir agwedd bur sarhaus tuag at gynnwys a safon yr opera sebon, a chaeir pen y mwdwl gan y prydydd hwn yn ddiflewyn ar dafod, gan roi caead ar biser pob sgriptiwr sebon druan am byth:

Beth felly yw'r cynhwysion
sy'n gwneud Yr Opera Sebon? –
hoeden heb foesau, sgandal, secs,
hel clecs a phlant afradlon.

Wel, beth arall sydd i'w ddweud?

Cystadleuaeth fach ddigon difyr na chyrhaeddodd unrhyw uchelfannau, a'm dymuniad fyddai rhannu'r wobr ariannol. Ond y wobr yn llawn neu ddim yw'r rheol, os oes 'teilyngdod'. Mi lwyddodd un i gyrraedd y nod a osododd iddo'i hun a *Ma Ma Mia!* yw hwnnw, ac felly rhodder yr arian iddo. Gosodaf y gweddill fel hyn: *Hen Gardi* yn ail ac, yn gydradd drydydd, *Nid Enid Blyton mohonof* ac *Un o'r Ffans.*

Y Gerdd Ysgafn/Grafog

YR OPERA SEBON

Â mi yn paldardduo
Uwchben fy ŵy ar dost,
Daeth memo Terrytorial
I'r tŷ, ar ffurf e-bost:
'Cyfarfod yng Ngregynog
Ddydd Sadwrn, naw tan dri,
Yn sgil ffigurau gwylio
Slot saith y BBC . . .'

Cyrhaeddodd pawb yn brydlon –
Pob un â'i ffolio'n dwt,
Rhag ofn bod galwad Terry
Â cholyn yn ei chwt.
Roedd sôn ym mrig y morwydd
Ers tro 'nôl un neu ddau
Bod manna Modryb Menna
I Sebon am brinhau.

A wir, o'r Top cawd rhybudd
A'n heriai ni, ar hast,
I glymu sawl pen llinyn,
Gwneud tro â llai o gast,
A newid gêr 'mwyn gochel
Beirniadaeth am diwn gron:
'*So* bant â'r cart', medd Terry,
'Cwmderi *now moves on*!'

Ac O! 'Na waredigaeth!
'Na braf cael newid plot!
Rhwydd hynt i rai ymfudo
Yn awr, neu gael y *shot*!
Sgrifennwn straeon newydd,
Mwy yp tw dêt, llawn sbri,
A phrofwn bod modd newid
'Stadegau'r BBC!

Er mwyn lleihau'r 'boblogaeth'
Bydd rhaid i'r Cwm gael Crem:
Fe drefnwn hawl cynllunio

I un yng ngardd Tŷ Clem,
A galw'r Parch. Eleri
Yn ôl bob hyn a hyn
I hebrwng yr amharchus
O'r sîn, a'u peintio'n wyn.

Naw wfft i 'gytundebau',
Bydd sawl un nawr *For Sale* –
Yn rhydd i groesi'r trothwy
I'r *Bill* neu *Emmerdale*
Neu at yr 'annibynwyr':
Mae si bod dau neu dri
Ohonynt hwythau bellach
Yn talu Ecwitî.

Rhown Griffiths yn y carchar
Am ffidlo Incom Tacs –
Fe wertha Llew ei stori
Ar Cwm FM i'r hacs
Am ffortiwn, sy'n golygu
Bod modd cael yntau mâs:
Ymfudwn e' i Zambia
'Da merch pwll nofio'r Plas.

Â Iori'n ymgynghorwr
Ariannol yn y Bae,
Â Denz i ben draw Dwyfor
I dagio 'defaid strae',
Â Beryl gyda'r Ficer
I Sbaen am encil faith,
Ac Unsworth ar gwrs Wlpan
Chwe mis, 'er mwyn yr iaith'.

Mae Paul yn prynu warws;
Yn fodel â Michelle
Ym musnes mab y Deri
Ger Crewe – y *Mark's Motel*.
Â Sheryl ffwrdd 'da Bleddyn
I redeg tacsis Bath . . .
Mae'r bar yn wag, a'r esgid
Yn gwasgu ar sawdl Kath.

Daw ergyd greulon arall
I'r Deri pan glyw'r fro
Am sgam a dedfryd Marshal –

Tair blynedd o dan glo.
'Ddatgelwn ni ddim llawer
Ar hyn o bryd am Stace . . .
Mae'i thynged hi'n gyfrinach
'Nôl Terry, *Watch this space*!

Mae llai a llai yn gwrando
Rhaglenni Cwm FM,
A llai na hynny'n prynu
Cwm Ni – caiff ergyd lem –
Dyw'r Cyngor Celfyddydau
Ddim am gyfrannu iot
I'w achub, ac mae'i Stori
Fer yntau'n rhan o'n plot.

Caiff Reg barhau'n y Caffe
Am sbel (mae Reggie'n *hit*!),
Rhown *soya* ar ei fwydlen
I'w throi hi'n Ewro-ffit;
Ac ella rhown ni Steffan
I weini 'da Dianne
Yn *Take Away* Anita
Drws nesa. Dyna'n plan.

Fe gaiff y gweddill aros
Fel maen nhw: bydd y cast
Yn costio llai o'i chwynnu
Fel hyn, a chlirio'r wast.
 neb i gamfihafio –
Fydd angen 'run *PC*
I fyw yng nghlinc Cwmderi –
Heb sôn am *CID*!

Mae'r hoelion ola'n barod
I'r arch. Wa'th ar y gweill,
'Nôl un o'r cyfrinachau
('Ddatgela i mo'r lleill!),
Mae trefniant i'r Cynulliad
Yn stori'r gyfres gloi
Gyhoeddi bod Cwmderi'n
Teilyngu Ffordd Osgoi.

Ma Ma Mia!

Chwech o dribannau: Troeon trwstan

BEIRNIADAETH TEGWYN JONES

Gan mai 'Troeon Trwstan' a roddwyd yn destun, disgwyliwn hiwmor yn sicr, ac fe'i cafwyd. Prinnach oedd y gwreiddioldeb a nodweddai'r hiwmor – tuedd llawer o'r ymgeiswyr oedd chwilio am ysbrydoliaeth yn y tŷ bach. 'Ac yma rwyf, a 'nghoesau'n wan/Yn gaeth i'r pan ers oria' meddai *Hen Dro* ar ôl cymryd pils cascara, ac y mae llawer o bethau tebyg. Ond prinnach eto oedd tinc yr hen dribannwyr gynt, a'u dawn i sylwi ar ddigwyddiadau digon cyffredin a'u cofnodi'n gofiadwy o anghyffredin. Ond, at ei gilydd, roedd hon yn gystadleuaeth ddigon cymeradwy a'r rhan fwyaf o'r ymgeiswyr yn gartrefol yn y mesur. Dyma ychydig sylwadau ar bob un, heb fod arwyddocâd arbennig i'r drefn.

Gelert: Nid tribannau a gafwyd ganddo ef ond chwe phennill telyn eithaf swynol ar y mesur 'Mynd i'r ardd i dorri pwysi,/Pasio'r lafant, pasio'r lili, etc'.

Jac y Do: Cyfres o dribannau difyr ddigon ond hytrach yn brin o ysbrydoliaeth. Dyma ni yn y tŷ bach eto:

> Peth cas yw daiarïa,
> Fe'i cefais ddoe ddiwetha,
> Wrth redeg am y dybliw si,
> Baglais dros gi drws nesa.

Job: Anfonodd ef ddau gopi o'i dribannau a rhyw ychydig o amrywiadau yma ac acw yn eu gwahaniaethu. Derbyniol, ond byddwn wedi croesawu ychydig mwy o ôl ymdrech yn ei waith:

> Yn Oxfam prynais drowsus,
> Un llac ond yn anffodus
> Torrodd ei felt un dydd yn ddau
> A minnau heb ddim bresus.

I Eiddil Gwan: Y gyfrol *Caneuon Ffydd* yw ei thema ef. Tuedda i fod yn llafurus wrth gyfleu ei ergydion ond mae'r pennill hwn yn rhagori:

> Rhy swmpus i'r piano,
> Yw'r llyf[y]r mawr, mae'n cwympo,
> A rhaid, er ceisio dal ei lwyth,
> Rhoi hoelen wyth o tano.

Sam: Dewisodd ef roi portread yn ei dribannau o 'foi dwy law whith' o'r enw Morgan. Dyma'i bennill gorau:

Rôl machlud haul bu'n treio
Ca'l lamp y ffrynt i weithio,
Ond dyna glec yn hollti'r gwyll –
Mae'r Stad 'ys tywyll heno'.

Collwyd dau dro trwstan yn y pennill cyntaf a'r olaf, a ddefnyddir i gyflwyno Morgan ac i ffarwelio ag ef.

Mab y Mans: Cartrefol ddigon yn y mesur ond ychydig yn ddiffygiol mewn gwreiddioldeb, efallai. Eto, mae iddo yntau ei fflach:

I'r Mans daeth hipi heibio
A'i baban i'w fedyddio,
'Rwy'n mynd i Tesco', meddai'n ffôl,
'Fe alwaf nôl amdano'.

Wil Cefn Gwlad: Hwn eto'n dribannwr medrus ond yn tueddu i fodloni ar y syniad cyntaf yn hytrach nag ymdrechu am un gwell. Sawl gwaith y gwelwyd stori debyg i hon ar bennill?

Fe feddwodd Jac yn dablen
Yn sêl Clun-gwyn, a'r fargen
A brynodd e – nid cobyn broc
Ond rhyw hen groc o asen!

Maes y Felin: Yr un sylw'n union a weddai iddo yntau. Chwilier am fwy o newydd-deb, er mor drwstan yw ambell dro fel hwn:

Wrth wrando'i lith hirwyntog
O lwyfan neuadd Chwilog
Fe wyddai pawb ac eithrio fo
Mai 'O' oedd siâp ei falog.

Iolo: Cyffredinedd y sefyllfaoedd sy'n nodweddu ei waith yntau hefyd – llithro ar groen banana, wincio mewn ocsiwn oherwydd nam ar lygad (a phrynu mangl di-alw-amdano o ganlyniad), colli dannedd gosod wrth ganu – pethau blinedig o'r fath.

Cwm Hwnt: Canodd ef ei dribannau yn nhafodiaith bêr Morgannwg:

Daeth Shoni'n fachan ffamws
Drw'r ardal pan enillws
E drigain mil ar Raglen Bôs:
Ond, genol nos, dihunws!

Braidd yn chwithig yw'r 'E' ar ddechrau llinell 3. Byddai rhywbeth fel 'Ryw ffortiwn fowr ar Raglen Bôs' wedi bod yn well. Clywsom y stori o'r blaen ond dyry'r dafodiaith ychydig o arbenigrwydd arni. Yn wir, y dafodiaith yw nodwedd fwyaf deniadol y gyfres hon.

Lora: Chwe thriban yn disgrifio nifer o droeon trwstan a ddigwyddodd i'r bardd wrth iddo fynd i gystadlu ar ganu aria mewn eisteddfod – colli ei ffordd, y cyfeilydd 'wedi mynd ar streic', cael un arall 'â dwy law chwith' ac, i goroni'r cyfan, y beirniad wedi mynd i gysgu. Mae'r mesur yn rhwydd dan ei law ond 'does fawr o arbenigrwydd ar y dweud.

Aperpergwm: Hoffais yn fawr y nodyn amserol sydd yn ei droeon trwstan, fel hwn:

> Â'r Blaid yn ymrafaelio
> ar gwestiwn Seisnigeiddio,
> er taer weddïau Ieuan Wyn
> mae Seimon Glyn heb fudo.

A hwn:

> Os cant yw'r Fam Frenhines,
> yn agosáu mae'i hwyres:
> fe groesodd hithau'r naw-deg-tri –
> mewn Bentley, nôl yr hanes.

Ond oni fydd y pethau hyn wedi 'dyddio' ryw ychydig cyn ymddangosiad y gyfrol hon? Pe bai hawl i rannu'r wobr, yn sicr byddai *Aberpergwm* wedi cael cyfran.

Hen Dro: Tribannwr llithrig a chanddo synnwyr digrifwch ffres a derbyniol:

> Ni welir baton Wili
> Yn arwain band eleni
> 'Rôl iddo fartsio i mewn i wal
> Yng Ngharnifál Pwllheli.

Dyna dinc yr hen dribannwyr heb amheuaeth. Byddent hwy'n hoff hefyd o gynnwys enwau lleoedd Morgannwg yn eu gwaith. Aeth *Hen Dro* i ardaloedd eraill:

> Er teithio trwy Nigeria,
> Siapan, Nepal a'r India,
> Aeth Blasher-Smythe ar goll dair gwaith
> Ar daith yn Nhanygrisia'.

Nid yw pob un o'i dribannau cystal, a rhoddodd y gwannaf ar ddiwedd ei gyfres, ond iddo ef y dyfernir y wobr.

Y Chwe Thriban

TROEON TRWSTAN

Ni welir baton Wili
Yn arwain band eleni,
'Rôl iddo fartsio i mewn i wal
Yng Ngharnifál Pwllheli.

'Anlwcus mynd dan ysgol',
Medd ffrind yn gydwybodol,
Ond wrth ei 'sgoi, hen dro i Ron –
Aeth dan olwynion Vauxhall.

Â minnau'n rhwym ers dyddia',
Mi lyncais bils Cascara;
Ac yma rwyf, â 'nghoesa'n wan
Yn gacth i'r pan ers oria'.

Wrth chwilio am fodurdy
Trodd Dai trwy giât puteindy;
Y fo ga'dd syrfis, nid y fan,
Gan Swsi Ann a Mandy.

Er teithio trwy Nigeria,
Siapan, Nepal a'r India,
Aeth Blasher-Smythe ar goll dair gwaith
Ar daith yn Nhanygrisia'.

Bleind dêt a drefnodd Ifan
Â merch o'r enw Gillian,
Ond wedi cwrdd, fe ddaeth yn glaer –
Yn ffrog ei chwaer oedd Julian.

Hen Dro

Casgliad o englynion ac/neu benillion ar gyfer cardiau cyfarch

BEIRNIADAETH ALED LLOYD DAVIES

Yr oedd y syniad hwn o eiddo Pwyllgor Llenyddiaeth yr Eisteddfod yn un a oedd yn apelio ataf. Dyma, hefyd, gystadleuaeth a oedd wedi'i geirio mewn modd a fyddai'n cynnig cyfle i feirdd a phrydyddion i lenwi'r hyn a dybiwn i oedd yn fwlch yn y farchnad oherwydd bob tro yr af i siop i geisio cerdyn cyfarch, mae'r cyfarchion barddonol sydd i'w gweld arnynt yn arbennig o wantan a diddychymyg. Siomedig, felly, oedd canfod mai dim ond dau ymgeisydd yn unig a fentrodd i'r maes. Mae'r ddau gystadleuydd wedi dehongli gofynion y gystadleuaeth yn gwbl wahanol i'w gilydd.

Llinos J: Bardd gorau'r gystadleuaeth, efallai. Yn sicr, dyma fardd sy'n hoffi barddoniaeth yn y mesurau caeth, gan gynnig yn agos i hanner cant o 'benillion' i ystyriaeth y beirniad. Yr englyn a'r cywydd yw ei hoff fesurau ac mae'n meddu'r ddawn i gynganeddu'n bur fedrus ac yn gofiadwy ar adegau. O safbwynt y gystadleuaeth hon, fodd bynnag, mae wedi peri problem i'r beirniad, gan fod pob un o'r cerddi wedi cael eu llunio'n benodol ar gyfer ei gyfeillion ef ei hun ac, felly, yn gwbl amherthnasol i'w defnyddio ar gyfer unrhyw berson arall. Yn fy marn i, nid yw'r casgliad hwn yn ateb gofynion y gystadleuaeth yn llawn nac ychwaith yn cwrdd â disgwyliadau'r Pwyllgor Llên.

Dim ond ambell 'bennill' o eiddo'r bardd a fyddai'n addas i gael ei ddefnyddio'n gyffredinol ar gerdyn masnachol ond, er mwyn rhoi blas o waith y bardd, bodlonaf ar yr enghraifft hon o gyfarchiad gwamal ar achlysur dathlu pen-blwydd y wraig:

> Beth a rof yw fy ngofid – i eneth
> mor gynnil a diwyd?
> Ni hoffet aur na sgarff twîd!
> A liciet *Fairy Liquid?*

Cân di bennill: Yn y mesurau rhydd y mae'r prydydd hwn wedi dewis canu. Mae yma berson trefnus sydd wedi llunio penillion ar gyfer sawl math o achlysur. Fe geir penillion a fyddai'n addas ar gyfer penblwyddi (gan gynnwys rhai penodol megis 18, 40, 100, a phenblwyddi hwyr); cariad, dyweddïad, priodas, a hyd yn oed ysgariad! Mae hefyd wedi cofio am y Nadolig, calan, geni plentyn, pasio prawf gyrru, ymddeoliad, gwaeledd, a marwolaeth. Diolch byth, fe wêl y bardd hwn bod llc i hiwmor yn rhai o'i gyfarchion; er enghraifft:

> Wyt ti'n teimlo'n hen a hyll
> Neu'n erchyll yn y bora?
> Dyw hyn yn ddim, cans byddi'n hŷn
> O flwyddyn y tro nesa!

Er cystal cerddi *Llinos J,* gan *Cân di bennill* y derbyniwyd y casgliad mwyaf defnyddiol a threfnus yn y gystadleuaeth ac, yn fy marn i, dyma'r ymgais sy'n cwrdd orau â'r gofynion ac yn haeddu'r wobr.

[NODYN: Ni ellir cyhoeddi'r casgliad buddugol gan nad oedd *Cân di bennill* wedi anfon ei enw a'i gyfeiriad mewn amlen dan sêl gyda'i gynnig. – Golygydd.]

TESTUNAU A GWOBRAU ARBENNIG LLYS YR EISTEDDFOD GENEDLAETHOL

Gwobr Goffa Daniel Owen. Nofel heb ei chyhoeddi

BEIRNIADAETH JANE AARON

Cafodd cystadleuaeth Gwobr Goffa Daniel Owen flwyddyn lewyrchus y llynedd yn Llanelli; denwyd nifer o gystadleuwyr teilwng gan y wobr newydd o £5,000. Ond siom yw gorfod datgelu na lwyddodd yr un abwyd i dynnu cystadleuaeth debyg eleni. Dim ond pedwar a geisiodd am y Wobr a'r gwir trist yw bod y tri beirniad yn unfryd eu barn nad oes yr un ohonynt yn haeddu ei hennill.

Nid yw'r canlyniad siomedig hwn yn adlewyrchu'n deg iechyd y nofel Gymraeg gyfoes yn gyffredinol; i'r gwrthwyneb, gyda llwyddiant cynlluniau fel 'Llyfr y Mis' a chystadleuaeth 2000 Gwasg Gomer, mae sefyllfa'r nofel yn llewyrchus iawn ar y funud. Yn 2000-1, gwelwyd nifer o awduron ifainc yn rhoi cychwyn addawol ar yrfaoedd cyhoeddi, yn ogystal ag enwau mwy cyfarwydd yn parhau i gynhyrchu deunydd newydd gwir gyffrous. Pam, felly, fod cyn lleied o ddiddordeb eleni yn y gystadleuaeth hon? Un o amcanion y Daniel Owen yw hybu nofelwyr newydd; efallai, yn baradocsaidd, bod llwyddiant cynlluniau diweddar y gweisg Cymraeg a Chyngor Llyfrau Cymru, wrth anelu at yr un nod, yn lleihau apêl y gystadleuaeth. Ymddengys fod gan ein nofelwyr yr hyder heddiw i ymwneud yn uniongyrchol â'r gweisg, a bod cynnig eu gwaith i'r gystadleuaeth hon yn ymddangos iddynt yn fodd arafach a llai sicr o gyrraedd y nod a gweld eu nofelau mewn print. Nid yw'r hyder hwn yn beth drwg, wrth gwrs, ond eto i gyd, o gofio'r anrhydedd a maint y gwerthiant a ddaw i ran nofel fuddugol yr Eisteddfod, heb sôn am y £5,000 o wobr, mae'n dal yn syndod nad oedd mwy yn cystadlu.

Fodd bynnag, dan yr amgylchiadau, mae'n rhaid cyfaddef mai gorchwyl heb ryw lawer o wefr iddo oedd beirniadu'r gystadleuaeth hon eleni a sylweddoli, wrth droi o'r naill ymgais at y llall, nad oedd yr un o'r pedwar yn llwyddo i wir afael yn y dychymyg a sbarduno'r meddwl. Eu diffyg cyffredinol, efallai, yw iddynt fethu cyrraedd dan groen eu cymeriadau mewn modd a fyddai'n argyhoeddi'r darllenydd fod bywyd y tu ôl i'r geiriau. Mae digon yn digwydd yn y nofelau hyn ond nid oes digon o ymateb ar ran y cymeriadau i'w profedigaethau. Yn ogystal, yn achos tair ohonynt, mae'r mynegiant yn tueddu tuag at yr ystrydebol ac, ar brydiau, yn ddiffygiol. Eto i gyd, mae pob un o'r pedwar ymgeisydd yn haeddu parch a sylw am roi cynnig ar y fenter fawr o ysgrifennu nofel ac nid oes yr un ohonynt heb rai agweddau sy'n apelio. Af ymlaen, felly, i ymdrin â hwy yn unigol, gan gadw'r gorau tan y diwedd ond heb ddosbarthu'r gweddill yn ôl unrhyw drefn teilyngdod.

Blini: 'Naid Driphlyg'. Ymgais at nofel 'arbrofol' yw hon; brithir y traethiad â pharagraffau o ysgrifennu 'barddonol' mewn print italaidd, a gwneir deunydd o hynodweddion ôl-fodernaidd (ond digon cyfarwydd erbyn hyn) fel disgrifio'r un olygfa ddwywaith o safbwynt dau gymeriad gwahanol. Ond, er yr ystrywiau hyn, mae'r testun yn fyr iawn, dim ond rhyw drigain o dudalennau; gellir honni mai stori fer hir, gydag addurniadau, sydd yma yn hytrach na nofel. Serch hynny, mae *Blini* yn llwyddo i greu naws glawstroffobaidd gofiadwy ddigon, gyda'r pum cymeriad – cwpl priod anhapus a'u mab bychan, cariadferch y gŵr, a chymydog a gaiff ei dynnu i mewn i gawdel y briodas – i gyd yn byw yn yr un bloc o fflatiau. Mae elfennau anghynnes ynghylch cymeriadau'r pedwar oedolyn, sydd oll dan glo y tu mewn i gelloedd bach trachwantus yr hunan; ymddengys nad yw'r awdur am inni gydymdeimlo â'r un ohonynt, er nad yw'n eu beirniadu chwaith. Eto i gyd, ni ellir bod yn sicr mai ei b/fwriad oedd ysgrifennu ffars ddu ddychanol, gan fod y darnau barddonol, a'r cyfeiriadau ysbeidiol sy'n cysylltu'r stori â hanes Blodeuwedd yn y Mabinogi, yn awgrymu bod disgwyl i'r darllenydd gymryd poen y cymeriadau o ddifrif. Ond tipyn o gamp fyddai gwneud hynny erbyn y diweddglo llawn trawma, gyda'r wraig yn ceisio lladd ei gŵr ar ôl i'w gariadferch ddatgelu iddi ei anffyddlondeb, a'r cymydog yn ei ddarganfod (o hyd yn fyw) o dan estyll y fflat, tra mae'r cariad yn herwgipio'r plentyn. Os mai nod *Blini* oedd ein hatgoffa pa mor annifyr y gall byw mewn bloc o fflatiau fod, yna mae wedi llwyddo ond, fel arall, efallai mai'r prif drafferth gyda'r 'nofel' hon yw nad yw'r awdur wedi ystyried yn ddigon sut ymateb y mae am ei greu.

Celt: 'Cylchoedd'. O ran hyd, mae hon yn nofel go swmpus ond o ran sylwedd, gwaetha'r modd, mae tipyn o'r swmp hwnnw'n ddianghenraid. O'r dechrau cyntaf, nid yw fframwaith y stori yn argyhoeddi. Atgof yw'r holl nofel, atgof Rhiannon, yr adroddwraig; cyfarfyddwn â hi yn eistedd ar ei phen ei hun mewn bar, wedi yfed gormod ac yn ansicr sut y bydd yn cyrraedd ei chartref. Yn y cyflwr hwn, mae'n ail-fyw yn ei meddwl, rhwng dau lymaid fel petai, holl hanes ei diwrnodau diwethaf – ac, yn wir, holl hanes ei bywyd – gan gynnwys nifer helaeth o ddeialogau hirwyntog tu hwnt â'i gwahanol gyfeillion. Go brin fod unrhyw gof yn gweithio mor fanwl â hyn, hyd yn oed pan fo'r cofiannydd yn sobr. Eto i gyd, mae yna elfennau apelgar i'w stori. Chwyldrowyd bywydau Rhiannon a'i chyfeillion yn eu harddegau gan eu harbrofion yn y 1970au â chylchoedd hud. Er mai hwy eu hunain a greoedd y cylchoedd fel sbort, daliwyd dau ohonynt yn eu rhwyd eu hunain. Ymddengys fod Jac wedi cyflawni hunanladdiad dan ddylanwad y cylchoedd ac mae Fanw, erbyn y 1990au, yn wrach wen a'i phen yn llawn cymhlethdod o gredoau, mantra, a chardiau Tarot. Nod Rhiannon, wrth gofio, yw ceisio rhoi pen ar y mwdwl a'i gwared ei hun o'i gorffennol ond mae hithau hefyd yn cydnabod swyn y cylchoedd. Nid yn aml y deuir ar draws y math hwn o ddiwylliant hipïaidd yn cael lle mor ganolog mewn nofel Gymraeg ac mae ffresni i'r newydd-deb. Serch hynny, mae'n rhaid cyfaddef nad yw hynny'n ddigon i gynnal diddordeb y darllenydd trwy holl ddeialogau di-ben-draw 'Cylchoedd' sydd, er eu hyd, yn cyfleu cyn lleied. Eisiau cwtogi sydd ar y nofel hon ac eisiau ysgrifennu mwy awgrymog a bachog o dipyn.

Titw: 'Huddug i Botes'. Nofel tair cenhedlaeth sydd yma – y fam-gu, ei merch sy'n fam sengl, a'r ŵyr ifanc sy'n dioddef o beidio â gwybod pwy yw ei dad. Yn ystod y nofel, mae'r teulu bach yn mynd yn ysglyfaeth i griw o ddrwgweithred-wyr lleol; caiff y fam sengl, Falmai, ei herwgipio a'r fam-gu ei threisio'n ffiaidd. Ond pwy yw'r ditectif tal, awdurdodol, sy'n ymddangos ar y trothwy, wedi ei ddanfon i arwain yr ymchwiliad i'w hachos? Wel, tad plentyn Falmai, wrth gwrs, yn hollol anwybodus ynghylch bodolaeth ei fab. Yn fachgen chweched dos-barth uchelgeisiol â'i yrfa addawol o'i flaen, gadawyd iddo adael y pentref i ymuno â'r Mét heb i'r athrawes a fu'n gariad iddo ei dramgwyddo trwy ddatgelu cyfrinach ei beichiogrwydd. Ond nid yw'n hir cyn i'r ditectif craff gyrraedd y gwirionedd; ar ôl un cipolwg ar ei fab, mae'n gofyn i Falmai, 'Oes 'na rywbeth na wnest ti ddim 'i ddeud wrtha i?' Yn ffodus, mae'r plentyn a'r hen gariad yn plesio, felly mae diweddglo hapus i bawb ond y fam-gu, eithr ni roddir rhyw lawer o le yn y nofel i'w hartaith meddwl hi ar ôl y trais. A dweud y gwir, ni roddir llawer o le yn y nofel fer iawn hon i feddyliau a theimladau yr un o'r cymeriadau; mae'r digwyddiadau'n dilyn un ar ôl y llall yn slic ryfeddol ond prin yw'r ymateb iddynt. O ganlyniad, mae'n galed cydymdeimlo â'r cymeriadau naill ai yn eu trallod nac yn eu llawenydd. Nid bod 'Huddug i Botes' gymaint â hynny'n waeth na'r cant a mil o ramantau ystrydebol i fenywod a gyhoeddir bob blwyddyn gan y gweisg Seisnig – ond nid yw'n well na hwy ychwaith.

Islwyn: 'Bryn Meillion'. Yn ei hiaith y mae arbenigrwydd a chyfoeth y nofel hon: adroddir y mwyafrif o'r testun yn nhafodiaith swynol Cwm Tawe. Menna Jenkins, hen wraig mewn cartref henoed, yw'r adroddwraig, sy'n hiraethu am ei dyddiau gynt yn ei bwthyn, Bryn Meillion. Cawn ganddi hanes ei phriodas a marwolaeth gynnar ei gŵr, hanes ei mab a'i farwolaeth gynnar ef, a hanes ei hŵyr a marwolaeth gynnar hwnnw hefyd. Rhyfel sydd wedi rhoi diwedd anamserol ar fywydau'r tri dyn, y Rhyfel Byd Cyntaf yn achos y gŵr, yr Ail Ryfel Byd yn achos y mab, a Rhyfel y Malfinas yn achos yr ŵyr. Yn ddealladwy iawn dan yr amgylchiadau, prif thema'r nofel yw erchylltra rhyfel – thema anrhyd-eddus iawn, wrth gwrs – ond ni ellir honni ei bod yma wedi esgor ar nofel lwyddiannus. Tueddir i orliwio'n felodramatig ddigwyddiadau sy'n ddigon dychrynllyd ynddynt eu hunain. Er enghraifft, er mwyn arbed loes i'w wraig, mae Wil y gŵr yn gadael yn gyfrinachol am y Rhyfel Byd Cyntaf heb wybod bod Menna y funud honno yn swyddfa'r meddyg yn cael cadarnhad ei bod yn feichiog, a daw'r telegram am ei farwolaeth i Fryn Meillion yn union yr un diwrnod â genedigaeth ei fab. Gellir gweld digwyddiadau'r nofel yn dyfod o hirbell; mae'r Falklands ar y gorwel o ddiwrnod geni Ifan, yr ŵyr, yn enwedig gan i'r awdur yn anffodus gymysgu enwau'r cymeriadau gwrywaidd mewn un bennod allweddol, a lladd Ifan yn yr Ail Ryfel Byd yn hytrach na'i dad, Wil II. Serch hynny, mae o hyd yn bleser darllen y nofel hon oherwydd naturioldeb

y dafodiaith. Ceir ynddi nifer o ddywediadau cofiadwy; er enghraifft, wrth
dderbyn, yn ddiarwybod iddi, gusan olaf ei gŵr ac ef ar fin gadael am y Rhyfel,
mae Menna'n synnu at ei angerdd ac yn dweud wrtho, 'Wyt ti'n itha swci, wyt
yn wir.' Ond cystadleuaeth nofel yw'r Daniel, nid cystadleuaeth iaith, ac nid yw
'Bryn Meillion', fel y mae o leiaf, yn argyhoeddi fel nofel. Serch hynny, gellir
cymeradwyo cyhoeddi'r stori hon, ar ôl peth gwaith golygu, pe na bai ond er
mwyn gwneud yn hysbys swyn ei thafodiaith.

BEIRNIADAETH ALUN JONES

Cafwyd pedwar yn cystadlu a phrin braidd ydi'r sylwadau cadarnhaol yn y llyfr
nodiadau. Prinnach fyth oedd y cyfleoedd i werthfawrogi o'r newydd rym
geiriau syml ac i grwydro byd dychymyg arall neu gyrraedd tir y gellid ei alw'n
gelfyddyd. Mae arna i ofn na fedrais i ystyried gwobrwyo'r un o'r pedwar am
funud.

Titw: 'Huddug i Botes'. Rydw i'n cael trafferth i alw gwaith y gellir ei ddarllen
heb frysio a sgwennu nodiadau arno mewn awr a deng munud yn nofel. Mae'r
deunydd yma'n ddi-fai at ei gilydd ond mae'r gwaith yn llawer rhy fyr iddo.
Mae'n amlwg hefyd bod y deunydd yn drech na'r ymdriniaeth ohono. Mae'r
cymeriadau – hynny o gymeriadau ydyn nhw – yn rhy dynn yng nghrafangau'r
awdur; mae'r cyd-ddigwyddiad i'w weld o bell; mae absenoldeb ymateb i
ddigwyddiadau erchyll yn dra anghredadwy. Dymunaf ddiolch i'm cydfeirniaid
am ddarllen y dudalen olaf yn uchel i mi gan nad aeth *Titw* i'r drafferth o'i
chynnwys yn fy nghopi i.

Blini: 'Naid Driphlyg'. Ar ôl tynnu'r tudalennau gweigion a'r trimins, prin
grafu 50 tudalen y mae'r gwaith hwn hefyd. Dydi'r gair 'nofelig' ddim yn addas
i'w ddisgrifio, heb sôn am 'nofel'. Cyfuniad rhyfedd o oruwchlenyddiaeth a
deialog uffernol y peiriant teledu byd-eang a geir yma ('Julie, fi'n moyn
siarad'/'Ti yn . . .'). Mae'n bechod braidd bod yr oruwchlenyddiaeth yn baglu
ar ei thrwyn o dro i dro mewn gwallau iaith. Mae'n debyg ein bod i fod i dynnu
maeth mwy deallus na'r cyffredin o'r enw 'Gwydion' a gafodd un o'r prif
gymeriadau ond roedd yr holl beth yn rhy stêl o'i ddechreuad gen i. Yn y bôn,
gwaith am dor-briodas a dim arall ydi hwn ac mae tor-briodas yn fwy stêl na
phriodas stêl. Mae'n drueni am hyn gan fod y gwaith a'r sgwennu'n codi i dir
pur uchel ar brydiau (nid yn y darnau goruwchlenyddol, chwaith).

Islwyn: 'Bryn Meillion'. Mae tafodiaith y nofel hon yn odidog ond, gwaetha'r
modd, sylwedd y nofel yn hytrach na'r cyfrwng ydi hi yn rhy aml. Daw hyn i'r
amlwg yn y bennod gyntaf wrth inni gael ein boddi mewn ystrydebau am
ingoedd henaint a chartrefi henoed. Hen wraig ddryslyd yn llawn o atgofion
clir sydd yma. Gan fod presennol y nofel braidd yn ddigynnwys unwaith y

mae rhywun wedi derbyn tristwch ailadroddus y chwalu, rwy'n siŵr y byddai'n well pe bai *Islwyn* wedi anghofio dychwelyd i'r presennol hwnnw bob hyn a hyn a chanolbwyntio'n llwyr ar feddyliau ac atgofion yr hen wraig, a chadw'n ddigymrodedd at y dafodiaith. Fel y mae, mae'r nofel yn troi'n felodrama yn rhy aml ac yn cael ei difetha gan hynny. Dyna sy'n gyfrifol am fod tynged yr ŵyr yn straen ar hygrededd. Yng nghanol gormodedd o ddeialog ddiddim, ceir yma hefyd enghreifftiau ysbeidiol o ddisgleirdeb, megis yn siarad gwag y gweinidog sy'n ymweld â'r hen wraig.

Celt: 'Cylchoedd'. Roedd troi o dafodiaith ysblennydd Cwm Tawe i annhafodiaith ddiffaith Tir Neb y nofel hon yn ormod i mi a bu'n rhaid i mi ei rhoi heibio am bythefnos daclus ar ganol y bennod gyntaf cyn llwyddo i'w hailagor. 'Sai'n pigo lan dynion achos eu bod nhw'n edrych fel Jac'/'Crist, Cei, wrth gwrs nage fel'na digwyddiodd pethau.' Sut ar wyneb y ddaear y gellir ystyried gwobrwyo peth fel'na'? Cyn waethed bob tamaid â hynny ydi ein bod ym myd 'cynllunio gweddill fy mywyd', 'newydd ddod at groesffordd yn fy ngyrfa', a 'rhaid i fi feddwl. Cymaint o benderfyniadau'. Gwaeth fyth ydi na fyddai angen yr un iotyn o ymdrech i gyfieithu'r gwaith i'r Saesneg gan fod y brawddegau i gyd wedi'u stumio i ddynwared rhythmau'r iaith honno. Er hynny, gellid gwneud nofel dda o hon, yn enwedig pe na bai'r un tcimladau, syniadau a phrofiadau yn cael eu corddi a'u hailgorddi o un pen iddi i'r llall a phe bai'r cannoedd o ystrydebau modernllyd yn cael eu dympio a phe bai *Celt* yn gallu dirnad nad oes rhaid iddi ein hatgoffa o'r dudalen gyntaf i dragwyddoldeb maith mai merch ydi hi. Nid hi ydi'r unig awdur cyfoes o bell ffordd chwaith i gymryd yn ganiataol bod pobol sy'n feddw dwll yn dal i allu meddwl yn hollol glir. Mae honna cystal enghraifft â'r un o natur ddynwaredol y nofel hon. (Mater arall, wrth gwrs, ydi pam na wêl *Celt* ddim o'i le mewn dynwared rwtsh.) Ond does dim o'i le ar y syniad na'r plot na'r cymeriadau at ei gilydd ac mae yma rannau pur dda, yn enwedig at y diwedd, pan mae hi braidd yn hwyr iddyn nhw. Yr ymdriniaeth, a methiant *Celt*, drwodd a thro, i wneud i ni gredu dros dro yn ei byd sy'n collfarnu'r gwaith hwn. Ac yn y nofel hon eto, mae'r darllenydd wedi hen ddatrys y gyfrinach cyn i'r awdur wneud hynny.

BEIRNIADAETH VAUGHAN HUGHES

Y llynedd yn Llanelli, roedd beirniaid Gwobr Goffa Daniel Owen yn llawenhau. Cyhoeddodd dau ohonyn nhw'n frwd bod y gystadleuaeth wedi 'dod i'w hoed'. Ac roedd ganddyn nhw bob rheswm dros orfoleddu. Fe gawson nhw fwy nag un nofel deilwng i'w darllen a'i mwynhau, ac un nodedig i'w gwobrwyo. Ond cam yn ôl – sawl cam yn ôl – a gafwyd yn Ninbych eleni. Yng Nghymru heddiw, mae rhagor na hanner dwsin o nofelwyr a fyddai wedi ennill yn rhwydd y £5000 di-dreth a gynigir yn wobr pe bydden nhw wedi mentro cystadlu. Wnaethon nhw ddim. A cholled pawb ohonom ni yw hynny.

Mae'n rhaid cydnabod bod penderfyniad goleuedig awdurdodau'r Eisteddfod Genedlaethol i roi'r un statws seremonïol i Brif Lenor ac i Brifardd wedi talu ar ei ganfed. Bellach, mae nofelwyr *eisiau* ennill y Fedal. Nid yw'r Daniel, er gwaetha'r wobr ariannol, yn mwynhau dim byd tebyg i'r un statws. Ac mae'n anodd gweld sut y mae modd newid hynny. Nid y *Cyfansoddiadau* trymlwythog yw'r lle i drafod sut mae gwella delwedd y Daniel ond mae angen ailfeddwl eto ynglŷn â beth i'w wneud â'r gystadleuaeth hon. Mae'n amheus a fyddai *prif* gystadleuaeth y nofel mewn unrhyw wlad arall wedi denu nofelau mor an-arbennig â'r pedair a anfonwyd i Brifwyl Dinbych. Dyna'r caswir. Fe'u trafodaf yn nhrefn eu diffyg teilyngdod, yn fy marn i.

Celt: 'Cylchoedd'. Er cymaint rydw i'n gwerthfawrogi caledwaith *Celt* yn mynd ati i sgwennu nofel swmpus (amcangyfrifaf ei bod dros 80,000 o eiriau), dylet-swydd yn hytrach na phleser oedd ei darllen. Mae hi'n tin-droi a gogor-droi'n ddiangen wrth olrhain pwy neu beth a fu'n gyfrifol am ffurfio cylchoedd patrymog mewn caeau ŷd ym Mro Gŵyr. Er clod i'r awdur, llwyddodd i greu nifer o gymeriadau gwreiddiol ac i anadlu bywyd iddyn nhw. Mae hynny'n gamp hynod o gofio pa mor dlawd yw ei h/adnoddau iaith. Dagrau pethau yw'r ffaith dor-calonnus nad yw *Celt* yn gallu sgwennu Cymraeg. Artaith oedd gorfod darllen 296 o dudalennau o bethau fel hyn:

'Bu oleuadau dros y cae. Bu rai'n gwylio ond dim ond ffwl basai'n gwrando arnyn nhw. Byddan nhw'n elwa oddi wrth y straeon twp' (t. 137); 'Heb i fi ddweud rhywbeth fyddai fe fyth wedi dechrau diddordeb yn y peth' (t. 153); 'A'r darnau i gyd yn cwympo i'r llefydd y tynnwyd nhw oddiwrthyn nhw blyn-yddoedd yn ôl' (t. 205); 'Roedd e'n pryderu am fy niogelwch, ac eisiau i fi wneud yr hyn roedd e'n ei ystyried oedd yn iawn, ond wedyn byddai'n ymladd y demtasiwn i bregethu ata i, ac yn olaf y boen o feddwl y byddwn, ond iddo fy ngheryddu, yn fwy penderfynol na chynt o weithredu er ei waethaf, a falle ei bod hi'n well dweud dim, ac osgoi tynnu sylw at ei amheuon (t. 245); 'Rwy erioed wedi oedi i feddwl am yr hyn rwy eisiau gwneud, y cyfeiriad rwy eisiau mynd ynddo, gwir eisiau mynd ynddo' (t. 249).

Yr unig sgwennu eglur a chaboledig yn y nofel gyfan yw'r llythyr a anfonwyd at Paul gan ei asiant llenyddol. Sgwennwyd y llythyr hwnnw yn Saesneg . . .

Nid gwaith beirniad yw torri calon cystadleuydd. Ond nid gwaith cystadleuydd ychwaith yw torri calon beirniad. Mae gwybod bod *Celt* yn gynrychioliadol o gynifer o Gymry addysgedig yr unfed ganrif ar hugain yn ddychryn. Yr hyn sy'n fy mhryderu'n fwy na dim yw f'amheuaeth nad dysgwr, fel y cyfryw, yw'r awdur. Amheuaf ei fod – neu ei bod hi – yn *siarad* Cymraeg trefol cyfoes yn rhugl ond nad yw'n gyfarwydd o gwbl â theithi'r iaith ysgrifenedig. Cyngor Saunders Lewis i'r arlunydd o Benarth, Ifor Davies, pan aeth hwnnw â rhai o'i gerddi Cymraeg i'w dangos i'r Meistr oedd: 'Sgrifennwch yn Saesneg'. Dyna'r cyngor caredicaf y gallaf innau ei roi i *Celt*.

Titw: 'Huddug i Botes'. Rhyw *Aga-saga* o nofelig a geir gan *Titw*, dysgwraig os nad ydw i'n camgymryd. Mae ganddi ddawn storïol ond, ar hyn o bryd, nid yw ei gafael ar y Gymraeg yn caniatáu iddi wneud cyfiawnder â'i dawn. Pan fo rhywbeth fel hyn yn ymddangos ar dudalen gyntaf nofel, mae ffydd beirniad yn cael ei siglo'n o arw: 'Cyrhaeddodd Gwen am y celfi' (*Gwen reached for . . .*). a thrachefn ar dudalen dau: 'Fedri di f'helpu fi i'w hedrach hi?' (sef edrych ar y darten sydd yn y popty). Diflas hefyd yw'r cymysgu cenedl cyson (e.e., 'ganddo' lle golygir 'ganddi'), a'r anallu i wahaniaethu rhwng *i* ac *u*. Dro arall, mae *Titw* yn methu'n llwyr â dod o hyd i'r gair priodol, e.e., perthynas sydd 'mor uffernol o fyglyd o esmwyth' – nid 'myglyd', wrth reswm, yw'r gair i ddisgrifio perthynas sy'n llethu a chaethiwo a mygu.

Rydw i'n amau, fodd bynnag, na fydd *Titw*'n hir iawn cyn dysgu osgoi gwallau o'r fath. Mae ei chystrawennau gan amlaf yn hyfryd o naturiol ac mae rhywun yn synhwyro y gall hon ddatblygu i fod yn nofelydd poblogaidd a chymeradwy dros ben. Ar adegau, mae hi eisoes yn gallu sgwennu'n ardderchog. Disgrifir tosturi yn wefreiddiol: 'dyma'r wermod chwerwaf ar y ddaear' (t. 23). Ac mae Dafydd, sy'n ddeuddeg a hanner oed, yn 'hen-gall' (t. 6). Diguro, hefyd, yw'r disgrifiad o ddiwrnod braf (t. 7): 'Diwrnod fel pe bai natur wedi cael sgrwb'. Ond mae Cymraeg *Titw* mor rhwystredig o anwastad fel bod y gwych a'r gwachul i'w gael o fewn yr un frawddeg. Mae Rhys, mab Falmai, (t. 53) 'yn prowla yn yr oergell am rywbeth i'w gael ar draws ei geg'. Tra bo'r 'prowla' yn wych, mae gweddill y frawddeg yn erchyll. Dyna'r math o anwastadrwydd sy'n andwyo gwaith *Titw* ar hyn o bryd. Ym mhennod 5, lle mae Rhys yn strancio ac yn mynnu gwybod pwy yw ei dad, mae hi'n sgwennu'n dda dros ben. Ar y llaw arall, nid yw pennod 14 (lle sonnir am dri dihiryn mewn picil) yn argyhoeddi am eiliad, ar unrhyw wastad. Yn wir, mae'r effaith yn gallu bod yn anfwriadol ddoniol: mae'r rhwyd yn cau am Lee, a adweinir fel Sglyf, llofrudd merch ysgol a threisiwr nain fusgrell. Dan bwysau, mae'r seicopath hwn o Hogyn Caled yn ebychu'r gair bach sidêt, 'Daria'. Daria, yn wir! Roedd hyd yn oed William Jones nad ydoedd na llofrudd na threisiwr yn gallu gollwng un 'blydi' o'i enau. Tua'r diwedd, rhamantlyd o siwgwraidd yw dychweliad y plismon, *D. I.* Gwyn Ellis, i fywydau Falmai, Rhys a Gwen, yn enwedig y datganiad ei fod yn dal i garu Falmai.

Nid yw *Titw*'n ddi-glem o bell ffordd ond hyd yn oed pe cywirid yr iaith, nid yw 'Huddug i Botes' y math o nofel y gellir ei hystyried ar gyfer gwobr fel hon. Nid bod hynny'n dibrisio ei gwerth adloniadol.

Blini: 'Naid Driphlyg'. Hon yw'r nofel a barodd y dryswch pennaf imi. Fel yn nofelau a storïau Mihangel Morgan, rydan ni yng nghwmni awdur sy'n pendilio rhwng realaeth a ffantasïaeth. Ond hyd yn oed ar ei fwyaf abswrd, ni ellir cyhuddo *Blini* o falu awyr nac o ymdrybaeddu mewn dwli pur. Mae yma ymgais ddifrif ac uchelgeisiol i fynd i'r afael ag anffyddlondeb o fewn priodas, a hynny mewn modd dyfeisgar a ffres. Creodd *Blini* oriel o gymeriadau trawiadol, yn enwedig felly Y Ddawnswraig, ac Emlyn, plentyn chwemlwydd sy'n frawychus o ddeallus. Ond er fy mod yn mawrygu bwriadau'r nofelydd hwn, nid yw'r elfen-nau'n asio'n gyfanwaith sy'n argyhoeddi.

Soniais uchod am Mihangel Morgan. Camp hwnnw, gyda chydsyniad parod y darllenydd, yw rhoi coel ar yr anhygoel. Consuriaeth o'r fath yw stamp gwir lenor. Dawn arall sydd gan Mr Morgan yw ei afael cadarn ar yr iaith Gymraeg. Ond sebon gwlyb yw'r iaith yn nwylo *Blini*, sebon sy'n llithro a neidio o'i afael yn rhy aml, ysywaeth, i mi allu ei ystyried ar gyfer y wobr hon. Serch hynny, mae gan yr awdur hwn dalent ac mae'r nofel hon yn adferadwy. Yn gam neu'n gymwys, fodd bynnag, bernais mai'r fersiwn a anfonwyd i'r gystadleuaeth oedd yr un y dylwn ei beirniadu, nid y nofel y *gallai* hon fod.

Islwyn: 'Bryn Meillion'. Tŷ ym mhen uchaf Cwm Tawe yw Bryn Meillion y teitl. Yn y tŷ hwnnw y cychwynnodd Menna Jenkins ar ei bywyd priodasol, yn ferch ifanc ar drothwy'r Rhyfel Mawr. O'r tŷ hwnnw, ar derfyn yr ugeinfed ganrif, y mae hi'n cael ei chludo yn erbyn ei hewyllys i ddiweddu ei dyddiau mewn cartref nyrsio. O fewn y fframwaith syml ond effeithiol hwnnw, mae *Islwyn* yn cyffwrdd rhai o ddigwyddiadau mawr y ganrif. Ond nid yw'n gwneud mwy na chyffwrdd. Nid yw'n mynd dan yr wyneb. Roedd cyfle ganddo i sgwennu nofel wirioneddol uchelgeisiol. P'run ai drwy ddiffyg amser, neu ddiffyg hyder, neu gyfuniad o'r ddau, gwrthod y cyfle a wnaeth yr awdur. Ond cyn manylu ar rai o'r methiannau strwythurol hynny, mae angen pwysleisio mai *Islwyn* yw sgwennwr gorau'r gystadleuaeth hon – a hynny o bell ffordd. Sgwennodd ei nofel yn nhafodiaith gyfoethog Cwm Tawe. Mae o'n sgwennu'n hyfryd o natur-iol a di-lol. Yn fwy na hynny, mae o'n gwneud i'r Gymraeg ganu. Ar ei orau, mae'n odidog: 'Ym maril gwn Wil nid oedd na blewyn na bripsyn'. A beth am ei ddisgrifiad ardderchog o gynnwys brechdan: 'Dou enllyn ar un tocyn'?

Iaith gyhyrog *Islwyn* sy'n ei osod ar wahân i'r tri arall a fu'n cystadlu eleni. Er ei fod yntau (fel finnau a'r mwyafrif o sgwenwyr Cymraeg) yn euog o fân wallau orgraffyddol niferus, nid ydyn nhw'n mennu dim ar ei allu i'w fynegi'i hun. Mae ei Gymraeg yn Gymraeg sy'n rhoi pleser a boddhad. Diolch amdano. Byddai'r gystadleuaeth hon wedi bod yn un dlotach hebddo. Drwy'r nofel, mae'r gwrthdaro rhwng Menna Bryn Meillion a'i chyfnither eiddigeddus, Lisa, yn rhoi min ar y gwaith, ac mae canlyniadau'r gwrthdaro hwnnw yn effeithio yn ei dro ar gymeriadau eraill y nofel, ac ar holl rediad y stori.

Ond mae ganddo ddiffygion difrifol fel nofelydd. Mae *Islwyn* (t. 71) yn mynd i'r afael â hanes y glowyr hynny yn y Rhyfel Byd Cyntaf a orchmynnwyd gan y Fyddin i dwnelu dan ffosydd Ffrainc. Daliais fy anadl gan obeithio'n eiddgar y byddai'n rhoi cynnig, o leiaf, ar efelychu camp Sebastian Faulks wrth drafod yr un sefyllfa yn ei nofel orchestol, *Birdsong*. Ond ymwrthod â'r her yn gyfan gwbl a wnaeth *Islwyn*. Daw'r bennod i ben yn hynod ffwr-bwt: 'Dyna pryd y torrodd yr Almaenwyr i mewn a thaflu ffrwydron'. Nid yw un frawddeg o'r fath yn dech-rau bod yn ddigonol i ddisgrifio digwyddiad mor ddramatig a thyngedfennol.

A thrachefn (t. 136/137), mewn un ymson o gwta dudalen a hanner gan Menna, mae Helen, merch Lisa, yn ailbriodi a chael plant; mae Menna'n magu Ifan; mae Martin yn marw; mae Lisa'n marw. Dyma ormodedd o ddim rheswm o ddigwyddiadau, a'r rheini'n cael eu rhestru'n rhibidirês am fod *Islwyn* eisiau cau pen y mwdwl. Rhaid nodi hefyd mai gor-sentimental yw'r disgrifiad ar y diwedd o Fryn Meillion fel 'gwynfyd a ddiflannodd am byth.' Ychydig iawn o wynfyd a welodd teulu Bryn Meillion drwy ddau Ryfel Byd a Rhyfel y Malvinas. Wedi'r cyfan, am nad oedd y tŷ'n wynfyd yr oedd o'n destun da ar gyfer nofel.

Drwy golli'r cyfle i fynd dan groen ei gymeriadau a'i sefyllfaoedd, collodd *Islwyn* y cyfle hefyd i ennill Gwobr Goffa Daniel Owen. Fe garwn i weld y nofel hon, o'i diwygio, yn cael ei chyhoeddi. Ond nid yw dweud bod gwaith yn haeddu ei gyhoeddi yn gyfystyr o gwbl â dweud ei fod yn haeddu ennill cystadleuaeth o'r statws hwn.

YSGOLORIAETH EMYR FEDDYG

Er cof am Dr Emyr Wyn Jones, Cymrawd yr Eisteddfod

BEIRNIADAETH JOHN ROWLANDS

Gwych oedd sefydlu'r Ysgoloriaeth hon er cof am Dr Emyr Wyn Jones. Cynigiwyd hyd at fil o bunnau i'r ymgeisydd mwyaf addawol am lunio tua 3,000 o eiriau o waith rhyddiaith ar y gweill. Cyfyngwyd y gystadleuaeth i lenorion na chyhoedd-wyd cyfrol o'u gwaith eisoes – felly, dyma hybu awduron newydd a rhoi cyfle i'r enillydd gael prentisiaeth wyneb yn wyneb gyda llenor profiadol a benodir gan y Panel Llenyddiaeth. Oherwydd natur y gystadleuaeth, am addewid yr oeddwn yn chwilio, nid am gampwaith. Daeth naw o ymgeiswyr i'r ornest. Ni chafwyd camp na rhemp ond mae gan bob un ddawn dweud ac, o'i meithrin, gallai flaguro'n llawn.

Yn Fuddugol: 'Dilyniant [:] Digwyddiadau heddiw ar fferm ym Mhenrhyn Llŷn'. Byddai teitl mwy awenyddol yn debycach o gosi cywreinrwydd beirniad ond mae'n debyg bod 'dilyniant' yma'n cael ei ddefnyddio yn yr ystyr y'i defnyddir yng nghystadleuaeth y Goron fel arfer – 'dilyniant o gerddi' – ac felly disgwyl-iwn weld dilyniant o storïau gan yr ymgeisydd hwn. Cafwyd ganddo dri darn neu dair pennod. Mae'r darn cyntaf yn disgrifio dyletswyddau ffermwr adeg wyna ond mae'r ffermwr hwnnw, sef dyn ifanc pump ar hugain oed, yn cael ei ladd ymhen tudalen a chwarter, a'r stori'n gorffen. Rhyfedd wedyn yw gweld yr ail ddarn yn cael ai alw'n 'D[d]ilyniant [:] Pum mlynedd yn gynharach ar y ffordd i ardal Aberteifi yng ngorllewin Cymru.' Roeddwn yn tybio am funud imi gael fy nal gan dric ôl-fodernaidd lle mae amser wedi'i droi â'i ben i lawr, a Phenrhyn Llŷn wedi symud i Geredigion. Ond nid felly o gwbl: awdur digon traddodiadol yw hwn ac mae'i waith yn pefrio ar adegau. Mae deunydd crai digon addawol yn yr ail ddarn ond bod angen mwy o gnawd am yr esgyrn. Yn y trydydd darn y cawn wir ddilyniant i'r darn cyntaf. Felly, go brin bod yr ymgeisydd hwn 'yn fuddugol' y tro hwn, oherwydd teimlaf mai drafft cyntaf sydd ganddo a bod angen iddo gaboli'r defnyddiau amrwd a llenwi'r bylchau. Ni synnwn fawr petai'n cyrraedd y brig mewn cystadleuaeth fel hon yn y dyfodol.

Pen y Bryn: Tair stori fer sydd yma a'r awdur yn dangos dawn i ennyn chwilfrydedd. Braidd yn felodramatig oedd y stori gyntaf i mi ond cyfaddefaf nad wyf yn *connoisseur* straeon ysbryd. Dyna pam efallai nad oeddwn yn cynhesu rhyw lawer at y drydedd stori chwaith, er ei bod yn iawn o'i bath. Ymserchais fwy yn yr ail stori, lle defnyddir mordaith yn drosiad am daith bywyd yr hen longwr nad oes ganddo obaith bellach ond am ryw Ynys Afallon y tu draw i afon angau.

Y Bluen Werdd: 'Y Testament Newyrdd'. Os esboniaf fod ail ran y gair 'Newyrdd' wedi'i deipio mewn gwyrdd gan y cystadleuydd hwn, fe welir nad gwall argraffu sydd yma. Teitl gwreiddiol, o leiaf. Ond ni ddaw ei arwyddocâd yn rhy amlwg yn y darn dechreuol a gyflwynwyd. Yn yr olygfa gyntaf, mae gweinidog yn pregethu i gynulleidfa o ddau ac fe geir yma ymgais at ddoniolwch ond nid yw'n taro deuddeg rywsut. Fe gesglir mai pregethu'r efengyl werdd sydd mewn golwg yn yr egin nofel hon ond ni chymerir y peth o ddifrif, a thipyn o ffârs yw'r stori. Rwy'n cydnabod bod gan yr awdur arddull gyhyrog iawn, a chryn ddawn dweud, ond nid yw'n taro'r nod y tro hwn.

Elsa: 'Ddoe, Heddiw, Yfory'. Mae gan yr awdur hwn ddefnydd crai gwerth chweil. Ceisiodd fynd i'r afael â phrofiadau un o gymeriadau'r ymylon, sy'n amheuthun o beth mewn llenyddiaeth Gymraeg y dyddiau hyn. Yn y stori gyntaf, mae Mandy'n ddeg oed ac yn byw ar stad dai ddifreintiedig, ei thad yn cael ei hel i'r jêl a'i mam yn hel dynion, hithau'n bod yn hytrach na byw ac yn tyfu'n gam mewn coedwig o goed ceimion. Erbyn yr ail stori, mae'n rhygnu byw mewn fflat a'i bachgen bach, Tomos, yn cael ei gymryd oddi arni gan y gwasanaeth lles. Fel y gellid disgwyl, erbyn y drydedd stori mae'n llusgo byw yn ei chanol oed truenus. Er bod yr ysgrifennu'n afaelgar ar adegau, tuedda'r storïau i fod yn undonog braidd. Does yma ddim amrywiaeth o ran teimladau na dim gwreichionyn o hiwmor. Tybed a wyf yn iawn wrth dybio mai awdur 'dosbarth canol' sydd yma yn ceisio dychmygu sut brofiad fyddai bod mewn sefyllfa fel un Mandy? Mae'n Samariad trugarog o ran ei agwedd, yn sicr, ond efallai na fyddai rhywun a edrychai ar bethau o'r tu mewn yn gweld y cyfan mor ddu â bol buwch wedi'r cwbl.

Penybwlch: Dyma dair stori fer sy'n ddigon derbyniol ar eu telerau eu hunain. Mae'r ysgrifennu'n sensitif dros ben a'r awdur yn llwyddo'n dda i gonsurio teimladau briw. Tueddant i fod yn rhy debyg o ran naws: hel meddyliau am amrywiol resymau y mae'r cymeriadau i gyd. Hiraeth yw'r ddolen gyswllt. Storïau cymeradwy iawn ond heb godi i'r entrychion.

Rhagnell: Mae rhywbeth mwy egnïol yn y storïau hyn ac maent yn hynod ddarllenadwy. Llwyddwyd hefyd i gael amrywiaeth o ran pwnc a chefndir. Dadrithiad serch sydd yn y stori gyntaf, 'Affair (*sic*) d'amour', ac fe'i lleolwyd, yn rhagweladwy braidd, yn Ffrainc. Mewn stori realaidd fel hon, go brin y gellir llyncu'r modd annhebygol y daw Llinos o hyd i'w hen gariad. Serch hynny, mae yma hiwmor yn gymysg â dagrau. Teulu Cymraeg yn ceisio ymgartrefu mewn ardal Seisnig sydd yn yr ail stori ac fe'i hadroddwyd yn afieithus. Hoffais wedyn y drydedd stori, 'Amser chwarae', sy'n stori seicolegol yn cwestiynu realiti.

Comandante Esther: 'Y Wennol Na Welodd Wanwyn'. Agorir y stori gyda neges e-bost at Llinos o ben draw'r byd. Cododd hyn fy archwaeth am gael blasu stori seiber chwilboeth o ryw bopty erotig ond ychydig yn ddi-ffrwt yw'r stori hon wedi'r cwbl. Serch hynny, mae yma destun iawn ar gyfer nofel. Mae Llinos wedi syrthio mewn cariad â dyn sydd ddeuddeng mlynedd yn hŷn na hi a hwnnw'n byw bellteroedd i ffwrdd. Yn erbyn ewyllys ei theulu, mae hi'n dilyn cwrs ar newyddiaduraeth er mwyn cael esgus i grwydro'r byd ac ymuno â'i chariad. Does dim amheuaeth nad oes rhywbeth i gnoi cil arno yn y nofel arfaethedig hon. Teimlais ei bod yn tueddu i ogor-droi ar adegau, serch hynny.

Coch: 'Camerâu'. Pennod gyntaf nofel sydd yma eto a honno'n gwyrdroi disgwyl-iadau gyda'i helfennau ôl-fodernaidd, hunanymwybodol. Caiff Ynyr hunllefau am ryfel gwaedlyd ac yna mae'r ffôn yn canu a'r stori'n dirwyn yn annisgwyl o un sefyllfa i'r llall. Llwyddwyd i greu awyrgylch afreal a hynny'n fwy gafaelgar oherwydd bod yr arddull ei hun yn oeraidd er bod y pwnc yn gallu bod yn hunllefus. Ceir elfennau dirgel ac anghyffredin sy'n codi chwilfrydedd. Byddai rhai'n cwyno bod diffyg sbonc yn y mynegiant a theimlaf innau nad yw'r addewid dechreuol yn cael ei wireddu.

Richard Feddyg: 'Gweld o Bell'. Fe'm cyfareddwyd gan y bennod agoriadol hon o nofel arfaethedig. Mae arddull yr awdur hwn yn llawn sbonc a sbwnc. Gall ddisgrifio parti gydag afiaith ac mae'n giamstar ar gyfleu bywyd hedonistaidd to ifanc cwbl hunanol a diegwyddor sy'n mwynhau meddwi a rhyw athletaidd i'r eithaf. Mae'i stori'n berwi gan gymeriadau amrywiol (a heb fod mor amrywiol), ac mae yma ddigon o le i ddatblygu a chreu nofel lawn sbri ac asbri ond heb fod yn arwynebol. Ceir tipyn go-lew o hiwmor priddlyd, sy'n dangos bod yr awdur yn gwneud mwy na chofnodi.

Nid oes amheuaeth yn fy meddwl nad *Richard Feddyg* yw awdur mwyaf addawol y gystadleuaeth hon, ac edrychaf ymlaen at ddarllen ei nofel orffenedig ryw ddydd. Haedda'r wobr lawn.

RHYDDIAITH

Y Fedal Ryddiaith. Cyfrol o ryddiaith heb fod dros 40,000 o eiriau: 'Lleisiau'

BEIRNIADAETH GWERFYL PIERCE JONES

Pleser digymysg oedd darllen y cynigion ar gyfer y Fedal Ryddiaith eleni ac mae'r ffaith bod un ar bymtheg o deipysgrifau wedi dod i law yn glod i Bwyllgor Llên Dinbych a fu'n ddigon doeth i ddewis testun a gynigiai lwybr penodol i gystadleuwyr heb osod unrhyw rwystrau ar y ffordd. Y mae'n destun eang ei bosibiliadau.

Bu safon y gystadleuaeth hon yn gyson uchel dros y blynyddoedd ac nid yw eleni'n eithriad. Yn wir, hoffwn roi teyrnged i'r awduron sy'n cystadlu o flwyddyn i flwyddyn. Fel un sy'n ymwneud ag awduron yn gyson yn fy ngwaith bob dydd, rwy'n edmygu fwyfwy eu hymroddiad a'u llafur cariad dros yr iaith Gymraeg a'i llenyddiaeth, a hynny mewn amgylchiadau sydd heb fod yn deilwng ohonynt. Y mae nifer ohonom yn cydweithio ar hyn o bryd i geisio gwella'r sefyllfa honno ac nid dyma'r lle i ymhelaethu, ar wahân i ddweud bod holl garfanau'r byd llyfrau'n gytûn ar y ffordd ymlaen a bod gwell cydnabyddiaeth i awduron yn gonglfaen y strategaeth sydd dan ystyriaeth gan yr awdurdodau ar hyn o bryd.

Ar yr un pryd, ni ellir gorbwysleisio cydnabyddiaeth o fath arall, sef y clod a'r bri a geir yn sgil cystadleuaeth fel hon. Diolch i'r Eisteddfod amdani.

A throi at gynnyrch eleni, cafwyd amrywiaeth eang o weithiau o ran ffurf a thestun, ac efallai nad yw'n syndod mai taro nodyn lleddf a wna'r mwyafrif, gyda cholled a galar yn themâu cyffredin. Dyma air am bob un yn unigol. Nid oes unrhyw arwyddocâd arbennig i'r drefn, er bod y goreuon yn cael sylw ar y diwedd.

Gwrandawr. 'Lleisiau'. Ymgais a geir yma i edrych yn ôl yn hiraethus ar fywyd cefn gwlad trwy gyfrwng lleisiau cymeriadau o'r gorffennol a'r cyfan wedi'i fynegi yn nhafodiaith gyfoethog y 'wês wês'. Yn y mynegiant rhagor na'r cynnwys y mae prif ragoriaeth y casgliad.

Penygarreg. 'Ar Enfysau'. Cipolwg rhamantus ar y dyddiau a fu trwy gyfrwng llais a llun. Ceir yma ysgrifennu swynol ac erys ambell lun yn fyw yn y cof.

Coracs. 'Myfi yw Y Gigfran'. Ymranna'r stori hon yn dair rhan ond nid yw'r asio'n llwyddiannus. Cymysglyd hefyd yw'r symud o'r person cyntaf i'r trydydd person ac mae'r ddeialog yn anghynnil. Er hynny, ceir cyffyrddiadau da ac mae gan yr awdur ddawn storïol.

Dim Clyw: 'Beth yw Rhydaman yn Gymrâg?' Radio Gwalia sydd dan y lach yn y gwaith dychanol hwn sy'n llwyddo i ddifyrru a diflasu ar yr un pryd. Ymddengys fod y darn olaf wedi'i ail-lunio ar dipyn o frys ac nid yw'r diwedd cyfleus yn taro deuddeg. Y darnau gorau yw'r darnau lle mae'r dychan a'r hiwmor yn cyd-daro.

Y Derwydd: 'Noswyl a Lleisiau'r Greadigaeth'. Deunydd ysgrifol a storïol gan awdur diwylliedig sy'n ymddiddori yn 'y pethe' ac yn darllen yn eang. Y mae yma ôl myfyrio dwys ond mae'r ysgrifennu'n llac ac nid oes unrhyw unoliaeth i'r casgliad.

Cors Fochno: 'Gwesteion'. Yr olygfa yw cyflwynydd teledu sy'n defnyddio achlysur cyflwyno'i raglen olaf i ddinoethi ei westeion yn gyhoeddus. Dyfais effeithiol i bwrpas dychan ond ystrydebol yw'r ddeialog ac nid oes unrhyw gamp arbennig ar y dweud.

Dolef: 'Cyrraedd Gwreiddiau'. Casgliad o straeon byrion wedi'u sgrifennu'n grefftus a'u cyflwyno'n daclus ond y cynnwys yn anwastad a llawer o'r deunydd yn ystrydebol.

Ianto: 'Aur y Derwyddon'. Stori antur ddifyr am Brydydd y Bonc (Pencerdd a bardd llys) a'i ddisgybl, y Bardd Cloff, yn mynd ar drywydd hen drysor y derwyddon. Mae'r stori'n byrlymu o ddoniolwch a dychan ac mae gan yr awdur ddawn i gymeriadu a chlust at ddeialog. Dyma ddeunydd rhagorol ar gyfer drama-gyfres a byddai'n apelio'n eang at blant ac oedolion.

Glas y Dorlan: 'Cyffes Lydia Morgan'. Hanes dynes niwrotig, obsesiynol sy'n dioddef o agoraphobia. Y mae'n dechrau'n dda gyda'r meddwl obsesiynol yn cael ei gyfleu i'r dim. Ni lwyddir i gynnal y diddordeb dros ddau can tudalen, ysywaeth. Efallai mai'r prif wendid yw nad yw'r awdur wedi llwyddo i beri inni gydymdeimlo â'r prif gymeriad nac ymboeni am ei thynged.

Poli Ffeil: 'Lleisiau'. Nofel ias a chyffro i bobl ifainc yn adrodd hanesion cyffrous y Maquis yn ystod yr Ail Ryfel Byd. Caiff y Capten Dewi Lebon ei yrru i Ffrainc i achub un o'r milwyr a gipiwyd gan y Natsïaid a gwaith Lebon, dan y ffugenw Andrée Lussac, yw ymuno â'r Maquis i geisio'i ryddhau. Mae hon yn stori grefftus wedi'i mynegi'n raenus ond mae'r deunydd wedi dyddio ac rwy'n ofni nad oes digon o gyffro nac o symud ynddi i apelio at bobl ifainc heddiw. Yn un modd, ymddengys yr arwr ychydig yn ddiniwed.

Madog: 'Dydd oedd a diwedd iddo'. Siôn Trefnant, Esgob Henffordd, yw gwrthrych y nofel hanesyddol hon a leolir yng nghyfnod gwrthryfel Glyndŵr. Daeth yr esgob dan ddylanwad pregethu John Wycliffe ond dewis llwybr cydymffurfiaeth a wnaeth at ei gilydd, er i hynny gostio'n ddrud iddo a pheri ymddieithrio oddi wrth ei ffrindiau. Mae'n nofel grefftus, ac ôl ymchwil drylwyr arni, ac mae'n sicr yn haeddu gweld golau dydd. Byddai'r nofel ar ei hennill petai mwy o dyndra a gwrthdaro wrth i'r hanes ddatblygu.

Y Mwydyn: 'Troi Clust Fyddar'. Nofel ddifyr a darllenadwy sy'n defnyddio taith mewn trên fel dyfais i ddwyn ynghyd y gwahanol linynnau storïol. Ar y naill law, ceir cwpwl ifanc sy'n achub mantais ar berthynas oedrannus ac yn cynnig cartref iddi er mwyn cael gafael ar ei harian. Yn gyfochrog â hynny, mae stori Siwan sy'n teithio i Lundain i gael triniaeth ar ei chlyw, hithau'n dianc o afael ei mam hunanol a'i gŵr sy'n efengylwr digyfaddawd. Heb ddadlennu'r stori, daw Siwan trwy'r profiad yn gryfach person, yn barod i wneud safiad ac i dorri ei chŵys ei hun. Y mae deunydd nofel lwyddiannus yma, er bod angen datblygu tipyn mwy ar rai o'r cymeriadau, yn enwedig yng nghyswllt yr is-blot.

Mari: 'Lleisiau'. Cefais gryn flas ar y stori hon. Mae'n agor gyda gwraig ar ei gwely angau a Mari (y ferch) a Gareth (y mab) o boptu ei gwely – y mab, fe ymddengys, wedi dod yno yn groes i'w ewyllys ac yn amharod i faddau am rywbeth a ddigwyddodd yn y gorffennol. Ond buan y gwelir bod y stori'n fwy cymhleth na hyn a daw'n amlwg yn y man mai Mari yw'r ferch yn y gwely, rhwng ymwybod ac isymwybod, ac fe ddadlennir y stori, gam wrth gam, trwy gyfrwng y lleisiau sy'n ei chyfarch, a'i llais hithau. Yn y diwedd, y mae'n gwawrio ar Mari mai ei gŵr a achosodd y ddamwain drasig sy'n gyfrifol am ei chyflwr ac ymdeimlwn â'i rhwystredigaeth a'i dychryn wrth iddo roi cynnig arall ar ei lladd, a hithau'n analluog i'w rwystro.

O ddehongli'r stori'n llythrennol nid yw'n gredadwy. O chwilio am ddehongliad mwy astrus, tybed ai breuddwyd hunllefus sydd yma, a'r gŵr yn ymgorfforiad o'r tad a gerddodd allan o'r cartref yn ystod ei phlentyndod, a hynny ar ôl bygwth ei lladd? Ysywaeth, nid yw'r dehongliad hwnnw'n ystyrlon ychwaith.

Er bod gwendidau yn y plot, y mae i'r stori hon rin arbennig ac mae'r iaith synhwyrus a'r ddawn i greu awyrgylch yn gosod *Mari* ymhlith goreuon y gystadleuaeth.

Carreg Lefn: 'Cam wrth Gam'. Nofel gyfoes, ddifyr sy'n ymwneud â pherthynas pobl â'i gilydd yn wyneb treialon bywyd, y math o nofel a gysylltir ag awduron Saesneg fel Joanna Trollope ond bod golwg yr awdur hwn ar fywyd yn fwy cadarnhaol nag eiddo Trollope.

Mae'r nofel yn dechrau gyda Leusa, y prif gymeriad, yn cael ffling gwallgof gyda dyn arall mewn parti, a hynny'n arwain at chwalfa deuluol boenus. Down i gydymdeimlo â Leusa wrth ddeall am ei hamgylchiadau ac yn enwedig y straen o orfod dygymod â mam sy'n alcoholig ac yn fregus ei hiechyd. Down i wybod hefyd am yr helyntion a chwalodd fywyd y fam hithau ac sy'n dal yn gysgod ar fywydau ei theulu genhedlaeth yn ddiweddarach.

Cryfder yr awdur yw'r ddawn i fynd dan groen cymeriadau a sefyllfaoedd a gwneud hynny mewn ffordd afaelgar a difyr. Ceir ganddi (neu ganddo) gymeriadau credadwy (yn eu cryfder a'u gwendid) a disgrifiadau grymus (e.e., o salwch) a cheir dogn go dda o hiwmor yng nghanol y tristwch. Dyma fath ar nofel sy'n brin yn y Gymraeg ac fe ddylid ei chyhoeddi ar fyrder. Camp nid bychan yw llunio nofel boblogaidd, ddarllenadwy o'r safon hon.

Nen: 'Y Goeden Wen'. Cadwyn o straeon yn troi o gwmpas merch nwydwyllt o'r enw Nen, a'r stori'n cael ei hadrodd gan y cymeriadau sy'n rhan o'r ddrama – ei gŵr (sy'n cael affêr), ei chariad hithau, gwraig ei chariad, ffrind ei chariad (sydd mewn cariad â gwraig y cariad), cariad ei gŵr, ei modryb, ei phrifathro a'i ffrind (Medi), hithau'n hoyw ac yn ysu am berthynas â Nen. Mae'r cyfan yn ymgordeddu'n grefftus a chywrain a'r diwedd trist yn cael ei ddatgelu gyda chynildeb a dyfeisgarwch rhyfeddol.

Prif gryfder y gwaith yw'r ysgrifennu synhwyrus sy'n codi i dir uchel iawn ar brydiau, megis yn y darnau cysylltiol, y corws o leisiau, sy'n clymu'r cyfan ynghyd. Gwelir yr un feistrolaeth ar iaith wrth i'r awdur amrywio'r cywair o bennod i bennod, wrth symud o'r naill gymeriad i'w llall. Mater o farn yw a yw'r clyfrwch a'r dyfeisgarwch yn troi'n rhwystr ambell waith ac yn amharu ar allu'r darllenydd i uniaethu â'r cymeriadau.

Rhys: 'Trwy'r Tywyllwch'. Colled a galar yw thema ganolog *Rhys* hefyd a cheir ganddo stori ysgytwol am dad yn ceisio dygymod â'r uffern o golli ei unig ferch mewn damwain car drasig. Mae'r bennod agoriadol yn bwerus ac yn llawn symbolaeth. O'r cychwyn cyntaf, cawn ein tynnu i mewn i'r stori – yr angladd, y cwest a'r misoedd chwerw sy'n dilyn y brofedigaeth pan mae Rhys yn ei gau ei hun yn ei dŷ ac yn ymwrthod â phawb a phopeth ond y lleisiau sy'n ei herio a'i brofi i'r eithaf. Fe'i gwelwn yn ei anobaith a'i rwystredigaeth, yn ei ddicter a'i gynddaredd, yn ei awydd i ddial ac edliw. Mae'r dinoethi'n digwydd yn araf, fwriadus ac fe'i gwelwn ar ei fwyaf truenus cyn gweld arwyddion petrus o ddechrau dygymod ac ailgydio mewn bywyd.

Ceir yma ysgrifennu pwerus, trosiadol ac mae'r gwaith yn gyfoethog ei gyfeiriadaeth lenyddol ac ysgrythurol. Ambell waith yn unig y teimlais fod yr awdur yn ymhoffi'n ormodol yn sŵn geiriau ac yn defnyddio iaith sy'n ymylu ar fod yn afradlon. Nid yw hynny'n tynnu dim oddi wrth gamp y mynegiant.

Tasg anodd oedd penderfynu rhwng dau waith mor rhagorol ac mor wahanol. Pan gyfarfu'r tri beirniad, ac yn dilyn trafodaeth hir a difyr, roeddem yn unfrydol ein dyfarniad. *Rhys* biau'r Fedal eleni am iddo greu darn o lenyddiaeth grymus ac argyhoeddiadol a greodd argraff ddofn ar y tri ohonom.

Pleser ydy cael dweud inni dderbyn 16 o geisiadau eleni, a bod y rhan fwyaf ohonynt o safon uchel. Mae yma amrywiaeth o themâu a chefndiroedd a chyf-nodau a chyweiriau, a'r rheini i gyd bron yn cael eu mynegi neu'u cyflwyno mewn iaith raenus, ddifyr, a dychmygus. Mae yma, ar y cyfan, ddawn dweud a rhywbeth i'w ddweud.

Un o'r themâu mwyaf cyffredin eleni ydy galar ac mae'n rhaid cydnabod bod hynny'n thema amlwg yng ngweithiau awduron cyfoes o bob oed, yn ôl fy mhrofiad i o feirniadu a chynnal cyrsiau sgrifennu creadigol – yn enwedig efo pobl ifanc. Mae yma ôl ymchwil a dyfeisgarwch a phrin ydy'r deunydd ystryd-ebol, diolch i'r drefn.

Gwrandawr: 'Lleisiau'. Mae'n anodd trafod y gyfrol hon fel y lleill gan nad darn o ryddiaith greadigol ydy hwn yn sylfaenol, ond atgofion gydag atodiadau manwl am Benfro. Mae'n rhy gatalogaidd i gystadleuaeth fel hon.

Gadewch imi fanylu ar y lleill:

Dolef : 'Cyrraedd Gwreiddiau'. Cyfrol o storïau byrion, gydag amrywiaeth o themâu a sefyllfaoedd a chymeriadau ond, gwaetha'r modd, mae yma ormod o'r melodramatig a'r ystrydebol.

Y Derwydd: 'Noswyl a Lleisiau'r Greadigaeth'. Cyfrol gyffelyb o ran safon a gwendidau ydy hon, hefyd. Mae yma ddyn yn cael ei ordeinio'n ddiacon ac mae sôn am fyd crefydd yn beth prin y dyddiau hyn. Ond straes di-fflach a geir yma, mae arnaf ofn.

Cors Fachno: 'Gwesteion'. Dyma gyfrol arall yn yr un dosbarth. Hanes cyflwynydd teledu sydd wedi mynd heibio'i ddyddiau sydd yma ond ni lwyddir i gyflwyno tristwch cymysglyd y fath sefyllfa o ddiwedd anorfod ond digroeso gyrfa mor gyhoeddus.

Mae'r pump nesaf fymryn yn fwy addawol, i'm tyb i:

Pengarreg: 'Ar Enfysau'. Ysgrif am blentyndod. Mae yma elfennau swynol a chyf-oethog o ran deunydd ac iaith ond mae'r gwaith yn rhy fyr a syml.

Glas y Dorlan: 'Cyffes Lydia Morgan'. Dyddiadur tra manwl. Mae yma ddynes yn dioddef o bron bob ffobia a chondria dan haul. Mae'n gredadwy ond yn rhy faith. Gwaith anodd ydy cyflwyno diflastod heb fod yn ddiflas.

Coracs: 'Myfi yw Y Gigfran'. Thema sy'n rhy gyfarwydd y dyddiau hyn a gawn yma, sef cyhuddo athro ysgol o gam-drin plentyn yn rhywiol. Mae yma reibio a throsglwyddo o ran amser i oes y derwyddon. Ar adegau, mae'r gwaith yn ystrydebol a'r iaith yn wallus yn aml, ond mae yma adrannau o ddisgrifio sy'n ymdrin â'r dewinol yn effeithiol.

Dim Clyw: 'Beth yw Rhydaman yn Gymrâg?' Dyddiadur arall. Mae'n agor yn dda ac mae yma hiwmor, er braidd yn amlwg ar adegau. Hanes brwydr debyg i un Cylch yr Iaith sydd yma ond bod hon yn gasach na'r un gyfarwydd.

Daw pump arall nesaf, sydd o safon dipyn gwell, a dydyn nhw ddim yn cael eu rhestru yn ôl eu gwerth yma:

Ianto: 'Aur y Derwyddon'. Dyma gyfrol sy'n llawn gwybodaeth a doniolwch, yn sôn am fardd llys o ddyddiau Llywelyn yn Abergwyngregyn, sy'n cael gorchymyn gan Einion Offeiriad i fynd i chwilio am hen drysor tybiedig y derwyddon. Hwyrach fod y gwaith fymryn yn rhy fyr a ffwrdd-â-hi ambell waith.

Mari: 'Lleisiau'. Dyddiadur arall eto. Merch yn ffarwelio â'i mam sy'n marw ac yn ymdopi a theimladau negyddol ei brawd tuag at y fam. Roedd o wedi aros efo'r tad pan chwalodd y briodas ac yn amlwg yn beio'i fam am y gyflafan. Mae'n thema ddwys, ddiddorol ond mae'r dweud braidd yn anhrefnus a chymysglyd ar brydiau, a cheir peth ailadrodd.

Y Mwydyn: 'Troi Clust Fyddar'. Mae'r awdur hwn wedi defnyddio techneg ddiddorol i adrodd yr hanes sydd ganddo. Gan y gellid gwella'r gweithiau yn y dosbarth yma ar gyfer eu cyhoeddi, wna i ddim datgelu manylion y stori ond mae yma ferch ar y trên i Lundain, ac fe ddefnyddir y gwahanol arosfeydd i sôn am wahanol gymeriadau neu ddigwyddiadau yn yr hanes. Mae yma grefydd a hoywder a sefyllfaoedd dyrys yn codi o hynny.

Poli Ffeil: 'Lleisiau'. Nofel i'r arddegau'n bennaf. Mae hi'n mynd â ni i gyfnod yr Ail Ryfel Byd a gweithgareddau'r Maquis yn Ffrainc. Hwyrach fod pobl erbyn hyn wedi colli diddordeb yn y cyfnod ond mae'r gwaith yma yn rhyfedd o gredadwy a'r disgrifiad o hedfan liw nos mewn hen awyren fregus, a'r holl gyffro ac ofn, yn cael eu cyfleu'n raenus a diddorol.

Madog: 'Dydd oedd a diwedd iddo'. Cyfnod arall a rhyfel arall sydd gan *Madog* – sef cyfnod gwrthryfel Glyndŵr. Adroddir yr hanes drwy lygaid Esgob Henffordd ar y pryd pan oedd Henffordd yn ddinas Gymreig, a Chymraeg i raddau. Mae'r ymchwil wedi bod yn drylwyr ac mae'r awdur yn cyflwyno byd sy'n ddieithr inni nid yn unig o ran cyfnod ond hefyd o ran bywyd eglwysig.

Bellach dyma drafod y tri sy'n ben gen i. Rydym yn unfryd fel beirniaid o safbwynt yr enillydd, a'r ail hefyd, ond nid o safbwynt y trydydd.

Carreg Lefn: 'Cam wrth Gam'. Dyma fy nhrydydd i. Mae hon yn stori arw a dwys am ferch yn gorfod ymdopi ag alcoholiaeth ei mam. Mae gan yr awdur dalent a phrofiad bywyd ond dydy'r dweud ddim yn ddigon arbennig i roi'r gwaith gyfuwch â'r ddau ar y brig.

Mae'r ddau hynny yn rhyfeddol o dda ac yn llwyr haeddu'r Fedal.

Nen: 'Y Goeden Wen'. Yn y gwaith hwn, ceir troeon trwstan a rhyfeddol a gwefreiddiol dynes go nwydwyllt. Mae yma atseiniau o bob synnwyr corfforol, yn enwedig y cnawdol, ac mae'r stori'n cynnwys digwyddiadau a symudiadau cymhleth. Mae'r gwaith yn agor yn wefreiddiol, gan droi o fyd oedolion a'u nwydau eirias i fyd plant bach diniwed. Mae'r sgrifennu tan gamp, ac yn defnyddio pob cywair yn yr iaith bron, gydag elfennau barddonol yn amlwg. Mae'n nofel ryfeddol o ddyfeisgar, er i hynny fynd fymryn yn drech na'r cymeriadu ambell waith.

Rhys: 'Trwy'r Tywyllwch'. Dyddiadur galar. Mae'r gwaith yn lleddf ond yn rhyfeddol o gryf, a heb sentimentaleiddiwch. Mae yma bob gwedd ar alar, yn enwedig y rhai y gwyddom amdanyn nhw, sef colled, dicter, beio afresymol, hunandosturi, ac ati. Ond mae'r awdur hwn wedi plethu rhagor i'r patrwm yna. Mae wedi trafod galar, nid yn unig yng nghyd-destun colli trwy farwolaeth ond hefyd trwy ysgariad a thrwy golli'r ddelwedd sydd gan rywun o'r ymadawedig. Ceir adleisiau o'r ffordd y bu'n rhaid i Amlyn edrych o'r newydd ar ei blant ar ôl iddyn nhw gael eu galw'n ôl i fywyd wedi i'w tad eu lladd. Ceir hyn wrth i'r dyn sy'n galaru am ei ferch sylweddoli'n raddol, gyda chymorth ffrind rhyfeddol o gall, fod ei berthynas â'i ferch farw wedi bod yn un fyfiol tu hwnt ar ei ran o. Dyma ddyn mewn oed sy'n gwneud pethau mor arwyddocaol a rhyfeddol â sugno'i fawd mewn gofid. Mae'n waith dyfeisgar, amrywiol ei arddull, gyda thechnegau a chyweiriau a syniadau cyffrous ac yn cyflwyno teimladau dyrys ac amwys yn aml trwy ddelweddau ac ymson, ac yn gwneud hynny heb arlliw o forbidrwydd.

Does yma ddim, chwaith, sy'n ystrydebol; mae yma nid yn unig y pum synnwyr arferol – clywed sŵn a blas ac arogl, teimlo a gweld – ond hefyd yr erotig a'r ysbrydol. Gwaith panoramig er mai un prif gymeriad sydd yma; campwaith sy'n mwy na haeddu ennill y Fedal eleni, er mor agos oedd *Nen* at hynny hefyd.

Gobeithio y gellir cyhoeddi o leiaf y ddwy gyfrol orau a nifer o'r lleill, o bosib.

Mor hawdd yw beirniadu gwaith pobol eraill o'i gymharu â'r broses anodd o greu eich gwaith eich hun: wynebu'r papur gwyn neu'r sgrîn wag, dechrau ysgrifennu, dyfalbarhau, a pheidio â gwangalonni nes cyrraedd yr atalnod llawn terfynol. Dyna un rheswm sylfaenol ond diffuant dros longyfarch yr un cystadleuydd ar bymtheg a ymgeisiodd am y Fedal eleni. Rheswm arall yw'r ffaith bod y safon, ar y cyfan, yn uchel. Mae yna botensial ym mhob un o'r cyfrolau a dderbyniwyd, er bod angen mwy o'r 'dyfalbarhau' y soniais amdano gydag ambell un. Ond, yn gyffredinol, o safbwynt y grefft o ysgrifennu'n gelfydd, yn ddiddorol ac yn gywir, cefais fy modloni'n fawr.

Ysgogodd y teitl 'Lleisiau' ymateb eang. Cafwyd llai na'r hyn a ddisgwyliwn o'r 'lleisiau o'r gorffennol' a'r athronyddu atgofus. I'r gwrthwyneb, clywyd lleisiau ac adleisiau byw iawn a adlewyrchai bynciau a phroblemau oesol yng nghyddestun 'y dwthwn hwn' a hynny mewn modd gafaelgar a chyffrous. Colled, galar a hiraeth oedd y prif gefnlenni; anffyddlondeb priodasol, tor-priodas, iselder ysbryd, alcoholiaeth ac ymyrraeth rywiol oedd y prif destunau. Wedi'u pupro rhwng y rhain, roedd enghreifftiau o ysgrifennu dychan a doniolwch beiddgar ynghyd â rhywfaint o ysgrifennu hanesyddol.

Dyma sôn i ddechrau am y deg cystadleuydd a ganlyn, heb eu gosod mewn trefn teilyngdod:

Gwrandawr. 'Lleisiau'. Ceir yn y gwaith hwn gyflwyniad i gefndir ieithyddol Gogledd Sir Benfro, cyfres o ysgrifau yn nhafodiaith hyfryd yr ardal honno, trafodaeth ar y dafodiaith a rhestr o'i geiriau a'i hymadroddion ynghyd ag enghreifftiau o lyfrau ac awduron sy'n ymwneud â hi. Mae yma ôl gwaith ymchwil manwl a chariad angerddol at ardal a chymdogaeth. Er gwaethaf ei bwysigrwydd a'i fanylder, ofnaf nad yw'r gwaith yn cwrdd â gofynion y gystadleuaeth hon.

Penygarreg. 'Ar Enfysau'. Llif o atgofion am blentyndod yn ystod y cyfnod ar ôl yr Ail Ryfel Byd. Cyflwynir inni gymeriadau diddorol – teulu, cymdogion, ffrindiau – yn eu cynefin gwledig, a hynny ar ffurf darluniau hyfryd, celfydd. Roedd hi'n bleser darllen yr ieithwedd gyhyrog a synhwyro naws ac awyrgylch ffordd o fyw sy'n prysur ddiflannu. Y gwendid mwyaf oedd nad oedd i'r gwaith ddigon o ffurf ac roedd yna duedd i fod braidd yn gatalogaidd ar brydiau.

Cors Fochno. 'Gwesteion'. Ffantasi ddychanol fyrlymus am *pseuds* hunandybus ac arwynebol byd bach y cyfryngau a thuedd y byd hwnnw i drafod pobl fel sbwriel tafladwy. Mae'r syniad gwaelodol yn un da ond ni lwyddwyd i gynnal y stori. Mae hi'n rhy fyr; nid oes iddi fawr o ffurf na datblygiad. Ac onid yw pluen yn arf mwy cymwys na gordd wrth ddychanu?

Ianto: 'Aur y Derwyddon'. *Romp* ganoloesol yw'r disgrifiad gorau o'r gwaith hwn sy'n gyforiog o ysgrifennu bywiog, hyderus a doniol. Dilynwn y llefarydd, Ianto Trwyndwn, Prydydd y Bonc, a'i ddisgybl, Y Cloff, trwy gyfres o anturiaethau a throeon trwstan. Ceir yma sbort a dychan; mae'r mynegiant yn ffwrdd-â-hi ac yn agos-atoch; a thrwy'r cyfan mae'r awdur yn profi bod ganddo wybodaeth fanwl o ddiwylliant a hanes y cyfnod. Ond fel y mae, does dim digon o swmp i'r gwaith, o ran ei hyd na'i ddyfnder.

Dolef: 'Cyrraedd Gwreiddiau'. Casgliad o straeon byrion sy'n trafod colled, marwolaeth a galar. Mae ambell stori'n fwy gafaelgar na'r gweddill – sy'n tueddu i fod yn or-syml ac yn or-ddibynnol ar ddigwyddiad arwyddocaol neu ddiweddglo tro-yn-y-gynffon. Ceir ambell fflach ysbrydoledig ac ymadroddion cofiadwy megis 'cochni'r machlud yn glytiau o waed rhwng y canghennau' ac 'arch fawr flodeuog fel Gethsemane'.

Glas y Dorlan: 'Cyffes Lydia Morgan'. Ymgais lew i bortreadu bywyd undonog, ailadroddus a syrffedus mam a gwraig tŷ niwrotig yn null stori'r dwy Fs Jones, Bridget a Catrin. Mae'r islais o wir niwrosis – yr agoraphobia a'r ysfa am lendid a pherffeithrwydd – yng nghanol y syrffed beunyddiol yn afaelgar iawn. A hoffais ambell sylw ac ymadrodd yn fawr, megis y cyfeiriad at Esther Rantzen sy'n ddiweddglo da. Ond mae'r ailadrodd parhaus, yn enwedig felly wrth gofnodi'r amser mor fanwl – fesul munudau weithiau – yn mynd yn fwrn.

Coracs: 'Myfi yw Y Gigfran'. Stori iasoer am athro ysgol sy'n dioddef o iselder ar ôl cael ei gyhuddo o ymyrraeth rywiol. Try ei ddiddordeb mewn creu cigfran o bren yn therapi ond fe dry'r therapi'n obsesiwn sy'n peri ei dranc yn y diwedd. Nid yw'r mynegiant, ar y cyfan, yn gwneud cyfiawnder â'r thema ddiddorol hon.

Y Derwydd: 'Noswyl a Lleisiau'r Greadigaeth'. Stori fer sy'n agor y casgliad hwn ond dwsin o ysgrifau amrywiol o ran eu cynnwys a'u safon yw'r gweddill. Ar eu gorau, maen nhw'n adlewyrchu tipyn o ddawn dweud. Pwysleisiaf y 'dweud' oherwydd fe deimlaf y gweithiai rhai o'r ysgrifau'n well o'u traddodi ar lafar, fel sgyrsiau radio, efallai.

Poli Ffeil: 'Lleisiau'. Fel 'nofel i'r arddegau cynnar' y cyflwyna'r awdur y nofel hon. Mae iddi gefndir cyffrous, sef hanes y Maquis yn Ffrainc yn ystod yr Ail Ryfel Byd ac y mae yna botensial diddorol wrth greu Cymro Cymraeg o ysbïwr. Ond i mi, mae ei harddull braidd yn araf a hen ffasiwn ac ni allwn glosio at y cymeriadau na phoeni amdanynt. Fe'i gwelwn, ar y cyfan, yn nofel ddi-fflach. Efallai y byddai'r 'arddegau cynnar' yn anghytuno â mi.

Dim Clyw: 'Beth yw Rhydaman yn Gymrâg?'. Bygythiadau sinistr yn erbyn 'Radio Gwalia' oherwydd ei diffyg Cymreigrwydd a'i Seisnigrwydd yw cefndir y nofel hon. Mae ynddi dipyn o hiwmor a dychan miniog iawn. Ond ar y cyfan, mae'r dychan, yr hiwmor – a'r cymeriadu – braidd yn amrwd, a'r stori'n arwynebol.

Erys chwe chystadleuydd y mae eu gwaith, yn fy marn i, yn codi uwchlaw'r gweddill. Soniaf am bedwar ohonynt, yn nhrefn eu teilyngdod – eto yn fy marn i.

Madog: 'Dydd oedd a diwedd iddo'. Edmygaf y gwaith hwn oherwydd dawn ddigamsyniol yr awdur i greu darlun manwl a chywir o gyfnod arbennig, sef cyfnod Gwrthryfel Glyndŵr. Golygodd waith ymchwil aruthrol iddo/iddi a gall rhywun ymdeimlo â'r mwynhad amlwg a gafodd wrth drosglwyddo ffrwyth yr ymchwil honno i ffurf nofel. Mae naws urddasol, clasurol i'r dweud sy'n gweddu i'r pwnc, sef hanes bywyd dychmygol Siôn Trefnant, Esgob Henffordd. Ond hytrach yn ddi-fflach yw'r nofel ar ei hyd, heb fawr o fwrlwm na chymhlethdod iddi.

Mari: 'Lleisiau'. Stori gymhleth ond diddorol am ferch sy'n mynd ar drywydd y tad a ddiflannodd o'i bywyd pan oedd hi'n blentyn. Cymhlethir y stori gan berthynas fregus y ferch a'i gŵr a chan 'ddamwain' car sy'n peri ei bod wedi'i pharlysu ac yn ymddangosiadol anymwybodol mewn ysbyty. Mae'r diweddglo'n wirioneddol rymus o ran y cynnwys a'r ysgrifennu celfydd. Yr hyn sy'n tynnu oddi wrth y gwaith i mi yw'r gwibio dryslyd yn ôl ac ymlaen o'r presennol i'r gorffennol ac o'r person cyntaf i'r trydydd, ynghyd â'r defnydd cymhleth, a diangen, o lythrennau italaidd bob hyn a hyn.

Y Mwydyn: 'Troi Clust Fyddar'. Taith mewn trên yw cefndir y nofel hon. Rhwng Bangor a Gorsaf Paddington y mae merch sy'n drwm ei chlyw yn dechrau amau cymhellion a bwriadau rhai o'i chyd-deithwyr. Mae hi hefyd yn myfyrio ynglŷn â digwyddiadau'r gorffennol, am golled a hiraeth, am berthynas rhwng ffrindiau a pherthnasau, ac am natur cariad. Ar ei (g)orau, mae'r awdur yma'n ysgrifennu'n grefftus tu hwnt, fel yn y disgrifiad hwn o'r trên yn nesáu at Paddington: 'Olion o fywyd yn llusgo yn ei flaen, dillad ar y lein, ar sil ffenestri, a phaent yr oes o'r blaen yn cracio. Llundain heb ei cholur.' Dyma nofel y gellid ei datblygu ymhellach ar gyfer ei chyhoeddi.

Carreg Lefn: 'Cam wrth Gam'. Nofel rymus sy'n ymdrin â phwnc anodd, sef clefyd creulon alcoholiaeth. Mae hi hefyd yn mynd i'r afael â thor-priodas, ag euogrwydd ac â'r rheidrwydd i wynebu cysgodion o'r gorffennol. Hoffais onestrwydd a thrylwyredd y nofel hon. Llwyddodd yr awdur i greu stori afaelgar; mae ganddo/ganddi rywbeth pwysig i'w ddweud a'r ddawn i'w ddweud yn dda. Llwyddodd hefyd i greu cymeriadau o gig a gwaed, rhai y gallwn gydymdeimlo â hwy bob cam o'r ffordd droellog y maent yn ei throedio. Hoffwn argymell i'r awdur yma, hefyd, ystyried ailedrych ar ei (g)waith ar gyfer ei gyhoeddi.

Mae gwaith dau gystadleuydd yn amlwg ar y brig yn ein barn ni'n tri. Buom yn trafod y ddwy gyfrol yn fanwl gan ddod i'r canlyniad fod y ddwy o safon uchel iawn ond bod un, o drwch blewyn yn fy marn i, yn haeddu'r wobr.

Nen, 'Y Goeden Wen'. 'Nofel/Cerdd' yw hon, yn nhraddodiad campwaith arloesol Dafydd Rowlands, *Mae Theomemphus yn Hen*. Trwy gyfrwng cyfuniad gofalus o ryddiaith delynegol a darnau barddonol storïol, a'r cyfan yn plethu i'w gilydd yn llyfn, llwyddwyd i greu cyfanwaith o ysgrifennu synhwyrus ac erotig sy'n trafod natur perthynas, cariad a cholled. Cyflwynir yr elfennau barddonol trwy gyfrwng gwahanol leisiau megis 'y Bore Bach â'r barrug ar ei wynt' a'r 'Goeden Wen drwy'i changhennau brith'. Y rhain sy'n cyflawni gwaith y corws, sy'n gweld y cyfan, yn crafu o dan yr wyneb ac yn rhoi eu barn. Ceir yn y darnau hyn ymadroddion cofiadwy a delweddu hyfryd megis 'mi lithrodd yn ôl atat ti wedyn fel drafft dan ddrws' a 'Tynnu'r llen dros ddoe am fod ei olau'n brifo'. Ond efallai fod yna, ar adegau, duedd i or-ddefnyddio delweddau a chymariaethau nid yn unig yn y darnau barddonol eu hunain ond hefyd yn y darnau storïol. Trwy eu gorlwytho ar ben llif naturiol y stori, mae yna berygl, weithiau, iddynt fynd yn syrffedus.

Heblaw am y 'lleisiau', fe adroddir y stori o safbwynt saith cymeriad diddorol sydd â chysylltiad cymhleth â'r prif gymeriad, Nen, ac â'i gilydd. Nen nwyfus, nwydus; Gari, ei gŵr, a Liz, ei gariad; Owain, gŵr Mari a chariad Nen; Medi, ffrind mynwesol Nen; a Sal, yr hen fodryb. Mae'r we'n un eang a chymhleth. Gan fod y cymeriadau hyn i gyd yn traethu yn y person cyntaf, fe wrthgyfer-bynnir eu cymhellion a'u meddyliau a'u teimladau dyfnaf a dwysaf mewn modd trawiadol iawn. Mae ganddynt bob un, yn enwedig Medi, ond hefyd hyd yn oed y rhai mwyaf ymylol, ran yn y jig-so rhyfedd sy'n datblygu i fod yn ddarlun o Nen, yr enigma benywaidd yma, ac o'r hyn sydd wedi digwydd iddi. Teimlaf y gellid, efallai, fod wedi cynnwys mwy o'r berthynas uniongyrchol rhwng Nen ac Owain, ei chariad. Heblaw am ambell neges ffôn weledol rhyng-ddynt, a'r hyn a ddywed Nen wrth y cymeriadau eraill, ynghyd â'r wybodaeth a gawn gan y cymeriadau hynny, mae'n rhaid dychmygu'r angerdd gwirioneddol rhwng y ddau, yr angerdd hwnnw sy'n troi'n gariad ac yna'n alar torcalonnus i Nen ac sy'n arwain at y diweddglo ysgytwol. Oherwydd hyn, braiddgyffwrdd â'i galar a'i hiraeth ar ôl Owain a wneir. Wrth gwrs, galar a hiraeth Medi, ynghyd â'i hymdeimlad o gariad at Nen yw craidd y stori, mewn gwirionedd, ac mae'r ymdriniaeth o'r cymhlethdod hwnnw'n afaelgar tu hwnt. Ond ar y cyfan, er cystal yw'r ysgrifennu cain, neu o'i herwydd, mae rhywun yn ymwybodol nad o grombil naturiol y cymeriadau y deillia'r galar a'r hiraeth ond o grombil llen-yddol awdur medrus iawn. Dychwelaf at hyn wrth drafod gwaith yr ail o'r ddau sydd ar y brig.

Rhys: 'Trwy'r Tywyllwch'. Stori rymus am dad yn ceisio dygymod â marwolaeth ei ferch, Gwennol, mewn damwain car. Mae'r ysgrifennu'n iasol, ar adegau. Fe ddilynwn Rhys ar ei bererindod anorfod trwy'r 'goedwig' dywyll: ei sioc enbyd ddechreuol; dyddiau du ei alar a'i hiraeth; ei ymdrech druenus i feio pobl eraill – ei Dduw, fe'i hun, a Gwennol, hyd yn oed – am y drasiedi; ei ddirywiad seicolegol a chorfforol sy'n arwain at iselder meddwl ac ymdrech at hunan-laddiad. Mae'r bererindod yn fodd i Rhys edrych yn ôl ar ei fywyd ac i ddehongli ei berthynas â phobl eraill, yn arbennig ei berthynas â Gwennol. Mynna dynnu'r haenau o atgofion cysurlon, a'r rhai anghysurus ac annisgwyl hefyd, yn ddarnau er mwyn wynebu realiti'i golled a cheisio gwneud synnwyr o'r dras-iedi. Trwy'r cyfan hyn, ni cheir arlliw o sentimentaleiddiwch. I'r gwrthwyneb, cofnodir y cyfan – yr hunandosturi, yr hunanoldeb, a'r hunan-gosb yn enwedig – mewn modd didostur iawn. Ac mae yna hiwmor du sy'n pefrio ar yr adegau mwyaf annisgwyl, megis yn ystod y paratoadau ar gyfer angladd Gwennol ac yn yr angladd ei hun.

Mae delweddau'r goedwig a'r ceunant yn bwysig, ynghyd â'r darlun o 'ŵr y gamfa', sy'n ffurf ar 'satan', 'temtiwr' a 'barnwr', ond sy'n datblygu, erbyn y diwedd, i fod yn 'gyfaill addfwyn'. Ond mae gan Rhys gyfaill addfwyn go-iawn, un cyson a diwyro, sef Ieu. Ei gyfeillgarwch ffyddlon ef, yn anad dim arall, yw'r bont hollbwysig i Rhys rhwng anobaith a gobaith, rhwng y gorffennol a'r dyfodol.

Ar adegau, ceir ambell enghraifft o orlif geiriol ac o ddiffyg hunanolygu. Ond oherwydd natur gyfrinachol cystadlu, ni chaiff yr ymgeisydd fanteisio ar y golygu gwrthrychol arferol a geir wrth gyhoeddi cyfrol. Ac mae'n rhaid imi bwysleisio nad oedd y gorysgrifennu achlysurol hwn yn amharu fawr ddim ar fy ngwerthfawrogiad o'r cyfanwaith. Yn wir, gellid dadlau ei fod yn adlewyrchu ac yn tanlinellu cyflwr meddwl cythryblus Rhys.

Wrth drafod gwaith *Nen*, soniais amdani/amdano'n trafod galar a hiraeth mewn dull llenyddol gorchestol. Y gwahaniaeth i mi rhwng y ddau awdur yn y cyswllt hwn yw'r ffaith mai ein gwahodd – na, ein gorfodi – i gyd-ddioddef ag ef a wna *Rhys* hynny hyd at ddagrau. Fe'n tynnir i mewn i'w alar; fe'n cynhwysir ni ynddo. Cydgerddwn yn ei gwmni trwy'r tywyllwch a thrwy sawl metamorffosis. Cydymdeimlwn ag ef, empatheiddiwn ag ef bob cam o'r daith enbyd. Ond, ar ei diwedd, cyd-orfoleddwn ag ef wrth iddo gamu'n hyderus o 'fro'r tywyllwch' i'r heulwen braf. Oherwydd, er dued a thristed y stori hon, y catharsis, y 'dod trwyddi', sy'n bwysig.

Collwyd cryn dipyn o chwys, fe dybiaf, wrth lunio pob un o'r cyfrolau hyn. Collwyd dagrau, fe dybiaf, wrth lunio 'Trwy'r Tywyllwch'. Cyfaddefaf imi golli dagrau wrth ei ddarllen. Fe'm cyfareddwyd gan symlrwydd sicr yr arddull, gan uniongyrchedd hyderus y dweud a chan onestrwydd a diffuantrwydd yr awdur wrth ymdrin â phwnc mor ingol.

Er cystal yw gwaith *Nen*, cytunaf yn llwyr â'm cydfeirniaid mai *Rhys* yw'r Prif Lenor eleni. Fe'i llongyfarchaf, a diolch iddo am ei gampwaith.

Stori Fer: Hunanddewisiad

BEIRNIADAETH ELERI LLEWELYN MORRIS

Daeth chwe ymgais ar hugain i law a chan fod y testun yn hunanddewisiad nid oedd yn syndod bod amrywiaeth helaeth yn eu plith na bod y safon, ar y cyfan, yn uchel. Trafodaf y straeon yn y drefn y derbyniwyd hwy.

Ar y Trywydd: 'Dilyn Llwybr'. Dilyna'r awdur lwybr ei hen dad-cu i Alaska er mwyn ceisio datrys y dirgelwch ynglŷn â sut y bu farw a pham y bu bwlch yn ei ddyddiadur am ddeufis yn ystod haf 1900. Fel dyddiadur taith, mae'n darllen yn ddifyr dros ben ond mae'n cwmpasu gormod o hanesion amherthnasol i weithio fel stori fer. Hefyd mae yma ormod o gyd-ddigwyddiadau cyfleus, anodd eu credu ac mae'r awdur yn cymryd ffordd rhy hawdd ohoni ar y diwedd: dylid cael awgrym, o leiaf, o'r hyn a ddigwyddodd.

Cardodwyd: 'Bel'. Mae gan y storïwr hwn afael sicrach ar hanfodion y stori fer. Mae'n plethu pryderon Luned ynglŷn â phasio'r sgolarship a'i chyfeillgarwch â Bel, y ci defaid, yn gelfydd. Ar ôl i Luned gael y newydd da ei bod wedi llwyddo yn yr arholiad, caiff newydd drwg, sef bod Bel wedi marw. Cefais fy nghyffwrdd gan y stori fach deimladwy hon a'r disgrifiad annwyl, byw o Bel, ond credaf y gellid gwneud mwy o sut y mae Luned yn dod i wybod am farwolaeth y ci: mae'r stori'n gorffen ar nodyn braidd yn swta.

Pan ddaw fory: 'Dwy Chwaer'. Dwy ymson, y naill gan Rhian, sy'n alluog, yn denau a deniadol ac yn boblogaidd gyda'r bechgyn, a'r llall gan ei chwaer, Beca, sy'n dioddef o anorecsia. Gyda'i gilydd, maen nhw'n cydweithio i roi darlun cyflawn i ni sy'n cynnwys dwy ochr y geiniog, ac mae'r ailadrodd bwriadol yn gwlwm effeithiol rhyngddynt. Mae'r arddull bytiog hefyd yn addas ond carwn pe bai'r awdur wedi mentro bod yn fwy dychmygus gyda'r mynegiant oherwydd mae tueddiad i fod yn ystrydebol.

Afallon: 'Cyfrinach yr Archdderwydd'. Ac yntau wedi'i gaethiwo mewn priodas uffernol gyda Leusa Jones o wraig, unig bleser Penri Prydderch ydi rhoi cynnig ar gystadlaethau mewn papurau newydd. O'r diwedd, mae'n llwyddo – a'r wobr ydi arch! Stori wreiddiol gyda thro clyfar yn ei chynffon ond dylid rhoi mwy o sylw i fanylion, e.e., gwobr ddirgel ydi'r arch i fod ond ymddengys fod Penri yn gwybod beth i'w ddisgwyl; dros faint o gyfnod y mae'r stori'n ymestyn (daw canlyniadau'r gystadleuaeth yn fuan iawn)?

San Fran: 'Traeth y Broc Môr'. Hoffais y syniad o gael Jeanne yn treulio pen-wythnos ar lan y môr er mwyn ceisio cael trefn ar ei bywyd a'r syniad o blethu delwedd y broc môr drwy ei myfyrdodau (er bod hyn yn cael ei or-wneud ar brydiau nes ymddangos yn ffuantus). Mae'r stori hefyd yn hirwyntog a'r mynegiant yn aml yn chwithig a'r ystyr yn aneglur. Byddai canolbwyntio ar un broblem y mae Jeanne am ei datrys, a hithau'n cael gweledigaeth newydd ynglŷn â hi, yn gweithio'n well fel stori fer.

Siôn Heidden: 'Y Peint'. Ni allwn wneud pen na chynffon o'r stori hon. Dechreuodd yn addawol gyda rhes o wahanol gymeriadau yn mynd i dafarn a phob un yn ei dro yn dweud wrth y tafarnwr bod ei gwrw'n blasu'n well nag arfer. Darllenais ymlaen yn eiddgar, gan ddisgwyl cael goleuni ar y cyfan cyn y diwedd ond ni ddaeth. Hyd y gwelaf i, parodi ar hysbyseb am gwrw sydd yma ond mae'n rhy amwys i mi fedru gwerthfawrogi'r ymdrech.

Elain: 'Arall Fyd'. Stori am ddwy chwaer yn ymweld â Tomi, gŵr un ohonynt, sydd mewn coma yn yr ysbyty ond nid stori drist na difrifol mohoni. Gyda Meri, ei wraig, yn ceisio stwffio cacen gyrains i lawr ei gorn gwddw a'i chwaer hi, Nel Hetia' Cam, yn gwsberan dragwyddol yn eu perthynas, siawns nad ydi'r hen Domi'n well allan yn ei 'arall fyd' lle mae'n cael ffantasïau erotig amdano'i hun ar Ynys y Cwligiwnwns. Cartŵn llawn hwyl o stori fer a gawn yn cynnwys cymeriadau sydd, er yn garicaturiau, yn rhai difyr.

Rhyw Ddydd a Ddaw: 'Rhywbeth yn y Cof'. 1337 yw'r flwyddyn ac mae Gwenllïan, merch y Tywysog Llywelyn ap Gruffydd, yn ei chell yn y llciandy yn Scmpringham, Lloegr. Gyda'i harddull groyw, gryno, llwydda'r awdur i gyfleu trasiedi a gwacter ei bywyd. Hoffais yn arbennig y ffordd y mae'n cyffelybu ei gwallt, croen, etc., â lleoedd yng Nghymru: mae corff Gwenllïan yn un â thirwedd ei gwlad. Dylid cysoni'r defnydd o'r llythrennau italaidd sydd yn y stori gan nad yw'n amlwg pwy sy'n dweud beth.

Moelwen: 'Aros'. Mae'r stori hon am Jim yn gadael ei wraig gan fynd â'u mab bach, Jason, gydag ef wedi'i sgrifennu'n ddigon cymen mewn Cymraeg graenus, a llwydda'r awdur i gyfleu dryswch Jason druan ynglŷn â'r hyn sy'n digwydd. Ei gwendid ydi'r disgrifiad o'r ddamwain – yr uchafbwynt – sy'n digwydd yn rhy sydyn a ffwr-bwt a byddai ymateb y ddau riant wedi bod yn fwy effeithiol pe bai'n cynnwys mymryn o ddeialog – pe na bai ond ebychiad yn achos y tad ac ychydig eiriau petrus gan y plismon wrth y fam.

Eros: 'Rhyfeddu'. Disgrifiad o'r olygfa o Gastell Dinas Brân ydi traean y stori hon a dim ond ar ei diwedd y mae'r stori ei hun – am gariad coll – yn dechrau. Gwaetha'r modd, er i'r awdur sôn bod yr olygfa a'r cariad a brofodd, ill dau, yn destun rhyfeddod, nid yw'r ddau yn asio. Credaf fod cyfle wedi ei golli yma; byddai plethu'r ddwy elfen gyda'i gilydd a chael y ferch i gysylltu ei hatgofion o'i pherthynas a'i chariad gyda rhai o'r lleoedd a wêl o ben y mynydd wedi rhoi strwythur llawer cryfach i'r stori.

Guto'r Gwas Bach: Yr Helygen Gam'. Dyma stori fer rymus wedi'i sgrifennu mewn iaith loyw gan lenor profiadol. Wedi'i gosod yng nghyfnod y diwygiad, mae'n adrodd hanes mab fferm sy'n cael trafferth i reoli ei deimladau tuag at

Esther, y forwyn. Mae hithau wedi cael tröedigaeth ac yn ei wrthod – gyda chanlyniadau trasig. Stori fer draddodiadol, hen ffasiwn efallai, ond mae'r teimladau y mae'n ymdrin â nhw'n oesol. At hynny, mae popeth, o'r cynllun i'r cymeriadau i'r cynildeb, yn tystio i allu'r awdur.

Siôn y Bryn: 'Fel glaswelltyn'. *Guto'r Gwas Bach* dan enw arall. Y tro hwn, mae'n sgrifennu am gapten llong adeg y rhyfel sy'n ei chael yn anodd i ddeall y drefn ar ôl i long arall a'i chriw gael eu chwythu i ebargofiant. Er i'w long ef, a oedd yn yr un confoi, gael ei harbed, wrth iddo deithio adref i weld ei deulu ddyddiau'n ddiweddarach, caiff y capten, yntau, ei ladd. Mae'r sylwadau a wnaed am 'Yr Helygen Gam' yn berthnasol yma eto a llwydda'r awdur i'n cael ninnau i fyfyrio ar drefn Rhagluniaeth.

Bwch Dihangol: 'Dyfnaf llyn, llyn llonydd'. Stori am ffermwr yn cyflogi gwas na all siarad na Chymraeg na Saesneg, ac yn difaru gwneud hynny. Llwyddodd y dirgelwch ynglŷn â'r gwas i ennyn fy chwilfrydedd drwy'r stori hon ac mae'n rhaid canmol, hefyd, y ffordd y mae'r diwedd yn clymu gyda'r dechrau. Ond er bod yr awdur yn medru bod yn gynnil, mae sylwadau Harri am y wraig yn awgrymu gormod yn rhy fuan a haeddir gwell clo na'r frawddeg olaf drwsgl sy'n ailddweud yr hyn y mae'r stori newydd ei ddangos.

Llŷr: 'Môr a Machlud'. Hanes criw o hogiau'n mynd i barti ar y traeth lle mae un yn cyfarfod merch sy'n ei hudo i'r môr. Mae'r storïwr yn llenor addawol a hoffais gynllun ei stori sy'n dechrau yn y diwedd ac yna'n mynd yn ôl i raddol ddatgelu lle y mae a sut y bu iddo fynd yno. Hoffais hefyd y disgrifiad o'r ferch pan gyffelybir hi â'r môr a'r morlo: credaf y gellid gwneud mwy o ddefnydd o'r ddelwedd hon a'i datblygu ymhellach gan hepgor cyffelybiaeth y pili pala sy'n creu delwedd wahanol.

Cadfa: 'Yr Hen Spirits Felltith'. Dyma waith llenor medrus sy'n ein denu i ddarllen ymlaen gyda'i arddull storïol. Cawn ganddo hanes un o hen fforddolion y wlad sy'n gaeth i'r 'hen spirits felltith 'na' ond yn gymeriad hoffus a lliwgar pan nad yw'n feddw. Stori-bortread yw hon ac erbyn ei diwedd taclus, teimlwn y gallwn weld yr hen dramp yn hercian mynd o'm blaen, ei glywed yn rhoi ambell reg yn ei dafodiaith – a hyd yn oed ei arogli!

Osler: 'Y Bont'. Yr un awdur â *Cadfa*. Y tro hwn, cawn stori ganddo o'r flwyddyn 1780 am ddau grefftwr yn cael eu lladd wrth adeiladu pont Rhydlanfair, stori sydd, meddai, er yn ddychmygol, â rhai ffeithiau'n gywir. Yn fframio'r hanes, gwelwn Twm o'r Nant yn gyrru ei geffylau ar ddwy daith i ddanfon ac i nôl coed o'r bont. Soniais eisoes fod yr awdur hwn yn llenor medrus – ond er bod y stori hon eto yn ddigon difyr, mae angen tacluso ychydig arni: gellid ei thocio yma ac acw a thwtio rhywfaint ar yr orgraff.

Morgan: 'Câr dy Gymydog'. Ar ddechrau'r stori hon, clywn Miss Prys, Ynad

Heddwch, yn cwyno am agwedd ffwrdd-â-hi a diffyg parch y gweinidog newydd anghonfensiynol. Ond mae Miss Prys yn dechrau mynd yn anghofus ac wedi iddi fynd i helynt am roi dwy ffownten pen yn ei bag heb feddwl mewn siop yng Nghaer, y gweinidog sy'n dod i'r adwy. Llwyddodd y storïwr i ddangos Miss Prys yn gorfod ailasesu ei gwerthoedd a'i rhagfarnau yn y stori hon, ac i wneud hynny â dogn da o hiwmor. Hoffais ei diwedd yn arw.

Pengwyn: 'Drewi'. Roeddwn yn chwerthin wrth ddarllen y stori hon am wrcath o'r enw Dewi (ar ôl ein nawddsant!) a'i anturiaethau. Ynddi cawn hanes cwpwl wedi ymddeol yn symud i fyw yn nes at y mab ac yn cael ymwelydd cyson yn eu gardd, sef Dewi – neu Drewi, enw mwy addas arno ym marn y gŵr. Er nad oes llawer o gariad rhwng y gŵr a'r gath, ceir arwyddion o gymod rhyngddynt cyn i Dewi ymadael â'r byd hwn. Stori ysgafn, ddoniol gan un sydd, rwy'n amau, yn dipyn o werthfawrogwr cathod yn y bôn.

Barbarella: 'Gwreiddiau'. Heb os, dyma stori fwyaf arbrofol a dychmygus y gystadleuaeth: stori am wallt ac am dri chymeriad mewn clinig gwallt – Mrs Bach, a'i chydynnau fioled, sydd wedi lladd ei gŵr; dyn ifanc bron yn foel a chanddo wraig sydd wedi troi'n ddyn; a'r adroddwraig sydd â'i gwallt wedi ffrwydro o'i phen ac sy'n briod â dau ŵr. Er rhyfedded y stori hon, sy'n llachar drwyddi draw gyda ffresni'r annisgwyl, y mae trefn y tu ôl i'r anhrefn ymddangosiadol. Gwaith awdures wahanol, sicr a dawnus dros ben.

Rhosydd: 'Y Clwy'. Stori raenus iawn – ac amserol – am ffermwr sy'n gorfod difa'i anifeiliaid oherwydd clwy'r traed a'r genau. Ochr yn ochr â'i helyntion ar y fferm, mae ei berthynas â'i wraig yn dirywio nes iddi, yn y diwedd, ei adael. Dyma stori gredadwy iawn, wedi'i sgrifennu'n gynnil gyda llawer o ddywediadau bachog. Un awgrym bach: yn hytrach na dweud yn blwmp ac yn blaen bod y clwy wedi dod, byddai wedi bod yn fwy effeithiol pe bai'r awdur wedi dangos sut y bu i'r ffermwr sylweddoli am y tro cyntaf bod yr hyn yr oedd yn ei fawr ofni wedi digwydd.

Y Cipiwr: 'Y Cipiwr'. Cefais flas arbennig ar y stori wallgof hon am ddyn sy'n esgeuluso'i ardd ei hun yn mynd allan liw nos i 'gipio' blodau ar gyfer ei dŷ o erddi ei gymdogion. Mae'n rhaid cyfaddef bod yr arddull syml, uniongyrchol a'r hiwmor cynnil, sych yn apelio'n arw ataf. Gyda'm chwilfrydedd wedi'i danio o'r frawddeg gyntaf, pleser pur oedd darllen y stori wreiddiol hon. Pe bai'r hen chwedl honno am chwaeth beirniad yn wir, dyma'r un a fyddai wedi cipio'r wobr.

Bene: 'Y Murlun'. Hanes merch yn cael y gwaith o wneud murlun mewn bwyty Eidalaidd yng Nghaerdydd a gawn yma, a'r perchennog a'r cogydd yn cystadlu am sylw. Mae hi'n darllen fel stori Mills & Boon i raddau ond mae tro yn ei chynffon hi. Credaf y gellid ei chryfhau trwy roi rhan fwy canolog i'r murlun yn ei gwead: byddai ei gael i adleisio'r hyn sy'n digwydd i'r cymeriadau yn ychwanegu haen arall iddi. Mae'r ffordd y mae'r murlun yn cael ei ddefnyddio i gloi'r stori yn effeithiol iawn.

Garth: 'Dal 'run fath'. Chwip o stori dda ond nid heb ei beiau. Mae Lis, merch a allai gael ei dewis o gariadon, yn setlo am Stan ac mae yntau'n driw iawn iddi pan gaiff ei tharo'n wael. Edna sy'n adrodd y stori ac mae ganddi hi ei hun deimladau tuag at Stan. Gwaetha'r modd, mae Edna yn dweud pethau am Lis a Stan na fyddai modd iddi hi, fel un sy'n sgrifennu yn y person cyntaf, eu gwybod ac mae hynny'n taro'n chwithig. Trueni am hynny gan fod yr awdur, ar ei orau, yn sgrifennu'n fwy ysgytwol nag unrhyw un arall yn y gystadleuaeth.

Rhiannon: 'Disgwyl'. Stori arall am ŵr yn wael yn yr ysbyty ond bod y gŵr hwn yn yfed yn drwm ac wedi rhoi llawer o boen i'w wraig – yn gymaint felly nes ei bod yn teimlo rhyddhad pan mae'n marw. Cryfderau'r awdur ydi'r ffordd y mae'n canolbwyntio ar destun ei stori a chynildeb yr arddull ond mae yma ormod o nodi'n ffeithiol sy'n peri i'r mynegiant fynd yn rhyddieithol a chlinigol foel. Er bod yr iaith yn ddigon glân, carwn ei gweld yn cael ei lliwio yma a thraw â phriod-ddulliau.

Nenas: 'Cynefin'. Portread o'r gymdeithas mewn pentref gwledig yng Nghymru heddiw a gawn, yn sgîl ymweliad Nel â ffair sborion y *W.I.* Trwy ei llygaid hi, gwelwn y newid sydd yn digwydd i'w chynefin: Cymry ifainc yn gadael yr ardal, Saeson oedrannus yn symud i mewn yn eu lle ac yn cymryd drosodd, plant yn troi i siarad Saesneg – sefyllfa y gwyddom i gyd amdani'n rhy dda. Gyda'i dawn i gymeriadu ac i sgrifennu deialog, llwydda'r awdur i greu darlun byw iawn a hoffais hefyd ddiweddglo cynnes ei stori.

Clysgafn: 'Y Tri Ohonom'. Mae gŵr ifanc yn mynd am bryd o fwyd mewn gwesty ar ei ben ei hun ac yn cael antur rhyfedd yno. Wrth iddo adael, mae dyn arall yn cyrraedd ac wrth i batrwm y digwyddiadau ar ddechrau'r stori gael ei ailadrodd, sylweddolwn fod hwn eto am gael yr un profiad, a'r un a ddaw ar ei ôl ef, etc. Syniad diddorol, wedi'i drin yn ddeheuig, a chefais flas ar y darllen ond mae'n rhaid i mi ddweud bod y math yma o stori, fel unrhyw dric, yn fwy trawiadol os nad ydych wedi cael profiad o'r un math o beth o'r blaen!

Gwelir o'r sylwadau ar y straeon unigol bod sawl stori dda yn y gystadleuaeth hon, a nifer o rai da iawn, ond dwy a ddaeth i'r brig a'r rheini mor wahanol i'w gilydd ag yr awgryma eu ffugenwau: *Guto'r Gwas Bach* a *Barbarella*. Y traddodiadol yn erbyn yr arbrofol ac, yn fy marn i, mae'r ddwy cystal â'i gilydd yn eu tra gwahanol ffyrdd. Ond gan na chaniateir rhannu'r wobr, roedd rhaid dewis un – tasg anodd. Yn y diwedd, edrychais arni fel hyn: mae 'Yr Helygen Gam' wedi'i gosod yng nghyfnod y diwygiad, tua chan mlynedd yn ôl ond, fel stori dda sy'n ymdrin â'r natur ddynol, mae hi'n oesol ei hapêl. 'Gwreiddiau' fyddai'r dewis ffasiynol heddiw ond mae'r hyn sy'n ffasiynol heddiw yn hen ffasiwn yfory. Credaf y dylai unrhyw beth gwerth ei halen fod uwchlaw ffasiwn. Gwobrwyer, felly, *Guto'r Gwas Bach*.

Y Stori Fer

YR HELYGEN GAM

'Smôc?' Cynigiodd Pyrs sigarét i Guto'r gwas bach.

'Ddim diolch . . . Fydda i ddim yn smocio.' Saib cyn ychwanegu, 'Cha i ddim gin Mam.'

'Twt lol, dydi dy fam ddim yma i weld. Rhaid iti ddechra rywbryd.'

'Na fydd, yn tad, os bydd o'n gall.' Now y certmon oedd biau Llais Cydwybod, ac yntau wedi gorffen ei sigarét olaf ers yn agos i flwyddyn. 'Paid titha â thrio temtio'r hogyn.' Braidd yn hunangyfiawn, meddyliodd Pyrs.

'Duw, Duw, mae smôc yn rhoi boddhad i ddyn, yn enwedig os bydd o wedi ymlâdd ar ôl bod yn y cae ŷd trwy'r dydd. Wyddost ti ddim be' 'ti'n 'i golli, Guto.'

Eistedda'r tri, gyda Mos a Robin, yn y gadlas yn disgwyl galwad o'r tŷ i fynd i gael tamaid o swper. Roedd Pyrs yn iawn; fe fu'n ddiwrnod hir, a'r hogiau wedi bod yn gweithio'n ddiwyd ers dyddiau, yn torri, stycio ac, o'r diwedd, cario, er mwyn cael gorffen rhag ofn i'r tywydd dorri.

Tynnodd Pyrs yn fodlon ar ei sigarét. 'Mam yn hir iawn yn galw. Sgwn i be' gawn ni heno. Ond o ran hynny,' ychwanegodd, gan edrych i'r awyr, 'mi ddeudodd wrtha i. Sgwarnog wedi'i rhostio i ni'n pedwar' a rhoi winc ar Mos, 'a phosal llaeth i Guto.' Edrychodd y gwas bach yn sobor ar Pyrs â'i geg yn agored. 'Ydi o'n deud y gwir, Mos?'

'Paid â gwrando ar y ffŵl hurt,' atebodd yntau, 'mae'i fam o'n gwybod yn well. Mae hi'n gallach peth na fo, hefyd. Gyda llaw, Now, ydi'r tywydd am ddal? Chdi ydi'r proffwyd tywydd gora y gwn i amdano fo.'

Poerodd Now yn ddeheuig gan daro chwilen a oedd yn closio at ei droed dde. 'Mi greda i y deil hi am dridiau neu bedwar. Sut bynnag y bydd hi wedyn. Mi wyddost yr hen ddywediad, os bydd lleuad newydd yn digwydd yr un pryd â phen llanw, dyna ddarogan tywydd mawr. Felly'n union y bydd hi ddydd Sadwrn nesa yn ôl almanac Robat Robaits Caergybi.'

'Dydi hwnnw ddim yn iawn bob amser, chwaith,' oedd sylw Pyrs, 'ond mi gymera i dy air di y bydd hi'n braf fory. Mi fydd yn gyfle i chi'ch tri fynd i gribinio'n lân, ac os cawn ni jygyn bach o ŷd, gora hynny yn y byd. Wyddech chi ddim 'mod i'n fardd, na wyddech?' Edrychodd i gyfeiriad y tŷ wrth glywed

Esther y forwyn yn galw. 'Mae arna i isio i Guto ddod efo fi i olwg y bustych yn y ffridd ucha. Ar ôl te ddeg fory, Guto.'

'Clywch y meistr ifanc yn rhoi ei ordors,' gwawdiodd Esther. 'Bwyd yn barod. Dowch i'r tŷ.' 'Rŵan,' ychwanegodd, yn ddianghenraid braidd.

'Ydi Evan Roberts Sowth yn dysgu'i ddisgyblion i fod mor felltigedig o orchmynnol? Rydan ni mor barod am fwyd ag wyt titha i ledu dy goesa i'r cynta ddaw, yn ôl pob . . .'. Ond cyn iddo orffen y frawddeg, cafodd Pyrs beltan ar draws ei wyneb nes bod ei glust yn canu. Taflodd gilolwg sydyn at yr hogiau ac roedd yn amlwg, hyd yn oed i Guto, bod gwaed drwg rhwng y ddau yma. 'Hy!' chwarddodd Pyrs, 'y gwir sy'n lladd,' gan ofalu dweud yn ddigon uchel i'r ferch a gerddai tua'r tŷ glywed. Ond roedd ei falchder wedi ei glwyfo.

Daliodd i gwyno wrth gerdded tua'r drws cefn. 'Does gin i ddim mynadd efo pobol y diwygiad 'ma. Mae crefydd yn iawn yn ei le ond mynd dros ben llestri ydi gweiddi Haleliwia drwy'r dydd fel Lias y Dolydd. A hon hefyd, o ran hynny.'

Torrodd Now ar ei draws. 'Pobol wedi'u hargyhoeddi ydyn nhw, Pyrs. Dwyt ti a finna ddim yn dallt pethau felly,' gan geisio achub cam pobl y Diwygiad, a'i wraig ei hun yn un ohonynt. 'A chofia mai cochan ydi hi, a rhai gwyllt ydi'r rheiny.'

'Ara deg, Now,' Robin yn cymryd arno ei fod yn teimlo. 'Gwallt coch sy gan nacw a dydw i ddim wedi gweld fawr o ddim o'i le arni hi . . . hyd yn hyn.'

Chwarddodd y lleill ond doedd Pyrs ddim am ildio. Gwyddai fod Guto yn barod i ochri efo fo bob gafael. Trodd ato. 'Be' wyt ti'n 'i ddeud, Guto?'

Tawedog oedd y gwas bach, heb ddweud dim. 'Wel, ydw i'n iawn? Ydyn nhw'n mynd dros ben llestri?'

Roedd llais y bachgen braidd yn gryg pan ddaeth ateb. 'Mi gafodd Mam ei hachub yr un noson ag Esther.'

Eisteddai Dafydd Morgan ar y setl yn ymyl y tân pan aeth y bechgyn at y bwrdd hir dan y ffenest. Oedodd Now wrth fynd heibio iddo, 'Sut ydach chi erbyn hyn, Dafydd Morgan? Roedd yn dda'ch gweld chi yn y gadlas, pnawn.'

'Roedd yn dda gin i fod yno, Now, er 'mod i wedi blino braidd erbyn hyn. Mae'r hen bwl dwytha 'ma wedi deud arna i. Ond mi wnaeth tipyn o wynt les i mi, dw i'n credu . . .Wyt ti am fynd i weld y bustych cyn iddi nosi, Pyrs?'

'Ddim tan fory, Nhad. Mi fydd yn twyllu gyda hyn a waeth heb na mynd yr holl ffordd yn y tywyllwch. Mae cloffni'r llo glas yn well, medda Now.'

'Ydi, Dafydd Morgan. Mi gwelis i o ddoe.'

'Mae'n dda gin i glywad. Dos â thipyn o *Cattle Oil* Morus Ifas efo chdi, Pyrs. Mae gin i ffydd mawr yn'o fo.' Aeth yn ei flaen i sôn fel y bu'n trin Loffti'r gaseg ddu efo'r olew gwyrthiol, a hithau wedyn fel eboles ymhen tair wythnos, stori yr oedd rhai wedi'i chlywed fwy nag unwaith.

Trannoeth, wedi gorffen y mân bethau oedd angen eu gwneud o gwmpas y lle, a chael paned o de ddeg, dywedodd Pyrs wrth Guto am fynd i nôl y cŵn. 'A chofia am oel Morus Ifas – mae o ar y ffenast bella yn y beudy mawr. A thy'd â chadachau efo chdi.'

Aeth y ddau i lawr y llethr i gyfeiriad llwybr yr afon a Guto'n hercian y gorau medrai; doedd ei goes ddim cystal heddiw. Wedi cyrraedd yr afon, sylwodd Guto mor llyfn a braf y llifai o dan y bont a throelli'r mymryn lleiaf wrth fôn yr helygen. Dilynodd y ddau y llwybr am beth ffordd ac er i Guto wneud sylw neu ddau o dro i dro, tawedog iawn oedd Pyrs, yn cerdded fel pe bai rhyw gythraul yn ei yrru. Efallai fod! Yn ei ddychymyg, teimlai ei foch yn llosgi unwaith eto a rhoddodd ei law arni'n reddfol. Y bits bach! A gwneud beth wnaeth hi o flaen y gweision, hefyd. Dyna oedd yr halen. Roedd wedi rhoi ei gas arni hi, roedd hynny'n sicr. Weithiau, teimlai mai treth oedd iddo siarad yn sifil efo hi, hyd yn oed. Ac eto – eto i gyd – fe wyddai yn ei galon nad oedd raid iddi wneud dim mwy nag estyn ei breichiau tuag ato a byddai Adar Rhiannon yn canu am byth. Am bwy arall yr oedd ei freuddwydion nos?

Cofiodd yn sydyn am Guto. 'Duwcs, Guto, sut mae dy goes di? Doeddwn i ddim yn cofio dy fod yn debyg i'r llo glas, dipyn yn gloff. Fasa well imi iro dy goes di efo'r oel yma, tybed?'

'O! Dw i'n iawn. Chi sy'n cerdded yn gyflym. Ydi'r oel yn mendio asgwrn pobol hefyd?'

'Na, mae arna i ofn. Dydi o ddim yn gneud hynny. Gwranda, wedi inni gyrraedd, mi gei di roi'r oel yma i'r llo – mae gin ti well dwylo na fi at beth felly. Mi ddalia innau'i ben o.' Gan ychwanegu wrtho'i hun yn fwy nag wrth y gwas, 'Ac mi fasa'n haws gneud hynny yn y beudy nag ar y ffridd.'

Wedi codi dros y Greigwen, gwelodd y ddau y bustych draw ar y ffridd, un yma ac acw, a gyrrodd Pyrs y cŵn, Jâms i'r dde a Fflos i'r chwith, i'w hel at ei gilydd i gysgod yr hen gorlan. Oedd, roedd y llo glas i'w weld yn well a dim ond y mymryn lleiaf o henc yn ei goes ôl. Roedd yn wyrth na fuasai wedi torri ei goes wrth faglu i'r ffos. I wneud yn siŵr, gyrrodd Jâms, y ci mawr, ar ei ôl er mwyn iddo gael ei weld yn rhedeg, a chafodd ei fodloni fod pethau'n gwella, yn wir. Ond cystal rhoi'r olew iddo, fel y dywedodd ei dad.

116

'Mi daliwn ni o rŵan, Guto.' Ond haws dweud na gwneud, mewn lle mor agored, ond llwyddwyd o'r diwedd. 'Mi afaela i yn ei ben o, rhwbia ditha'r oel yn iawn i'w glun efo cadach.' Gwnaeth y gwas yn ôl y gorchymyn nes ei fod yn chwys diferol wrth ymlafnio yn erbyn y llo. O'r diwedd, dyma Pyrs yn dweud, 'Dyna ddigon, mae'n siŵr. Sycha'r blew efo cadach glân, rhag iddo lyfu.'

Roedd gwell hwyliau ar Pyrs wrth fynd i lawr yn ôl, ac erbyn cyrraedd y bont dros yr afon, a'r helygen yr ochr isaf iddi, roedd yn ddigon siaradus. 'Mi steddwn ni'n fan yma am funud i gael hoe, be' 'ti'n 'i ddeud?'

Roedd Guto'n ddigon parod i eistedd a chafodd garreg hwylus i roi ei glun i lawr arni. Ymhen ychydig, 'Ydi hi'n wir mai'r Rhufeiniaid gododd y bont? Dyna ddeudodd Robin.'

'Rhufeiniaid, wir! 'Nhaid cododd hi i arbed mynd i fyny at y rhyd i groesi'r afon; roedd o braidd yn selog yn y Ring; 'wn i ddim be' fasa . . . be' fasa rhai yn fan acw'n 'i ddeud am hynny! Na, dydi'r bont ddim mor ofnadwy o hen; roedd y goeden yma yn ei llawn dwf ymhell cyn ei chodi hi, meddan nhw. Ymhell o'i blaen hi.' Tynnodd sigarét o'i boced ac edrych i fyny i'r brigau. 'Mi glywais Nhad yn deud sut y cafodd ei daid o – ei daid, cofia – godwm wrth ei dringo unwaith pan oedd hwnnw'n hogyn bach.'

Synnodd Guto nad oedd dim byd mor hen â'r helygen yn dal mewn bod.

Edrychodd Pyrs yn fanylach ar y goeden; edrychodd yn hir arni a sylwi am y tro cyntaf ei bod hi'n dangos arwyddion sicr o henaint. Doedd o ddim wedi dychmygu, ers talwm, y buasai peth felly'n digwydd iddi.

'Weli di'r gangen yna sy'n pwyso dros yr afon, Guto? Mi fyddai Huw, fy mrawd, a finna'n dringo ar ei hyd hi, bron i'r pen draw. Faswn i ddim yn mentro hynny heddiw; paid titha â thrio, chwaith. Dydi hi ddim yn ddiogel iawn yn ôl ei golwg . . . Dyna iti braf ar ddiwrnod poeth yn yr ha', neidio oddi arni i'r pwll yna o dani – weli di o? Mae o'n bur ddwfn hefyd. Wedyn, mi fydden ni'n nofio i fyny yn erbyn y lli i weld pwy fedrai gyrraedd yr ynys bach acw gynta. Huw fyddai'n ennill bob tro, bron, ond mi fentra-i y curwn i o heddiw. Oes, mae tipyn o li ynddi hi, hyd yn oed yn yr ha', wyddost. A dydi gweithio mewn banc yn Lerpwl ddim yn help i fagu cyhyrau.'

'Dew! mewn banc mae o'n gweithio? Mae'n rhaid fod gynno fo lot o bres.'

Chwarddodd Pyrs. 'Cyfri pres pobol eraill y mae o, twmffat! Mewn difri, eistedd yn fanno drwy'r dydd heb chwa o awel iach ar ei wyneb. Dim diolch.' Taniodd ei sigarét cyn gofyn yn ddifeddwl, 'Fedri di nofio?'

'Na. Wel, ddim yn dda iawn. Dw i am ddysgu.'

'Fasa ddim gin i dy daflu di i'r pwll rŵan, imi gael dy weld yn trio.'

Edrychodd ar y bachgen a sylwi ar gysgod bach o bryder yn ei lygad. 'Ond, o ran hynny, waeth imi heb; does dim llawer o ddŵr yn yr afon ar ôl yr holl dywydd sych.' Ond gwyddai o brofiad y gallasai'r afon dawel hon newid ei chymeriad yn sydyn a bygythiol pe ceid glaw mawr.

Crwydrodd ei edrychiad i gyfeiriad y bont a daeth atgof arall iddo, ond ni soniodd air wrth Guto. Nos Sul ym mis Mai oedd hi, bron i ddwy flynedd yn ôl erbyn hyn. Doedd Pyrs ddim wedi mynd i'r capel, gwell ganddo gadw llygad ar yr heffer froc oedd ar ben ei hamser. Wrth ddisgwyl, daeth syniad iddo. Beth am fynd at y bont, tipyn wedi saith, i ddisgwyl Esther, y forwyn newydd. 'Sgydwodd y gwellt oedd wedi hel ar ei ddillad. Bu'n aros yn hir ond, o'r diwedd, fe ddaeth. Mae'n amlwg ei bod yn synnu ei weld yno ond ni chafodd Pyrs yr argraff ei bod ddim dicach, chwaith. Wedi peth sgwrsio, dechreuodd Pyrs wamalu ychydig, gormod efallai, ac wrth edrych yn ôl rŵan, sylweddolodd mai camgymeriad oedd hynny. Ond pan aeth i ymddwyn yn fwy mentrus, cafodd ei roi yn ei le yn bur chwyrn a digamsyniol. Bu'n rhaid iddo gerdded adre ei hun bach. Unwaith eto, teimlodd wres y beltan ar ei foch.

'Ty'd o ma. Mae digon o waith yn disgwyl yn lle stelcian yn fan hyn.'

Roedd Now yn agos iawn i'w le yn ei broffwydoliaeth. Cafwyd pedwar diwrnod o dywydd braf, a'r haul yn eithaf cynnes erbyn y p'nawn. Ond gyda'r nos, nos Lun, dechreuodd godi'n wynt a gwelwyd rhyw lwydni yn yr awyr o du'r gorllewin. Erbyn amser cinio drannoeth, roedd yn dymchwel y glaw a bu'n glawio'n ysbeidiol gyda gwynt cryf, am rai wythnosau, a hynny bron yn ddi-baid. Roedd hi'n anodd cael digon o waith dan do i'r hogiau, ac ni welwyd erioed feudai ac adeiladau glanach yn yr holl sir, a gwyngalch newydd ar bob pared.

Aeth Pyrs a Now i'r ffridd i nôl y bustych er mwyn eu rhoi mewn lle mwy cysgodol ac wrth eu cerdded nhw ar hyd llwybr yr afon, roedd eu traed yn corddi'r wyneb yn boits meddal, aflan, nes ei bod yn anodd cerdded trwyddo.

Wedi eu troi i'r weirglodd, cerddodd y ddau yn ôl. 'Gobeithio i'r Tad na neith yr afon ddim gorlifo,' meddai Now. 'Welais i moni'n gneud hynny,' meddai Pyrs ond cofiodd Now rai o'r hen bobl yn sôn am orlif ofnadwy yn 1887 a boddi rhai o'r caeau isaf am wythnosau. 'Paid â chodi ofn arna i, wir,' meddai Pyrs, 'does dim byd gwaeth na dŵr. Dim byd.'

Nos Iau oedd noson Seiat Capel Horeb, a gofynnodd Esther am ganiatâd i fynd yno oherwydd bod gan y Gweinidog rywbeth pwysig i'w roi gerbron. 'Cei, ond iti ddod yn ôl ar dy union,' meddai'r feistres. 'Wyt ti'n meddwl dy fod yn gall yn mentro drwy dywydd mor ddrwg, a'r afon mor uchel hefyd?'

'Mi fydda i'n iawn,' oedd ateb hyderus y forwyn. 'Ac mae'r glaw wedi peidio rŵan.'

Ond peidio dros dro oedd hi. Pan oedd Pyrs yn cerdded o'r cwt malu, wedi bod yn paratoi berfâd o sweds a blawd i'r gwartheg, sylwodd ar Fflos yn crïo a gwneud sŵn cwynfanus. Rhedai mewn cylchoedd o'i gwmpas ac edrych i'w wyneb bob hyn a hyn, yn union fel pe'n ceisio dweud rhywbeth.

'Be' haru ti, 'rast?' arthiodd yn ddiamynedd, 'Taw, er mwyn popeth a dos i rywle yn lle bod dan draed,' gan anelu cic ati. Ond dal i swnian yr oedd Fflos. Toc, rhwng ei hysbeidiau o grïo, meddyliodd Pyrs ei fod yn clywed llais, a hwnnw fel pe'n dod o bell. Anodd dweud yn y gwynt cryf, plyciog; mae gwynt felly'n chwarae castiau efo rhywun. Safodd, a gwrando eto. Oedd, roedd rhywun yn galw, ac o gyfeiriad yr afon, yn ôl y tybiai. Gollyngodd y ferfa a rhuthrodd i'r beudy i gael lantarn; cychwyn i lawr y llethr, yn hanner llithro ar y gwellt gwlyb, a Fflos yn rhedeg o'i flaen cyn aros amdano a rhedeg yn ei blaen eilwaith.

Adnabu'r llais cyn cyrraedd yr afon. Cododd y lantarn i geisio gweld yn gliriach, ac wrth nesu at y llif, gwelodd hi. Roedd hi'n hanner crogi wrth gangen isaf y goeden helyg.

'Pyrs! Helpa fi, Pyrs. Helpa fi.'

Roedd y sgrech yn llawn panig.

'Be' gythral wyt ti'n 'i neud yn fan'na? Sut est ti i'r fath le o gwbl?' Er ei fod yn holi, rywsut ni ddisgwyliai Pyrs ateb. Ond daeth rhyw fath o esboniad, aneglur 'rhwng y gwynt a'r ebychiadau llawn braw. 'Llithro yn y baw . . . syrthio . . . Helpa fi, Pyrs, ty'd i 'nhynnu i o'ma.' Gwelodd Pyrs hi'n edrych i lawr i'r pwll. 'Gafael yno' i Pyrs. Helpa fi.'

'Gafael ynot ti? Fi? Gafael ynot ti?'

Ffrwydrodd rhywbeth oddi mewn iddo. Rhoddodd y lantarn i hongian ar frigyn uwch ei ben a chlosio'n ofalus at fôn y goeden. Gafaelodd amdani â'i fraich chwith ac ymestyn yn araf dros y dŵr, a oedd fel crochan berw yn chwyrnellu a rhuthro oddi tano. Rhoddodd wadn ei droed ar y gangen a gwthio. Clywodd hi'n rhoi ychydig dan y pwysau a gwthiodd fymryn yn galetach.

Daeth gwaedd arall i'w glustiau. 'Paid â siglo'r goeden; rwyt ti'n codi ofn arna i.' Ond sŵn oedd y geiriau iddo fo, heb synnwyr na theimlad. Rhoddodd gic sydyn, galed i'r gangen â'i holl nerth, ac efo clec, syrthiodd y cwbl i'r dŵr.

Clywodd Pyrs sgrech ofnadwy a Fflos yn cyfarth yn wallgof. Gafaelodd yn y lantarn a throi am adre.

Ni sylwodd ar y cysgod tywyll ar y bont; cysgod rhywun yn symud yn herciog fel dyn cloff.

Guto'r Gwas Bach

Portread o gymeriad ardal

BEIRNIADAETH R. MALDWYN THOMAS

Er bod modd dehongli geiriad amwys y gystadleuaeth hon mewn dwy ffordd, mi gredodd mwyafrif y cystadleuwyr mai galw am ddarlun o berson yn ei fro a wnaeth y Pwyllgor Llên yn yr achos hwn. Bu dau ar bymtheg yn cystadlu, a deg o'r rhain wedi mynd yn ôl i'r gorffennol am berson i'w bortreadu, tra oedd pump wedi mentro cyflwyno portread o berson cyfoes. Y mae dau gystadleuydd arall ar ôl ac fe geir gair bach amdanyn nhw ar derfyn y sylwadau hyn.

Rŵan, y mae hi'n hawdd dehongli, wrth sylwi ar bethau yng Nghymru heddiw, bod y 'cymeriad ardal', sef y cymeriad hwnnw â rhyw hynodrwydd yn perthyn iddo fo neu iddi hi, bron â diflannu o'n plith. A chadarnhau'r teimlad yma y mae tystiolaeth y gystadleuaeth hon. Hyn hefyd sy'n gwneud i mi amau bod rhai o'r cystadleuwyr wedi gorfod cribinio'n sobor o fân, ac yn rhyfeddol o ddiwyd, er mwyn cael digon o dusw o dystiolaeth am hynodrwydd y bobl sy'n cael eu trafod a'u dehongli yn y gystadleuaeth hon. Yn wir, ambell dro y mae yna fwy o bwyslais o lawer ar y dull o gyflwyno'r 'cymeriad ardal' – ar arddull y portread – nag a geir yn sylwedd y darlun.

Y mae hi'n hawdd hefyd dehongli bod yna rymoedd ar waith sydd yn creu cymeriadau unffurf ac undonog, trigolion plastig ein dyddiau ni, trigolion sydd wedi cael eu diheintio o bob gwreiddioldeb ac wedi cael eu prosesu fel nad oes na hynodrwydd nac odrwydd yn agos atyn nhw.

Dyma hefyd, decini, ydi'r esboniad am y troi at 'gymeriadau' o'r gorffennol yn y gystadleuaeth hon. Yn y gorffennol, os gwir y gair, yr oedd yna lond gwlad o 'gymeriadau' ym mhob cornel o Gymru. Ac esboniad posib' arall ar y tyrchu i'r gorffennol am 'gymeriadau' i sgwennu amdanyn nhw ydi bod hynny, fel arfer, yn weithgarwch mwy diogel na sgwennu am bobl gyfoes Cymru gyfreithgar biwis ein dyddiau ni.

Dynion ydi mwyafrif y 'cymeriadau' hyn, boed y rheini o'r presennol neu'r gorffennol. Dynion cefn gwlad, teiliwr, chwarelwr, saer coed, saer maen, gweithiwr ar y ffordd, ffermwr, tyddynnwr, crefftwyr. Trigolion cyfarwydd yr oriel wledig yn amlach na pheidio. Dynion sylweddol â'u gwreiddiau'n ddwfn yn eu cynefin, yn ôl pob sôn.

Ychwanegiad ydi'r ferch, bron bob tro – atodiad priodol at destun y portread. Y mae hi bob amser yn ddarbodus, yn fedrus ei bysedd, yn hulio'i bord ar gyfer pawb sy'n croesi rhiniog ei gŵr. Ac erbyn meddwl, drych o'r un darlun ydi'r gŵr, testun y portread. Y mae o hefyd yn meddu'r rhinweddau creiddiol – diwydrwydd, diweirdeb a dyfalbarhad.

Yr hyn, fe ymddengys, sy'n gwneud y cewri hyn yn 'gymeriadau' ydi'r ddawn i dynnu coes neu ddawn ffraethineb a dawn dweud. Ac mae dioddef troeon trwstan yn llawen hefyd yn gymhwyster ychwanegol ar gyfer mynediad i gylch 'cymeriad ardal'. Diolch byth, felly, am bortread *Penrhos* o Brian Llywelyn, dyn busnes, Cymro gwlatgar ac *entrepreneur* go iawn sy'n byw yn Sir Benfro heddiw. 'Cymeriad' gwahanol a diddorol. A diolch i *Benar* â'r portread prin o ferch sydd yn 'gymeriad' ardal ganddi hi.

Roeddwn i wedi gobeithio gweld manylion diddorol am nodweddion lliwgar y 'cymeriad ardal' a'r nodweddion hynny wedi cael eu cyflwyno ar dapestri bywyd bro arbennig. Elfen arall yr oeddwn wedi disgwyl darllen amdani oedd yr elfen storïol, tocyn o straeon difyr a dadlennol a fyddai'n goleuo'r portread yn galeidosgop o liwiau. Ac yna, mi oedd rhywun yn gobeithio darllen pytiau o eiriau'r 'cymeriad', geiriau ei lafar byw, a geiriau'i dafodiaith.

Wel, mi gafwyd hyn i raddau yn y portreadau mwyaf llwyddiannus. Yng ngwaith *Teifryn* â'i bortread o saer coed yn Nyfed y cafwyd yr elfennau hyn ar eu gorau. Yng ngwaith *Teifryn*, hefyd, y cafwyd y cydbwysedd mwyaf creadigol o'r nodweddion yr oeddwn i'n chwilio amdanyn nhw yn y gystadleuaeth. Er bod *Trofa Celyn* a *Siôn El* hwythau yn sobor o agos at *Teifryn* yn y cloriannu terfynol, i *Teifryn* y dyfernir y wobr.

Gair am y ddau gystadleuydd y cyfeiriais i atyn nhw ar ddechrau'r sylwadau hyn. Fe wêl pawb yn syth bin fod yna goblyn o amwysedd yng ngeiriad y gystadleuaeth hon. Oherwydd hynny, fe gyflwynodd dau o'r cystadleuwyr bortread o gymeriad ardaloedd daearyddol, a does yna ddim bai o gwbl arnyn nhw am wneud hynny. Geiriad llac ac amwys y Pwyllgor Llên sy'n gyfrifol am hynny. Pe byddai'r naill neu'r llall o'r cystadleuwyr hyn wedi dod i'r brig, mi fyddwn i wedi eu gwobrwyo heb betruso dim – ac mi fyddai hynny wedi creu problem i'r cystadleuwyr eraill. Ond 'ddigwyddodd hynny ddim a does dim diolch i'r sawl a fu'n geirio testun y gystadleuaeth am hynny. Y gwir amdani ydi y byddai portread o gymeriad ardal wedi bod yn destun da iawn – ar gyfer cystadleuaeth arall, wahanol.

Casgliad o dair sgwrs ar dâp yn arddull a hyd *Dros fy Sbectol* ynghyd â chopi o'r sgript

BEIRNIADAETH ELWYN JONES

Roedd hon yn gystadleuaeth dda iawn ac mi gefais gryn bleser wrth wrando ar dapiau'r pum cystadleuydd. Wrth feirniadu, penderfynais ddarllen y sgriptiau'n fras i ddechrau ac wedyn gwrando – fwy nag unwaith – ar y tapiau. Rhan o gamp y sgwrsiwr radio da, wrth gwrs, yw troi geiriau ysgrifenedig y sgript yn llafar, a thrwy arddull a goslef argyhoeddi'r un sy'n gwrando bod y person y tu ôl i'r meicroffon yn siarad â fo neu hi. I raddau helaeth, llwyddodd y rhan fwyaf o'r cystadleuwyr i wneud hyn, ac i siarad â'r gwrandäwr mewn Cymraeg cyhyrog a graenus.

Rhan o amodau'r gystadleuaeth oedd y dylai'r casgliad o dair sgwrs fod nid yn unig yn arddull *Dros fy Sbectol* ond hefyd tua'r un hyd â'r rhaglen honno. Pum munud, neu bedwar munud a thri chwarter i fod yn gysáct, y mae John Roberts Williams yn ei gael gan y BBC i gyflwyno ei sylwadau ar yr wythnos. Gwaetha'r modd, mae sgwrs gyntaf *Brith Gof* yn para am un munud ar bymtheg ac y mae'r ddwy sgwrs arall dros ddeng munud yr un! Cofnodi digwyddiadau Eisteddfod Genedlaethol Llanelli, gweithgareddau Noson y Milflwyddiant, a digwyddiadau un wythnos ym mis Tachwedd a wna *Brith Gof* yn hytrach na dethol yn null newyddiadurol *Dros fy Sbectol*. Mae llais clir y cystadleuydd a'i ffordd agos atoch chi o siarad yn apelio ataf, ond o ran hyd ac arddull nid yw'r sgyrsiau'n addas i'r gystadleuaeth hon.

Swynwyd fi gan lais ysgafn, acen a thafodiaith *Min y Ffordd*. Ganddo fo y ceir sgwrsio digrifa'r gystadleuaeth. Yn ei ail sgwrs, am y newidiadau a ddaeth dros ddulliau ffermio, meddai: 'Aeth y fuwch yn wallgof, mae'r ceffyl yn chwarae polo a'r ci enwocaf bellach yw'r un sy'n rolio papur tŷ bach i lawr y grisiau ar ein sgriniau – un o actorion gorau S4C, gyda llaw'. Ac wrth ddisgrifio trafferthion y ffermwr: 'Mae 'na lysieuwyr, cyfeillion y ddaear a phrotestwyr iawnderau anifeiliaid yn dringo coed neu fartsio bob tro mae buwch yn codi ei chynffon, ac mae Fischler ym Mrwsel a Nick Brown yn San Steffan mor brin o weledigaeth â hwrdd mewn niwl'. Yr ail sgwrs yw'r orau o bell ffordd. Hen drawiad a gawn ni yn y sgwrs gyntaf – homili ar y Beibl fel Llyfr Rheolau'r Ffordd Fawr i'n dysgu sut i fyw, a myfyrdod digon difyr ar y cwestiwn 'Pwy yw fy nghymydog?' yw'r sgwrs olaf. Gwaetha'r modd, mae'r elfen newyddiadurol ar goll.

Sioni sydd â'r llais darlledu gorau yn y gystadleuaeth. Mae ganddo lais cyfoethog, hawdd gwrando arno ac arddull hamddenol braf. Rhan o gamp John Roberts Williams yn *Dros fy Sbectol* yw ei fod yn llwyddo i gyfeirio at sawl pwnc yn ei sgwrs a'u cysylltu'n gelfydd. Gwnaeth *Sioni* ymdrech dda i wneud hynny. Mewn un sgwrs, er enghraifft, mae'n llwyddo i gyfeirio at Fawrth Ynyd, Clwy'r Traed a'r Genau, marwolaeth yr Arglwydd Cledwyn, Syr Donald Bradman, gohirio'r gêm Rygbi rhwng Cymru ac Iwerddon a Gŵyl Ddewi. Gwaetha'r modd, nid yw'r dolennu rhwng y naill bwnc a'r llall bob amser yn llwydd-iannus, yn enwedig yn ei sgwrs gyntaf. Mae diwedd y sgwrs honno hefyd yn wan. Ar y cyfan, mae dewis *Sioni* o bynciau yn ddifyr a'i ymdriniaeth yn dder-byniol iawn ond heb y dyfnder pryfoclyd a gafwyd gan ddau gystadleuydd arall yn y gystadleuaeth hon.

Lleisiau ieuengach yw rhai *Beiro* a *Sbectol*. Mae *Beiro* yn llwyddo i gyfeirio at nifer o bynciau yn yr un sgwrs; er enghraifft, y tir lithriad ym Morfa Nefyn, Oes yr Iâ, cyhoeddi *Caneuon Ffydd*, dirywiad nifer yr aelodau yng nghapeli Cymru, gêm derfynol Cwpan yr F.A. yn Stadiwm y Mileniwm, a Chylch yr Iaith. Mae'n symud yn hynod o ddidrafferth o un pwnc i'r llall. Mae ganddo stôr o wybodaeth am lenyddiaeth Cymru ac mae'n defnyddio dyfyniadau i bwrpas. Mae ganddo lygad i weld a'r gallu geiriol i greu darluniau cofiadwy. Wrth ddisgrifio'r hen ffordd o amaethu, dywed: 'gweld fy nhad yn troi y cae gwair yn rhesi o byramidiau. Roedd fel petai gwahaddod Annwfn wedi cynnal cynhadledd yno'. Mae ei sylwadau hefyd yn drawiadol, os yn bregethwrol. Wrth drafod Datblygiad a Difetha: 'Fe gofiais am ein gallu i fwrw hoelion i'r pethau a garwn fwyaf. Croeshoeliasom ein Crist ac rydym wrthi'n ddygn yn distrywio'r Cread . . .'. Gwendid *Beiro* yw'r d'eud. Mae Radio ar y cyfan yn gyfrwng i'r siaradwr cym-harol gyflym ond mae *Beiro'n* rhy gyflym. Rydw i'n sylweddoli ei fod am dd'eud y cyfan o fewn amser penodol ond mi fyddai'n well pe bai wedi cwtogi ar ei ddeunydd, amrywio hyd ei frawddegau ac arafu rhywfaint ar y d'eud bob hyn a hyn. Collwyd sawl perl oherwydd cyflymder undonog y d'eud.

Sgyrsiau mwyaf newyddiadurol eu naws a'u harddull yn y gystadleuaeth yw sgyrsiau *Sbectol*. Mae'r awdures wedi dewis tri phwnc – y cyhoeddiad na chyn-helir Eisteddfod yr Urdd yng Nghaerdydd eleni, datganiad y Cynghorydd Seimon Glyn, a chlwy'r traed a'r genau. Mae *Sbectol* yn gwybod yn union sut i ddechrau sgwrs. Mae ei hymdriniaeth ag Eisteddfod yr Urdd yn dechrau â dyfyniad o eiriau bachgen wyth mlwydd oed: 'Mam, does yna ddim Eisteddfod yr Urdd y flwyddyn yma, felly mi gewch eich pres yn ôl'. Mae ei hail sgwrs yn dechrau fel hyn: 'Mae'r byd i gyd i weld yn ymwybodol erbyn hyn o ba mor hiliol a gwrth-Seisnig ydi'r Cynghorydd Seimon Glyn . . .'. O'r dechrau, felly, mae'n llwyddo i hoelio sylw'r gwrandäwr. Unwaith y mae wedi dechrau siarad, mae'n ymdrin â'i mater yn ddeallus a phryfoclyd. Gofynna, er enghraifft, ai gwaith yr Urdd yw bod yn drefnydd Eisteddfodau? Oni ddylai trefnwyr yr Eisteddfod Genedlaethol fynd ati i gynnal dwy ŵyl dan yr un ymbarél, ac efallai dan yr un to? Mae'n gofyn, mewn sgwrs arall, ai 'monitro' ydi'r drefn yn Ardal y Llynnoedd yn Lloegr sy'n d'eud bod canran o'r tir datblygu i'w gadw ar gyfer codi tai i bobol leol? Mae ganddi ddawn d'eud diamheuol. Mae 'na ehangder i'w hymdrin-iaeth o'r pynciau a ddewisodd ac mae'r hyn sydd ganddi i'w dd'eud yn mynnu ymateb. Mae ei chyflwyniad yn fywiog, er y gallai hithau hefyd amrywio rhywfaint ar ei goslef.

Bûm yn pendroni tipyn uwch ben sgyrsiau *Beiro* a *Sbectol*. Mae sgyrsiau *Beiro* yn rhai cyfoethog ond, oherwydd ei thechneg, ei harddull a'i safbwyntiau heriol, *Sbectol* sy'n cael y wobr.

Y Casgliad o Dair Sgwrs

EISTEDDFOD

Mae 'Dyddlyfr yr Wythnos' yr wythnos yma yn dod – na, nid gan yr un gwleidydd nac arweinydd nac undebwr – ond gan hogyn bach wyth mlwydd oed o Wynedd. Geiriau Cymraeg gloyw a lefarodd o wrth ei fam. Yr hyn ddywedodd o, a'r hyn a ddenodd fy sylw i oedd, 'Mam, does yna ddim Eisteddfod yr Urdd y flwyddyn yma, felly mi gewch chi eich pres yn ôl'.

Oedd, mi oedd o wedi bod yn ymarfer ei unawd ers rhai wythnosau ar gyfer yr eisteddfod, ac oherwydd clwy'r traed a'r genau, chafodd o – fel miloedd o blant bach eraill ar hyd a lled Cymru – ddim cyfle i roi troed ar lwyfan i wneud ei fam yn falch ohono fo. Ond nid dyna oedd yn arbennig ynghylch yr hyn ddywedodd o, achos doedd o ddim yn poeni llawer am y diffyg clod a'r bri, mewn gwirionedd.

Yr hyn oedd yn drawiadol o drist yn ei gyhoeddiad hunanhyderus oedd y ffaith ei fod o'n teimlo mai dim ond er mwyn iddo gael cystadlu yr oedd ei fam yn talu ei dâl aelodaeth. Dim er mwyn mynd i'r aelwyd nac i'r gwersylloedd na bod yn aelod o dîm rygbi'r adran. A dyna pam ei fod o'n falch o ddweud y byddai o'n cael ad-daliad llawn – wedi'r cwbl, dim Eisteddfod, felly dim angen talu.

Yn ystod y misoedd diwetha 'ma, mae yna dystiolaeth fod mudiad yr Urdd wedi bod yn edrych go iawn ar y gwasanaeth y mae'n o'n ei gynnig i blant a phobl ifanc ar ddechrau canrif a mileniwm newydd. Ac yn ystod blwyddyn fel eleni, pan mae'r mudiad yn chwarae efo'r syniad o roi cic i Grist o'r arwyddair er mwyn estyn llaw at aelodau o bob math o gefndiroedd, a phan mae argyfwng mawr yn yr ardaloedd cefn gwlad traddodiadol wedi rhoi'r ceibosh ar brifwyl y brifddinas, mae o'n gyfle i gael at y gwir.

Ydi diffyg Eisteddfod yn golygu bod miloedd o blant a phobol ifanc yn teimlo eu bod nhw wedi ymaelodi â'r Urdd am ddim rheswm eleni? Os ydi hynny'n wir – fel yr ydw i'n rhyw amau ei fod o – yna mae'n bryd am newid. Mae un yn mynd cyn belled â dweud na ddylai'r Urdd dreulio'i amser na'i adnoddau yn trefnu Eisteddfod o gwbl – job y mudiad ydi cynnal a chynyddu Cymreictod ac ymwybyddiaeth o'r iaith Gymraeg, medden nhw. Mae honno'n gythgam o job ynddi ei hun – ac yn job sy'n gallu digwydd heddiw ar gae pêl-droed ac mewn gig, mewn canŵ, ar sgis ac wrth fowlio deg, lle mae pawb yn cael llwyfan a neb yn gorfod mynd adra heb dystysgrif am eu bod nhw wedi dod yn ola'.

Felly, ai yn ei weithgareddau anghystadleuol y mae'r 'gobaith' i Urdd Gobaith

124

Cymru? Mae'n anodd gweld y mudiad yn y tymor byr yn troi ei gefn yn llwyr ar gynnal eisteddfod ond a chofio bod swydd Cyfarwyddwr Eisteddfod yn wag ers ymadawiad Deian Creunant yr wythnos hon, ac yn debygol o aros yn wag am y ddwy flynedd nesa' wrth i swyddog arall lenwi'r bwlch, mae'n amlwg nad dyna lle mae'r penaethiaid yn gweld y flaenoriaeth. Ychwanegwch at hynny drafferthion ariannol yr Urdd, a ddaeth i'r amlwg wrth iddyn nhw orfod cau eu gwersylloedd yng Nglan-llyn a Llangrannog oherwydd y clwy', ac mae gynnoch chi hanner miliwn o bunnoedd o golled . . . a'r unig ateb ydi colli rhwng 18 a 25 o swyddi.

Mi fydd canslo eisteddfod 2001 yn golygu colli noddwyr ond efallai y bydd hi'n bosib denu rhai o'r rheini'n ôl wrth i'r Urdd ac S4C gydweithio ar gynnal Eisteddfod Deledu. Y bwriad ydi gwobrwyo'r enillwyr yn yr adran Gwaith Cartref mewn seremonïau ar y teledu. Fydd yna ddim nodyn yn cael ei ganu a dim gair yn cael ei lefaru – hynny ydi, fydd 'na ddim eisteddfota traddodiadol. Fydd yna ddim rhesaid o feirniaid yn traethu a dim un gân actol gan Ysgol Glanaethwy.

Ydi, mae'n flwyddyn newydd mileniwm newydd, ac efallai mai dyma gyfle mawr yr Urdd i ddangos i'w aelodau bod ganddo rôl amgenach i'w chwarae na bod yn drefnydd Eisteddfodau. Y cwestiwn rhesymegol wedyn ydi pwy fyddai'n derbyn yr her o gynnal gŵyl ieuenctid fwya' Ewrop? Fe fyddai'r fantell yn syrthio'n naturiol ar ysgwyddau trefnwyr yr Eisteddfod Genedlaethol sydd eisoes yn trio denu mwy o bobol ifanc a chreu mwy o awyrgylch 'gŵyl'.

Dwy ŵyl o dan yr un ymbarél ac, efallai, dan yr un to? Efallai, wedyn, y byddai'r syniad o feysydd sefydlog yn dod yn bosibilrwydd go iawn . . . A hyn i gyd o enau plentyn bychan oedd ddim wedi cael canu ei unawd ac a oedd eisiau ei arian yn ôl.

HILIOL

Mae'r byd i gyd fel pe bai'n ymwybodol erbyn hyn o ba mor hiliol a gwrth Seisnig ydi'r Cynghorydd Seimon Glyn ond does neb fel pe bai ddim nes i'r lan wrth drio darllen meddwl ei blaid ar y mater.

Fe gafodd Cadeirydd Pwyllgor Tai Cyngor Gwynedd ei osod dan y chwyddwydr am feiddio siarad ar ran trigolion y cymunedau Cymraeg ac awgrymu bod y mewnlifiad yn cael effaith andwyol ar bentrefi fel Tudweiliog ym Mhen Llŷn. Mae'r papur *Independent on Sunday* am ei waed o – papur sydd mor nodwedd-iadol Gymreig â'i olygydd, Janet Street Porter – wyddoch chi, yr hogan â'r acen Cocni nad ydi hi erioed wedi arddel ei gwreiddiau Cymreig cyn hyn. Yma yng Nghymru wedyn, mae tudalennau blaen y *Daily Post* wedi bod yn corddi – pwy all anghofio'r pennawd bras, '*Racist*'. Ydi, mae'r ymateb i sylwadau Seimon Glyn wedi bod yn droëdig.

A hyn i gyd oherwydd bod y Cynghorydd wedi mynegi ei farn ar adroddiad a oedd yn dangos bod dros hanner y tai gwag mewn ambell ardal yng Ngwynedd yn cael eu gwerthu i bobol o'r tu allan i Gymru. Roedd o'n dweud y gwir ac roedd ganddo'r ffigurau i brofi hynny. Y camgymeriad mawr wnaeth o oedd trio egluro hynny yn Saesneg mewn cyfweliad a meiddio awgrymu bod angen 'monitro' faint o bobol oedd yn symud i mewn. Mae monitro, welwch chi, yn weithred eithafol – bron mor eithafol â'r nifer o bobol ifanc sy'n methu fforddio tai yn eu hardaloedd eu hunain am fod prisiau mor eithafol o ddrud ac allan o'u cyrraedd nhw. Mae monitro yn cyfyngu ar hawl y prynwr i werthu ei dŷ yn Lloegr am bris eithafol o gan mil o bunnau a gallu prynu rhesaid o dai yng Nghymru efo'r arian. Mae monitro yn cyfyngu ar hawl pobol i symud yn rhydd . . . ac onid ydan ni i gyd yn byw mewn gwlad ddemocrataidd, medden nhw?

Mae'n ymddangos bod hawliau pawb yn gyfartal ond bod hawliau rhai yn fwy cyfartal na'i gilydd. Yna, nos Iau diwetha, ar un o'r rhifynnau mwya' cyfoglyd erioed o'r rhaglen holi ac ateb, 'Question Time' – rhaglen a oedd yn cael ei darlledu o dre'r Cofis yn llawn o bobol efo acenion Seisnig – fe gafodd Llywydd Plaid Cymru ei osod ar y barbeciw go iawn a'i rostio gan y Blaid Lafur. Ocê, efallai na fasa Ieuan Wyn Jones ei hun wedi dewis yr un geiriau'n union â Seimon Glyn ond siom go iawn i bob siaradwr Cymraeg oedd ei weld o'n gadael i Glenys Kinnock ddefnyddio'r iaith yn ein herbyn ni i gyd. Fe gafodd holl bwnc y mewnlifiad ei heijacio nes bod y drafodaeth yn canolbwyntio ar feddylfryd 'ni a nhw' beryglus. Ac yng nghanol hyn i gyd, dyna sôn bod diffyg tai yn broblem i Gymru gyfan ac nid i ardal Seimon Glyn yn unig. Mi fasa pobl y Rhondda, pobol Powys, Ceredigion, Meirionnydd a Chlwyd yn gallu uniaethu â gwleidydd oedd yn sôn am bobol ifanc yn methu prynu cartrefi yn eu broydd. Do, fe gollodd y blaid ei chyfle mawr i droi llif y drafodaeth i'w melin ei hun.

Roedd hi'n wythnos anodd am resymau personol hefyd – colli modryb nad oedd yn perthyn dim i mi os rhannu gwaed ydi'r ffon fesur, ond anti a oedd yn rhan o'r teulu erioed. Roedd hi'n byw yn yr un stryd â ni ac mae meddwl am bobol eraill yn gwneud eu nyth yn Cartref yn eironig ac yn brofiad chwithig iawn.

Ond i'r cefnogwyr rygbi yn ein plith, roedd yr wythnos yma yn achubiad – gêm gyfartal yn erbyn yr Alban, a chicio Neil Jenkins yn serennu unwaith eto. Gêm gyfartal o 28 pwynt yr un, ond doedd hynny, meddai'r beirniaid, ddim ond am fod y gwrthwynebwyr yn wannach na'r crysau gwynion o dros Glawdd Offa bythefnos yn ôl. Ond gêm gyfartal neu beidio, dydi Cymru a'r Alban ddim yn gydradd o bell ffordd, ac mae un gwahaniaeth sylfaenol yn dod â fi'n ôl yn reit daclus at y prif bwnc yr wythnos yma. Mae gan yr Alban, 'dach chi'n gweld, gynllun o'r enw Scottish Homes sy'n galluogi pobol leol i brynu tai a dechrau dringo'r ysgol yn y farchnad. Mae yna drefn arall yn Ardal y Llynnoedd Lloegr wedyn, sy'n dweud bod yna ganran o'r tir datblygu yn cael ei gadw ar gyfer codi tai yn arbennig ar gyfer pobol leol. Ai monitro ydi hyn? Galwch chi o'n be' liciwch chi ond mae angen rhywbeth yng Nghymru, achos dydi'r ffigurau, na Seimon Glyn, ddim yn dweud celwydd.

CLEFYD

Mae cefn gwlad Cymru yn diodde' ers mis ond pwy sy'n malio, mewn gwir-ionedd? Clywed rhywun yn sôn heddiw nad oedd clwy'r traed a'r genau wedi ei gyffwrdd ef o gwbl nes i gaffi lleol wrthod rhoi mwy nag un dafell o gig moch ar ei blât o.

Os ydi presenoldeb y clefyd yng Nghymru wedi dangos rhywbeth – er mor ymylol ydi o i fywydau rhai pobol – mae o wedi dangos pa mor fregus ydi cefn gwlad a chyn lleied y mae rhai ohonon ni'n ei ddeall am y ffordd o fyw.

Doedd hyd yn oed y lluniau o gyrff anifeiliaid yn llosgi a theuluoedd yn gorfod gwylio llafur cenedlaethau'n diflannu mewn cymylau o fwg ddim wedi gallu dod â hunlle'r clwy' yn fyw i'r bwytäwr cig moch yr o'n i'n siarad ag o. Dim hyd yn oed y straeon am ffermwyr oedd yn bygwth troi'r gynnau arnyn nhw'u hunain. Mae'r teledu, weithiau, yn gyfrwng cyffyrddus iawn o fyw.

Ond yr wythnos yma, fe ddaeth galwad real gan Iwan Huws, Prif Weithredwr Parc Cenedlaethol Eryri, fod angen edrych ymlaen a llunio strategaeth ar gyfer y cyfnod wedi'r clwy'. Hen air hyll ydi 'strategaeth' ond os ydi o'n golygu y tro yma fod dod â phennau pawb at ei gilydd i wneud yn siŵr bod cefn gwlad yn 'byw' drwy'r aflwydd yma, efallai y gallwn ni ei ddiodde' fo.

Trychineb ddwbwl y clefyd diweddara' yma ydi bod yr un teuluoedd a oedd wedi gorfod arallgyfeirio mewn cyfnodau llwm blaenorol a throi oddi wrth ffermio at dwristiaeth, yn cael eu taro eto wrth i'r cyhoedd gadw draw o gefn gwlad yn eu miloedd.

Ond mae yna gadw draw arall wedi digwydd yng nghefn gwlad, ac nid rhyw glwy' sydd wedi ymddangos dros nos ydi hwnnw. Mae cefn gwlad wedi ei anwybyddu, mae ffermwyr wedi eu twt-twtian, ac mae diboblogi yn rhemp ers blynyddoedd. Efallai rŵan fod modd trafod go iawn, ac mae hynny'n cynnwys gwleidyddion Bae Caerdydd sy'n byw mor bell o gefn gwlad mewn mwy nag un ffordd.

Mae'n debyg mai'r hyn y bydd pobol yn ei gofio am glwy'r traed a'r genau 2001 yng Nghymru ydi'r nifer o ddigwyddiadau cenedlaethol sydd wedi eu canslo – arwydd arall o'r risg o gario'r clwy o le i le oherwydd y pellteroedd newydd yr ydan ni'n eu teithio ar draws gwlad yn ein ceir.

Fydd yna ddim Eisteddfod yr Urdd eleni, er bod rhai'n awgrymu bod y trefn-wyr eu hunain yn rhoi ochenaid o ryddhad oherwydd ei bod hi'n golygu y gallan nhw symud eisteddfod Caerdydd ymlaen i 2002, a pheidio cynnal y brif-wyl heb faes yn Theatr Gogledd Cymru, Llandudno, y flwyddyn nesa' wedi'r cwbl.

Mae'r rhan fwyaf o eisteddfodau bychain Cymru, cyngherddau a hyd yn oed ymarferion corau a chyfarfodydd Merched y Wawr wedi eu canslo. Ac wrth i gyfnod paratoi maes y Brifwyl fawr yn Sir Ddinbych agosáu, fe fydd yn rhaid i swyddogion yr Eisteddfod Genedlaethol wneud penderfyniad i fynd ymlaen neu beidio, a hynny'n reit handi.

Dim sioeau amaethyddol ac os bydd yna Sioe Fawr yn Llanelwedd ym mis Gorffennaf, fydd yna ddim anifeiliaid yno; ac mae'n annhebygol y bydd Gŵyl Lyfrau'r Gelli Gandryll yn cael ei chynnal gyda dau o achosion o'r clwy' yn y dre. Dim sôn am Ŵyl y Cnapan a Sesiwn Fawr Dolgellau eto – y ddwy ŵyl yn denu torf ac yn cynnig caeau gwersylla i'w mynychwyr.

Mae dau ddigwyddiad mawr ar ôl – yr Etholiad Cyffredinol a'r Cyfrifiad. Mae'r Prif Weinidog, Tony Blair, yn gyndyn o symud dyddiad y cynta' o Fai 3, a docs neb fel petaen nhw'n gwrando ar alwad Plaid Cymru Annibynnol i symud y Cyfrifiad o Ebrill 29 – Cyfrifiad na fydd yn rhoi cynnig i ni nodi ein cenedlig-rwydd mewn blwch tic, beth bynnag.

O neuaddau pentre' i dyrrau Millbank – pwy ddywedodd nad ydi cefn gwlad yn cael effaith arnon ni.

Sbectol

128

Cyfres o lythyrau dychanol rhwng person hanesyddol a pherson cyfoes

BEIRNIADAETH EMYR PRICE

Anfonodd pum ymgeisydd eu gwaith i'r gystadleuaeth hon a chynigiaf ychydig sylwadau ar bob ymgais.

Yr Ucheldirwr: Llythyrau rhwng David Lloyd George a Bill Clinton yw'r gyfres hon. Dyma ddau o wleidyddion enwog gyda'u galluoedd a'u ffaeleddau. Mae'r llythyrau'n ddifyr iawn a'r dychan yn llifo trwyddynt. Ceir rhai camgymeriadau gramadegol ac ambell frycheuyn hanesyddol yma ac acw ond, drwyddi draw, mae'r sylwadau'n finiog a dychanol yn enwedig lle mae hanes merchetol y ddau yn codi. Hefyd, mae gallu'r awdur i ddangos sut y mae gwleidyddion yn gallu siarad mewn damhegion deublyg yn gelfydd iawn. Dyma ymdrech ragorol sy'n deilwng o gryn ganmoliaeth.

Hen Gawr: Dyma gyfres o lythyrau rhwng y 'Great Redeemer', Graham Henry, a'r Cymro na chafodd ei benodi'n hyfforddwr tîm rygbi Cymru, Carwyn James. Mae'r gyfres o lythyrau'n troi o gwmpas anghysonderau tîm rygbi Cymru dros y flwyddyn ddiwethaf ac ymgom am daith y Llewod i Awstralia yn yr haf dan reolaeth Graham Henry. Mae yma rai pwyntiau difyr ond dydy'r elfen ddychanol ddim yn dod i'r amlwg yn y llythyrau hyn.

Gethin: Tarodd y cystadleuydd hwn ar syniad gwych gyda photensial i ddefnyddio dychan mewn cyfres o lythyrau rhwng Rhodri Morgan ac Owain Glyndŵr. Ond nifer fechan o lythyrau sydd yma a dydy'r sylwadau dychanol ddim yn taro deuddeg er y ceir ambell gyfeiriad felly. Ar y cyfan, anghyflawn yw'r gyfres hon o lythyrau.

Penlan: Braslun o fywyd a gwaith John Edward Parry, Y.H., 1798-1875, a geir gan y cystadleuydd hwn, ffigur cwbl anadnabyddus i mi – un a fu'n gweithio yn y Tŷ Brenhinol ac wedyn yn asiant i stad Ormsby Gore yn Nhalsarnau, Meirionnydd. Llythyrau a geir yma rhwng Parry a pherson o'r enw Siân. Mae'r llythyrau wedi eu saernïo'n ofalus a chymariaethau difyr rhwng cyfnod y ddau berson ond mae'r cyfan rywsut yn ddiffygiol mewn dychan ac mae unrhyw wrthdaro a allai fod wedi bod rhwng y ddau yn methu argyhoeddi, er bod ôl ymchwil fanwl ar y gwaith.

Tai'r Waun: Cyflwynwyd cyfres ardderchog o lythyrau rhwng Tony Blair ac Aneirin Bevan a chyd-daro amlwg rhwng llythyrau'r hen Lafurwr a'r Llafurwr Newydd a hynny wedi ei ganolbwyntio ar nifer o dopigau dadleuol a chyfoes. Mae'r llythyrau wedi eu llunio'n ddifyr, doniol a dychanol er bod ambell wall hanesyddol yma a thraw. Mae nodyn dadleuol ar y diwedd pryd y mae Bevan yn sgwennu at Ieuan Wyn Jones yn gofyn a fyddai ef a'i blaid yn mabwysiadu polisïau Bevan. Sgersli bilif y byddai Bevan yn troi at Blaid Cymru ond y mae'r casgliad hwn yn deilwng iawn o safbwynt gofynion y gystadleuaeth hon

O drwch blewyn rhoddaf y wobr i *Tai'r Waun* ac mae'n rhaid dweud bod *Yr Ucheldirwr* yn ail clòs iawn.

Y Gyfres o Lythyrau Dychanol rhwng person hanesyddol a pherson cyfoes

Annwyl Gymrawd Tony Blair,

Gair byr i ddymuno'n dda i ti am ymgyrch dda yn yr Etholiad Cyffredinol sy'n dyfod. Rwy'n siŵr y cei di'r cyfle i gyflwyno rhaglen wir sosialaidd i'r wlad wedi'r fuddugoliaeth.

Yn gywir,

Bevan

*   *   *

Camp David
Chwefror 25ain, 2001

F'anwylaf frawd, Ernest,

Hyfryd oedd derbyn llythyr o ddymuniadau da oddi wrth un a enillodd ei le yn hanes ein gwlad. Fe weli di i'r swyddfa yn Llundain anfon dy lythyr ymlaen ataf yma yn America, lle'r wyf yn ymweld am y tro cyntaf â'r Arlywydd George W̲. Bush.

Y mae cof da amdanat yn aros yn ein gwlad. Nid pob un sy'n gallu dweud ei fod wedi esgyn i swydd yr Ysgrifennydd Tramor. Gyda llaw, cyflwyna fy nghyfarchion i Herbert Morrison, os gwnei di. Rwy'n siŵr y byddwch yn cadw llygaid ar eich gilydd o hyd, hyd yn oed os nad ydych yn cymuno gyda'ch gilydd ryw lawer y tu draw i'r llen. Os oeddit yn credu dy fod yn cael trafferth gyda Herbert yn dy gyfnod di, yr un fath ydyw arnaf i'n awr gyda'i ŵyr druan o, Peter Mandelson. Wrth gwrs, nid yw hynny ddim o'i gymharu â'r drafferth a gefais gyda Rhodri. Yr oedd Alun bach druan yn llawer mwy teyrngar ac yn ceisio'i orau i ddod â'm dymuniadau i rym. Bai Ron Davies yw'r cyfan. Oni bai am ei bum munud o wallgofrwydd ar Gomin Clapham . . . Y Cymro gorau yn fy llywodraeth yw Peter Hain.

Paid â gofidio. Y mae breuddwydion y wlad yn ddiogel yn nwylo Llafur Newydd.

Yn gywir,

Tony

*   *   *

Annwyl Gymrawd Tony,

Ni ddisgwyliais ymateb mor brydlon, os o gwbl. Trueni i ti gredu mai Ernest Bevin oedd wedi anfon y cyfarchion atat. Nid ti yw'r cyntaf i wneud y fath gamsyniad. Bwli mawr adain dde ein plaid oedd ef. Ceidwad cydwybod y chwith oeddwn i.

Gan i ti roi cyfle i mi ysgrifennu eto, a ga' i bwysleisio'r angen i gynnwys mesurau a fydd o gymorth i ddosbarthiadau difreintiedig ein gwlad yn rhaglen ddeddfwriaeth dy lywodraeth newydd – pan ddaw'r dydd? Os wyt am alw ar rai o'm syniadau, cynhwyswyd f'athroniaeth yn y llyfr a gyhoeddais ym 1952 dan y teitl, *Yn Lle Ofn*. Nid ydyw mewn print bellach ond rwy'n siŵr y bydd copi ar gael yn llyfrgell pencadlys y Blaid Lafur. A oes lle yno i lyfrgell bellach? Clywais fod y lle yn llawn o gyfrifiaduron. Syndod oedd i mi sylweddoli mai am chwe swllt (yr hen arian) yn unig y gwerthwyd y llyfr hwnnw.

Wrth gwrs, y mae'n bwysig i ti ystyried barn aelodau cyffredin y Blaid Lafur wrth drefnu dy raglen. Sut mae'r Gynhadledd Flynyddol y dyddiau yma? Yr oeddwn wastad yn pwyso'n fawr ar farn aelodau'r Cyngor Crefftau a Llafur yng Nglyn Ebwy – Undebwyr i'r carn, ac yn deyrngar iawn i holl weithgarwch ein Plaid cyn cynnig unrhyw bolisi cenedlaethol. Rwy'n siŵr y bydd camau o'r fath o fantais i ti o hyd.

Yn frawdol,

Nye

O.N. Nid wy'n credu bod Ernest yn gwerthfawrogi'r cyfeiriad a wnest at Morrison. Yr oedd gwg ofnadwy ar ei wyneb pan ddaeth â'r llythyr ataf i.

* * *

Chequers
Mawrth 1af, 2001

Cyfarchion brawdol i ti, Nye,

Nid fy mai i oedd y camgymeriad yn yr ateb a gam-gyfeiriwyd at Ernest Bevin. Yr ydwyf mor brysur yn teithio'r byd y dyddiau yma, prin y mae gennyf amser i osod llofnod ar lythyr, heb sôn am ysgrifennu yr un ohonynt. Fe fydd yn rhaid i mi sefydlu ymchwiliad swyddogol i geisio dod o hyd i'r troseddwr. Gorchymyn ateb yn unig a wnes i.

Am y pwyntiau eraill yn dy lythyr, y mae gennyf offerynnau newydd sy'n fy ngalluogi i ganfod barn y werin ar unrhyw bwnc. Grwpiau ffocws ydynt, cannoedd ohonynt, a phob un ohonynt â'r gallu ganddynt i oleuo ein llwybrau. Os ydi'r un ohonynt yn tisian, rydym yn cymryd sylw. Nid oes angen annwyd ar yr un ohonom.

Y mae'r Gynhadledd Genedlaethol wedi newid bellach. Gŵyl ydyw yn awr i ddathlu llwyddiant ein llywodraeth ac i ddangos yr ochr orau i'r cyfryngau. Nid oes yno le i gwympo mas mwyach.

Er mwyn sicrhau bod y cyhoedd yn ein gweld ni ar ein gorau, yr ydym wedi penodi ymgynghorwyr arbennig i weithio ymhob gweinyddiaeth drwy'r llywodraeth gyfan. 'Troellwyr' yw'r llysenw cyffredin arnynt. Trueni i rai ohonynt dynnu ychydig o warth am ein pennau. Wrth gwrs, mae Whelan a Draper yn ennill cyflogau llawer uwch ym myd darlledu erbyn hyn.

Cofion gorau,

Tony

O.N. Rwy'n talu gwrogaeth i ti o flaen dy gerflun yn Stryd y Frenhines yng Nghaerdydd bob tro yr wyf yn y ddinas honno. Gyda llaw, cyfarchion arbennig i ti ar Ddydd Gŵyl Ddewi. Peter Hain a ddaeth i mewn i'm gweld ac yr oedd yn gwisgo cenhinen Pedr. Hwnnw oedd yn f'atgoffa am y dyddiad nodweddiadol. Clywais fod Ffion wedi gorchymyn i Hague wisgo un hefyd! Nid oedd y fath reidrwydd arnaf i. Nid yw Cymru'n cyfrif gymaint â hynny i mi.

*   *   *

Mawrth 7fed, 2001

Annwyl Gymrawd,

Diolch am dy lythyr, os yw diolch yn addas dan yr amgylchiadau. Yr wyf yn dechrau magu amheuon. Ai sosialydd ydwyt ti?

Paid â hidio am grwpiau ffocws. Cer i ymgynghori â Michael Foot neu Tony Benn. Dynion o wir brofiad a gwasanaeth ydynt i'r mudiad yr ydym ni'n dau yn ei garu, rhai y gelli di ddibynnu ar eu gweledigaeth. Buaswn hefyd wedi awgrymu enw aelod cyffredin yr oeddwn yn ei edmygu'n fawr yn f'amser, Lance Rogers, Asiant y Glowyr yng Nghwm Rhymni. Dyna i ti ddyn o argyhoeddiadau. Fe aeth trwy gyfyngder o'r eithaf pan oedd yn filwr gyda'r Frigâd Ryngwladol yn gwrthwynebu'r diawl Franco yn Sbaen ym 1936. Bu'n frwd dros ei gydweithwyr ar hyd ei oes, yn Gynghorwr Sir ac yn weithgar yn y mudiad Llafur. Trueni iddo gael ei guro fel ymgeisydd i ddilyn Harold Finch yn Bedwellty gan y cochyn Kinnock, neu buasai wedi gwneud aelod seneddol ardderchog. Mewn geiriau eraill, halen y ddaear. Ar farn dynion felly y dylit ti bwyso. Gwaetha'r modd, fe ddaeth Lance atom ni, o'i waith i'w wobr o Ferthyr Tudful dim ond ddoe.

A ga' i dy rybuddio am un peth arall sy'n codi o brofiad. Ym 1951, fe enillodd Llafur fwy o bleidleisiau na'r Torïaid heb lwyddo i ennill tymor arall fel llywodraeth. Y drafferth oedd i Lafur ennill seddau â mwyafrifoedd mawr yn eu seddau yng Nghymru ac yng ngogledd Lloegr, ond mwyafrif o seddau sy'n cyfrif, fel y cofi di'n dda ers 1997. Er hynny, paid â chefnu ar dy gefnogwyr selog. Hebddynt hwy, ni fydd gennyt weithwyr yn y winllan fawr. Dilynwyr dros dro yn unig yw pleidleiswyr Hove a Kettering. Gofala am seddau fel Merthyr a Blaenau Gwent rhag ofn i Blaid Cymru eu dwgyd o dan dy drwyn. 'Nac anghofiwch Islwyn' y dylai'r arwyddair fod.

Yn yr anialwch gwleidyddol yr oeddwn pan ysgrifennais *Yn Lle Ofn*. Ni chefais y fraint o wasanaethu mewn llywodraeth wedi hynny, canys yn yr anialwch yr oeddem tan 1964. Ymadewais â'r fuchedd ddaearol ym 1960. Dywed rhai a ddaeth yma yn y blynyddoedd diweddar fod dyddiau anialwch 1979-1997 yn waeth. Gwylia, gwylia rhag colli dy ddilynwyr sclog.

Pob rhwyddineb brawdol,

Nye

O. N. Gwelais dy fod yn ysgrifennu o Belfast. Bydd yn ofalus gydag Iwerddon a'r Gwyddelod. Fy nghyngor yw: cadw draw. Edrych ar y drafferth a gafodd Gladstone. Y mae Martin McGuiness a Bairbre de Bruin wedi llithro i mewn i swyddi Gweinidogion er iddynt fod yn ffrindiau mawr â'r llofruddion gwaethaf. Hynny heb i'r un dryll gael ei ddinistrio. Paid â chynnig popeth er mwyn ennill heddwch o ryw fath a gweld y cyfan yn diflannu fel rhithlun o dy flaen. Cofia'r hyn a ddigwyddodd i Michael Collins pan ddaeth i gyfamod â Lloyd George. Cafodd ei saethu fel bradwr gan ei bobl ei hun ac fe aeth y cyfan yn yfflon racs.

*　　　*　　　*

10 Downing Street
Mawrth l2fed 2001

Annwyl Gymrawd,

Nodyn ar frys yw hwn. Mae gennyf argyfwng arall i ofalu amdano, sef clwyf y traed a'r genau. Nid wyf am i hwn i fy ngorfodi i ohirio dyddiad yr etholiad.

Paid â sôn am Foot a Benn – dynion ddoe ydynt hwy. Foot yn arwain ei Blaid i'r golled fwyaf erioed ac i anobaith anialwch yr anetholadwy. Wyt ti cofio'r gôt dwp honno ar Sul y Cofio. Nid oedd neb yn ei ystyried o ddifrif fel Prif Weinidog wedi hynny. Am y llall, y Gwir Anrhydeddus Tony Benn, Is-Iarll Stansgate gynt, Anthony Wedgewood Benn cyn hynny. Newidiodd ei steil yn fwriadol er mwyn rhoi'r argraff ei fod yn un o'r werin. Tony ydwyf i wedi bod ar hyd fy oes. Talp o hunangyfiawnder sychdduwiol eithafol ydyw, heb unrhyw deyrngarwch i'w Arweinydd. Fe gafodd Jim Callaghan ddigon o drafferth ag ef. Nid oes ganddo unrhyw ymddiriedaeth mewn arweinydd. Beth fuasai wedi digwydd pe buasai wedi maeddu Dennis Healey i fod yn Is-Arweinydd y Blaid Lafur, ys gwn i? Tra gwahanol fyddai ei agwedd at ddisgyblaeth, siŵr o fod.

133

Nid yw'r enw Lance Rogers yn golygu dim i mi. Yr unig Rogers o Gymro a gofiaf oedd hwnnw yn y Rhondda. Trychineb arall, yn ildio'i sedd i'r boi Davies hwnnw o Blaid Cymru. Na, Nye, nid yn nhri degau'r ganrif ddiwethaf yr ydym yn byw. Rydym mewn mileniwm newydd. Llafur <u>Newydd</u> sy'n rheoli.

Os ydwyf am farn cefnogwyr cyffredin, rwy'n rhoi galwad ffôn i Bernie Eccleston neu David Sainsbury neu Ken Follett. Mae'n fantais hefyd mai pobl gefnog ydynt, sy'n barod i gyfrannu'n hael i'r mudiad. Mae angen miliynau arnom bellach. Mae'n rhaid i ni wynebu gwirioneddau cyfoes.

Un arall y mae gennyf amser iddo yw Keith Vaz. Mae ganddo ef ffrindiau cefnog hefyd, y brodyr Hinduja. Rhaid sicrhau ein henillion i'r dyfodol. Mae dyddiau ceiniog yr wythnos gan bob aelod wedi'u claddu am dragwyddoldeb.

Yn gywir,

Tony Blair

(arwyddwyd gan ei lefarydd swyddogol, Alastair Campbell, yn absenoldeb y Prif Weinidog sydd wedi dychwelyd i Belfast)

O. N. Mae Rhodri yn ufudd iawn bellach gan ei fod yn sylweddoli mai gan Gordon y mae'r arian i gyd.

* * *

Mawrth 15fed, 2001

Annwyl Ieuan Wyn Jones,

A ydwyt am unrhyw help i ffurfio rhaglen sosialaidd ar gyfer yr Etholiad Cyffredinol? Ti yw'r unig un a fedr fabwysiadu fy syniadau bellach.

Yn gywir,

Aneurin Bevan

Tai'r Waun

Cyfres o ymsonau yn seiliedig ar brofiadau personol

BEIRNIADAETH MARIAN ROBERTS

Mae ymson yn ffurf lenyddol sydd wedi goroesi canrifoedd o lenydda ac efallai i'w gweld ar ei gorau yn nramâu Shakespeare. Cyfrwng dramatig ydi ymson sy'n caniatáu i gymeriad siarad yn uniongyrchol â'i gynulleidfa gan roi iddi fewnwelediad i'w feddyliau cudd. Mae'n fodd i'r gynulleidfa ddysgu mwy am y cymeriad wrth iddo ymresymu gyda'i hunan – ei gymhelliad, ei deimladau, ei benderfyniadau a'i ymateb i sefyllfaoedd arbennig. Gall ymson fod yn fyfyriol, yn llawn nwyd a hwyl, yn adlewyrchu meddwl cyflym bwriadus, yn anhrefnus ar adegau ac, ar brydiau, yn annelwig. Dyna felly oedd rhai o'r prif nodweddion yr oeddwn yn chwilio amdanynt.

Daeth pedair ymgais i law a hoffwn ddiolch iddynt am gyflwyniadau graenus ar y cyfan.

Gretel: Cyflwynodd gyfres o chwech o ymsonau o dan y teitlau 'Nofio', 'Lonc-ian', 'Talu Teyrnged', 'Hôm', 'Taith' a 'Dianc'. Traddodir yr ymsonau mewn amrywiol lefydd a than wahanol amgylchiadau, gan gynnig y dwys, y doniol a'r difyr wrth iddi ymateb i sefyllfaoedd, agweddau ar ei bywyd ac i'w hamgylchiadau personol. Hoffais y modd anhrawiadol sydd gan yr awdur o wneud sylw ar agweddau cymdeithasol megis diboblogi, mewnfudo, ac ati. 'Nofio' ydi'r ymson gyntaf yn y gyfres a heb fod mor gynnil â'r gweddill ond, yn sicr, mae'r pum ymson sy'n dilyn yn gafael ac fe fydd 'Hôm', yn enwedig, yn aros yn hir yn y cof.

R. R. Hughes: Yma eto ceir cyfres o chwech o ymsonau gyda'r teitlau 'Yno o Hyd', 'Newid', 'Colli Awen . . . Colli Barddas', 'Arwr Colleen', 'Odli – A Mwy' a 'Y Ffordd Ymlaen (Yn Ôl?)'. Mae'r awdur yn cofnodi ei ymateb, yn dilyn ymweliad â'r Wladfa, i newid yn sgil marw a geni, i iaith y cyfryngau, i ymweliad ag Iwerddon, i'r grefft o farddoni ac i uno'r enwadau. Er mor ddiddorol y deunydd, teimlaf mai cytres o ysgrifau 'meddyliol' a geir yma – awdur ar ei focs sebon. Ni lwyddodd i greu awyrgylch 'crwn' ymson a'm denu i wrando yn hytrach na darllen.

Pant y Briallu: Un ymson mewn cyfres o gameos myfyriol a geir gan yr awdur yma. Y Bon-Bon, sef dysgl wydr, ydi gwrthrych yr ymson – anrheg i'r cymeriad gan Nain Defis (nid Nain-go-wir) pan oedd tua wyth neu naw mlwydd oed. Mae'r cymeriad yn dathlu pen-blwydd yn ei hen ddyddiau ac yn estyn y ddysgl er mwyn hel llwch cyn ei pharti. Mae'r ddysgl yn torri'n ddarnau a'r weithred yn esgor ar gyfres o ymsonau atgofiannol, myfyrgar. Llwydda i greu awyrgylch myfyriol, cynnes a theimladwy a chefais gryn foddhad o'u darllen.

Sam: Mae *Sam* yn cyflwyno cyfres o ymsonau o dan y teitlau 'Colli Brawd', 'Hunan

Fodlonrwydd', 'Gwewyr Ynad', 'Mewn Ward Ysbyty' a 'Samariad Trugarog yr M4'. Mae'r ymsonau'n cyfleu ei deimladau ar ôl colli brawd, ei ymateb i ambell sefyllfa yn ystod ei yrfa fel athro ac fel Ynad Heddwch a phan oedd yn glaf yn yr ysbyty ac wedi iddo dorri i lawr ar yr M4 ryw dro. Mae tair o'r ymsonau'n gorffen gyda cherdd. Er i mi gael blas ar gynnwys gwaith *Sam*, teimlaf ei fod yn fwy o 'sylwebaeth' – pregethwrol ar adegau – yn hytrach nag ymsonau a oedd yn llifo o'i feddwl ac ni lwyddodd i greu'r teimlad a'r nwyd y chwiliwn amdano.

Ar ôl pob darlleniad, dychwelwn at waith *Gretel* – medrwn ymdeimlo â llif yr ymwybod a chlywn dinc teimladau yn fy nghlust ac am fy mod yn clywed ei llais yn dweud yr hyn yr oeddwn yn ei ddarllen, mae'n bleser gennyf ddyfarnu'r wobr i *Gretel*.

Y Gyfres o Ymsonau

[Gan fod y gyfres fuddugol – y chwe ymson – yn cynnwys dros ddeng mil o eiriau, nid oes modd cynnwys ond un ymson yn y gyfrol hon. – Golygydd.]

HÔM

Mae'r tawelwch ar ôl twrw'r miri yn byddaru mwy arna i. Dw i hyd yn oed yn ymwybodol o dwrw tician yr hen gloc mawr yn y lolfa 'ma – yr unig gelficyn a werth sy 'ma – a'r taro trymllyd sefydlog yn tincian yn nhwll fy nghlust.

Fel'na roedd hi yn nhŷ Nain ar ddydd Sul ers talwm, ar ôl i 'Nhaid farw, rhwng Ysgol Sul a Chapel Nos. Roeddwn i'n casáu'r tician yr adeg honno hefyd. Mae'r un sŵn yn cyfleu'r un teimlad i mi heddiw. Rhyw hen deimlad o wacter! Rhyw ddarfodedigaeth! Y teimlad hwnnw mai'r cloc yn unig oedd yn symud ac amser yn aros yn llonydd.

Gorfodaeth arnaf fi a fy chwaer bryd hynny oedd cadw cwmni i Nain bob yn ail penwythnos. Roedd hi'n unig heb Taid, medda Mam. Rydw inna'n unig heno, Mam! Ninnau'n ysu am gael rhyddid y pentref i chwarae efo'r plant eraill. Yn hytrach, rhaid oedd bodloni ar chwarae '*gêms*' efo Nain – *Ludo* a *Snakes and Ladders*! Mi f'aswn yn rhoi unrhyw beth i gael Nain wrth f'ochr i rŵan i ysgwyd y deis allan o'r ecob cyw iâr.

Roedd Nain yn hen ond eto'n cael byw yn ei chynefin ar ei haelwyd gysurus a ninnau i gyd fel teulu'n edrych ar ei hôl. Minnau, heb gyrraedd canol oed eto, yn gaeth mewn carchar anffodusion gwallgof. Maen 'nhw' wedi gallu mynd a 'ngadael i yma i lafoerio am yr hyn a fu. Roedd hi'n ddigon hawdd iddynt gyrraedd yma â blodau ac anrhegion lond eu hafflau. Ond sut y gallent ffarwelio'n waglaw? Doedd bosib nad oedd lle i mi rhwng eu cesail, bob yn fraich? Wnes i weld deigryn yn eu llygaid heddiw? Do, dw i'n meddwl! Roedd 'na ryw gochni anghyfarwydd yn llygaid Twm a rhyw fantell lwyd yn gorchuddio'i rhosynnau gwelw hi.

Fe symuda i'n nes at y ffenest i gael mwy o oleuni i ddarllen y cardiau pen-blwydd, fel y gwnâi Nain ers talwm i roi edau yn y nodwydd i frodio 'sanau neu i roi darn o glwt dros dyllau ym mhenna' gliniau'r trywsus melfaréd.

Ai niwl yn fy llygaid, cymylau amser, ynteu'r gwyll yn fantell bygddu sy'n gorchuddio'r goleuni a'r olygfa? Dw i ddim yn siŵr. Ta waeth! Does yma ddim byd i'w weld, beth bynnag, ond concrid noeth a gardd las heb flodyn. Mae'n chwith gen i ar ôl yr ehangder a'r môr gerllaw, ac ambell smotyn du'n hwylio tua'r Ynys Werdd. Ond mae 'fory heb ei gyffwrdd. Bydd gen i drwy'r dydd yfory, ac yfory wedyn, i ddarllen a byseddu'r cardiau, a thrwy'r nos i ffroeni perarogl y blodau wrth ochr fy ngwely, a thrwy'r dydd a'r nos i ofyn pam.

O leia', mae 'na amrywiaeth o bobl yma'n cyd-fyw efo mi – er na fyddaf yn cymdeithasu llawer â nhw. Mae yma *loonies, alcoholics,* bresych wedi gwywo dan straen byw a bodoli. Mae yma rai wedi ceisio hunanladdiad. Y rhain yw fy nghwmni i, Nain bach. Ond does yma neb i chwarae gêm o *Ludo* na *Snakes and Ladders.*

Diolch, yntê, nad ydw i yn ddim un o'r rhain. Os felly, be' ydw i'n da yma? Be' wnes i i haeddu cael fy lluchio'n un sypyn gwan i gornel gaeth, a rhyw hen nyrs fawr gre' neu feddyg tywyll ei groen yn gwthio pin i 'ngwythiennau bron yn ddyddiol. 'Taswn i'n gwybod 'mod i am landio ar fy nhin yn yr 'institiwt' neu'r seilam yma, mi f'aswn wedi cymryd poteliad gyfan o dabledi cysgu a'u golchi i lawr efo llond gwydr peint o *gin.* Mi f'asan nhw'n cael galaru wedyn a cholli deigryn go iawn ar f'ôl i, a rhoi blodau i harddu'r fynwent ar fy llechen las, a finna'n hedfan uwch eu pennau yn fy Ynys Afallon fy hun. 'Tasa pawb o'm cwmpas wedi marw, buasai'n haws dygymod â'r hiraeth. Roedd geiriau Mam yn wir – fod hiraeth am y byw yn waeth na hiraeth am y meirw.

Dw i ddim yn deall yn iawn eto pam na fedra i weld nam ar fy nghorff a dydw i ddim yn teimlo'n sâl. Ond, fel y clywais i un o'r meddygon yn 'i ddeud, mai gwaeledd meddwl – beth bynnag ydi hwnnw – neu iselder ysbryd, sydd i gyfri am gyflwr f'ymennydd. Naci! Naci! Doctor. Gwrandewch arna i, bendith y Tad i chi! Does 'na neb yn gwrando ar f'ochr i o'r stori. Sut yn y byd oedd disgwyl i mi ddygymod felly â'r colledion o 'nghwmpas i. Pawb o'r teulu'n gwywo ac yn pegio, yn darfod fesul un, flwyddyn ar ôl blwyddyn, a'r baich i gyd yn syrthio arna i! Finna'n mynd i'r capel ar y Sul, yn byw mor agos i'm lle ag y gallwn, yn gweddïo ac yn credu, a Hwnnw'n fy nghosbi a gwrthod ateb fy nghri, a finna, o ganlyniad, yn creu ryw Ystafell Gynddylan dywyll i mi fy hun ac yn methu chwydu'r galar, a'r cynrhon y tu mewn i mi'n cnoi pob rhithyn o ffydd fu gen i.

Pam na wnân nhw wrando arna i a chysidro f'oed? Ydyn nhw wedi clywed erioed am y *change* a'r menopôs, a'r effaith yr oedd hwnnw'n 'i gael arna i ynghlwm â'r galar? Y menopôs felltith 'ma ydi'r drwg yn y caws. Hwnnw roddodd y *tin-hat* ar bopeth. Fy hormonau'n darfod gweithio a'r gwaed wedyn yn berwi drosodd o'r corff i'r ymennydd ac yn creu poen annioddefol y tu ôl i'm llygaid, yna'n ffrwydro fel Feswfiws nes fy mod i'n gorfod cnocio 'mhen yn erbyn y pared yn nhywyllwch nos, a chwsg ymhell o'm hamrannau.

Dw i'n dechrau sylweddoli rŵan, ar yr adegau hyn, 'mod i wedi bod yn gas efo pawb ac, yn waeth na dim, yn gas efo Mererid fach a Twm – yn dwyn gwarth arnyn nhw drwy ddianc allan yng nghanol nos, ar noson ola' leuad. Ond chwilio am yr awyr iach yr oeddwn i ac yn disgwyl i'r gwynt chwythu'r gofidiau oddi arnaf.

Rwy'n gwrido rŵan wrth gofio am y gwin coch un p'nawn braf a phelydrau haul Mehefin yn dawnsio'n hapus ar frig y tonnau, yn fy hudo i'r car i fynd i lan y môr. Diwrnod olaf arholiadau Lefel A Mererid – diwrnod a ddylai fod wedi bod yn un hapus iddi hi, ac i minnau. Yn lle hynny, fe droais i'r diwrnod â'i ben i waered iddi hi. Ei droi'n hunllef. Duw â'm gwaredo! 'Wna i fyth faddau i mi fy hun. Dw i'n methu maddau am nad oes gennyf ffydd mwyach. Dim ffydd ynof fy hun, heb sôn am ffydd yn Nuw, a'r diffyg ffydd yma sy'n dramgwydd i mi ac yn atal fy siawns o gael mynd adre.

Dw i bron â drysu yn yr hen lolfa dywyll 'ma ddydd ar ôl dydd. Dw isio mynd adre. Mae'r hiraeth amdanynt bron â fy nychu. Dw i bron iawn â'm rhoi fy hun yng nghategori'r bobl 'hunanladdiad'. Mae amser, gobeithio, wedi aros yn llonydd er mwyn i mi gael cydio eto yn y llestri budr a adewais yn y sinc heb eu golchi. Do, fe'u gadewais er mwyn cael cydio yn y botel win – llymeitian hwnnw a dianc wedyn yn y car i lan y môr . . .

Os ydw i'n cofio'n iawn, 'fûm i ddim gartref wedyn. Cefais fy nhywys i'r 'sbyty dan ofal y goleuadau glas. Dw i'n cofio'r gwaed coch ar darmac du'r lôn bost, a theulu o ymwelwyr – nain a thaid, efallai, mam a thad, a phlant bach – yn gyrff o dan blanced wen o 'sgyrion gwydrau.

Meddyginiaeth y seiciatrydd yn fy helpu i gofio. Fy nwyn yn ôl i'r amser ar y cloc mawr er mwyn wynebu'r dyfodol – os oes 'na un! Os dw i'n gallu ymresymu heno fel hyn â mi fy hun, caf ei ailadrodd eto 'fory wrth y doctor, a'i argyhoeddi 'mod i wedi chwalu'r gofid a'r galar wrth luchio'r deis o'r ecob cyw iâr unwaith eto.

Hir yw pob ymaros. Ond fe ddaw. Daw, fe ddaw yr awr. Dw i'n cyfri ticiadau'r cloc rŵan, ac yn gweld y bysedd yn symud . . . tic . . . toc . . . tic . . . toc. 'Fory, 'falla, fe'u clywaf nhw eto, yn dinc pleserus ar fy nghlust ac yn taro'r awr y caf 'dorri fy maglau, a chael fy nhraed yn gwbl rydd.'

Gretel

138

Casgliad o bytiau yn ymwneud â llysenwau i lenwi bylchau mewn papur bro

BEIRNIADAETH RHIANNON PARRY

O weld testun y gystadleuaeth hon, ofnwn na fyddai llawer yn cystadlu, a hynny'n syml am mai arferiad yn perthyn i gymdeithas glòs yw llysenwau. Pan oeddwn yn blentyn ym Môn, adwaenid pawb bron wrth lysenw. Daeth y mewn-lifiad i'r ardal honno fel i'r ardal yr wyf yn byw ynddi heddiw ym Mro Aled. Edwinodd y gymdeithas, yr iaith, y diwylliant a'r arferion.

Mae'n debyg mai'r sefydliadau lle mae'r gymdeithas fwyaf clòs heddiw yw'r ysgolion. Mae plant yn hynod o sydyn i fathu llysenwau ar athrawon, a'r llysenwau hynny yn rhai addas bob gafael – Annie Oxfam, Robin Llanast, Pari Pync, Bald Eagle, Pop-eye, Nasti Nesta, Hipi, Cowboi. Hawdd yw rhestru, ond beth am eu tarddiad? Dyna ddiben y gystadleuaeth hon.

O dderbyn gwaith gan bedwar cystadleuydd, edrychais ymlaen at gael fy niddori â phytiau difyr a doniol a fyddai'n sionci colofn sych mewn papur bro. Ni chefais fy siomi. Cafwyd gwaith glân a graenus gan *Ar y Ffin, Bachan, Moi* a *Bragadocia*. Tebyg o ran arddull yw cynnyrch y tri ymgeisydd cyntaf, sef cyfres o straeon yn amlinellu tarddiad amrywiol lysenwau. Mae'r dweud yn dda a, heb os, byddai cyhoeddi casgliad o waith y tri yn gaffaeliad i olygyddion y papurau bro. Perthyn iddynt hiwmor, adnabyddiaeth cymeriad a chynildeb.

Mae gwaith *Bragadocia* yn gwbl wahanol o ran cynllun a chyflwyniad. Tra bo'r tri ymgeisydd a enwir uchod yn bodloni ar gyflwyno pum tudalen, ceir bron i gant gan *Bragadocia*, a'r gwaith cyfan wedi'i gysodi'n ddiddorol a deniadol. Mae'n cynnwys ffotograffau a graffeg perthnasol i ddenu llygad y darllenydd. Gwnaeth waith ymchwil manwl, a oedd yn tynnu ar waith llenorion o gyfnod *Cymru* 1892 hyd y presennol, gan gydnabod pob ffynhonnell, sy'n cynnwys y gwahanol bapurau bro y bu'n pori ynddynt am darddiad a hanes sawl llysenw. Mae'r gwaith yn rhyfeddol o raenus ac yn esiampl o'r safon y dylid ymgyrraedd ati. Dosbarthodd y llysenwau o dan wahanol benawdau ac yna dosrannodd hwy ar gyfer gwahanol bapurau bro. Hwyrach nad oedd angen hynny; mae'n debyg bod y cyfan a gyflwynwyd yn addas i bob papur. Teimlais ar adegau, hefyd, fod y byrfoddau a ddefnyddiodd braidd yn feichus. Wedi dweud hynny, mae *Bragadocia* yn llwyr deilyngu'r wobr, gyda chanmoliaeth uchel i'r tri ymgeisydd arall.

Cystadleuaeth i'r rhai sydd wedi byw yn y Wladfa ar hyd eu hoes ac yn dal i fyw yn Ariannin. Sgwrs ar dâp, oddeutu 20 munud o ran hyd, gyda rhywun dros 80 oed. Dylid dechrau gyda gair o gefndir er mwyn rhoi'r sgwrs yn ei chyd-destun

---

BEIRNIADAETH GRUFF AC EIFIONA ROBERTS

Braint arbennig i ni fu cael ein dewis i feirniadu cystadleuaeth y Wladfa eleni a phleser digymar fu cael eistedd a gwrando ar saith o dapiau. Cafwyd ymateb boddhaol iawn mewn cystadleuaeth wirioneddol newydd a phwysig. Mor hyfryd fu clywed lleisiau annwyl a chyfarwydd yn cael eu rhoi ar gof a chadw ar gyfer y dyfodol a phob un ohonynt yn perthyn i bobl sydd dros eu pedwar ugain oed. Mae safon eu hiaith mor bur a chroyw, fel y gŵyr pob un sy'n ymweld â'r Wladfa. Rhyfeddwn at gof pob un o'r saith y buom yn gwrando arnynt ac er ein bod yn gyfarwydd â sawl un o'r storïau erbyn hyn, bu'n bleser cael eu clywed unwaith eto. Fe roddwyd tuag ugain munud i bob sgwrs yn y gystadleuaeth yma ac fe gadwodd y saith at y rheolau'n bur dda. Wedi'r cyfan, pwy sy'n amseru ymgom? 'Dan ni'n dau yn hoff iawn o'r term Sbaeneg *'mas o menos'*! Fe ofynnwyd am air o gefndir i ddechrau er mwyn rhoi'r sgwrs yn ei chyd-destun. Cafwyd saith rhagymadrodd o wahanol safonau! Mae'n rhaid dweud gair am y tapiau cyn sôn am eu cynnwys. Ar y cyfan, doedd eglurder y sain ac ansawdd y sŵn ddim yn rhy dda. Ni wyddom p'un ai bai'r tâp ynteu'r peiriant recordio oedd hynny. Mae'r gystadleuaeth yma'n gofyn am dechneg sydd heb fod yn gyfarwydd iawn eto, efallai, a'r adnoddau angenrheidiol heb fod ar gael gan y cystadleuwyr. Prysurwn i ychwanegu na fu i hynny ddylanwadu ar y feirniadaeth. Credwn y dylid gosod cystadleuaeth debyg eto a rhoi mwy o gyfle i gyfeillion y Wladfa roi inni'r pleser o glywed eu lleisiau.

Patagonia: Fe gafwyd cyflwyniad braidd yn fyr gan yr ymgeisydd yma. Wrth wrando ar ddechrau'r sgwrs, fe gaem y teimlad mai darllen sgript wedi ei pharatoi yr oedd ac, o achos hynny, roedd yr ymgom braidd yn anystwyth. Roedd tueddiad bach i'r siaradwyr dorri ar draws ei gilydd hefyd. Roedd y lleisiau'n glir ac eglur, er gwaetha'r tâp! Cynhwysai'r pynciau hanes teuluol ar y fferm, y capel, y 'Band of Hope', nyrsio yn y brifddinas ac wedyn yn Comodoro. Deuai'r sgwrs yn ystwythach wrth iddi fynd yn ei blaen. Tua'r diwedd, cafwyd tipyn o hanes a chefndir y Wladfa – cyffyrddiad diddorol. Ymgais dda, gyda diweddglo eitha pendant.

Brodores: Rhoddodd ragymadrodd pendant a derbyniol iawn inni. Roedd dechrau'r sgwrs braidd yn herciog – oherwydd nad oedd yn gyfarwydd â'r peiriant recordio, reit siŵr. Wedi hynny, cawsom sgwrs gytbwys, naturiol a chynnes iawn rhwng dwy wraig o Esquel. Trafodaeth ar letya gweinidogion yn yr Andes a gaed, pan oedd y rheini'n mynd draw o Gymru am gyfnodau 'slawer dydd. Fe enwir amryw ohonynt. Bu un yn aros am bum mlynedd yng nghartref A.E.!

Mae haelioni a chroeso'r Wladfa i'w hymwelwyr yn cael ei amlygu'n gryf iawn a hynny heb fod yn orchestol o gwbl. Daethpwyd â'r sgwrs i ben yn naturiol a hamddenol ac mae'r ymgais hon yn uchel yn y gystadleuaeth.

Aderyn y Nos: Hoffem y rhagymadrodd yn fawr iawn – cyflwyniad gan ddysgwraig a'r dinc Sbaenaidd yn ddeniadol dros ben. Dyma'r rhagarweiniad gorau yn y gystadleuaeth. Holi am atgofion bore oes a geir a'r holwraig yn arwain y sgwrs yn ddeheuig iawn. Cawn ddarluniau o fywyd cefn gwlad, y capel, y diwylliant, y direidi, y moesau da a'r gwerthoedd gwerth chweil a geid ymysg trigolion y Dyffryn. Roedd y diweddglo'n naturiol a phendant a'r holwraig yn cloi'r sgwrs yn arbennig o dda. Teimlwyd bod llawer o gynhesrwydd yn treiddio drwodd. Llongyfarchwn yr unig ddysgwraig yn y gystadleuaeth ar ei pherfformiad.

Sara: Cawsom gyflwyniad hanesyddol ar y tâp hwn a hanes manwl bywyd R. J. Berwyn, sef taid (a hen daid?) y pâr sy'n sgwrsio. Trueni iddynt gadw draw o'r meicroffon – roedd llais y naill yn glir a chryf ond doedd y llall ddim yn dod drosodd cystal. Roedd y rhagymadrodd braidd yn fyr a heb y pendantrwydd y buasem wedi ei hoffi. Roedd gwybodaeth F. G. yn anhygoel a'i gof am fanylion bywyd R. J. Berwyn yn wirioneddol wych. Ni chafodd *Sara* ran flaenllaw yn y sgwrs hon – dim ond rhyw gwestiwn yma ac acw i ysgogi'r siaradwr. Yn sgîl hanes Berwyn, fe godwyd y llen ar amryw o agweddau ar fywyd cynnar y Wladfa. Hoffem fod wedi cael diweddglo mwy teilwng. Roedd hon yn ymdrech dda, serch hynny, a'r tâp o werth mawr yn hanesyddol.

Ymgais: Cafwyd cyflwyniad arbennig o dda a phendant. Gosodwyd y sefyllfa'n glir gan roi cefndir boddhaol iawn i'r gwrandäwr. Cynhwysai'r sgwrs hanes teulu A.T., eu bywyd a'u harferion, achlysuron arbennig yn yr ardal, yr Ysgol Sul, mannau lle bu A.T. yn gweithio a natur ei gwaith, ei diddordebau a'i hymroddiad wrth ddarparu plant a phobl ifanc yr ardal at yr eisteddfodau lleol. Bu'r holwraig yn fywiog iawn drwyddi draw, yn tynnu'n dda ar ei chydymaith ac yn holi ei barn, gan greu digon o gynnwys i sgwrs naturiol ei gwead. Bu yma gynllunio ymlaen llaw, mae'n amlwg. Roedd y sgwrs yn dirwyn i ben yn daclus a phendant iawn.

Y hi a fi: Cafwyd cyflwyniad clir a chroyw dros ben gan y '*fi*' yn y bartneriaeth hon. Cyflwynwyd sgwrs naturiol, gyda chydbwysedd da. Hanes teuluol a gaed, gyda manylion diddorol iawn am redeg eu ffatri gaws. Mae yma baentio darlun o ddiffeithdra'r paith a'r ymdrechion a fu i 'godi daear las ar wyneb anial dir'. Cawsom yr ychydig hiwmor ac ysgafnder yma a thraw yn dderbyniol, yn ogystal â'r cyffyrddiadau bach hiraethus, fel U.L. yn sôn am iwnifform yr Urdd pan oedd hi a'i chyfoedion mewn rhyw orymdaith – sgerti gwyrdd a blowsys gwynion. Adroddwyd hanes diddorol am groesi'r paith i'r Andes a hanes yr Ysgol Ganolraddol enwog gynt. Teimlwyd bod yr ambell gyffyrddiad barddonol yn creu naws. Trawyd ar ddiweddglo hyfryd – adroddiad o soned Irma i'r Hydref.

Aldana: Braidd yn fyr a swta oedd y rhagymadrodd ac ansawdd y lleisiau'n wael ar y dechrau, gyda'r holwraig a'i chydymaith wedi recordio braidd ymhell oddi wrth y meicroffon. Ni chafwyd cydbwysedd rhwng y ddau berson yn sgwrsio. Wedi dweud hynny, fe gafwyd gwybodaeth ddiddorol tu hwnt a'r cyfan yn byrlymu o'r dechrau i'r diwedd – anhygoel! Hanes teulu F. O. yn nyddiau cynnar y dalaith a gafwyd, gyda chof arbennig yn cael ei amlygu am bethau personol yn ogystal â'r hyn a drosglwyddwyd iddo gan ei fam. Daeth y sgwrs i ben yn sydyn braidd, fodd bynnag – ei thorri yn ei blas, fel petai, bron heb rybudd. Byddai cloi gyda gair byr gan yr holwraig wedi bod o fudd yma. Roedd yn ymgais dda iawn.

Dyna ni wedi rhoi ein barn, yn fyr, ar bob un o'r saith tâp ac wedi crybwyll y rhagoriaethau yn ogystal â'r gwendidau. Gobeithiwn na fydd neb yn digio – ni fwriadwyd bod yn galed ar unrhyw un. Diolchwn i bawb am eu hymdrechion ac am roi o'u hamser i'r gystadleuaeth yma. Llongyfarchiadau i bawb a *muchas gracias*. Daeth yn amser cloriannu ac nid gwaith hawdd fu hynny. Ar ôl pwyso a mesur, fodd bynnag, dyfarnwn fel a ganlyn: yn gydradd gyntaf ac yn cael £60 yr un, *Y hi a fi* ac *Ymgais*. Rhoddwn yr ail wobr o £40 i *Brodores*, a'r drydedd wobr yn cael ei rhannu'n gyfartal, £20 yr un, rhwng *Aderyn y Nos* a *Sara*, gyda chanmoliaeth uchel i'r ddwy sgwrs arall.

ADRAN COMISIYNU YR EISTEDDFOD

Nofel i blant hŷn wedi'i gosod mewn coleg, gwersyll gwyliau neu ysbyty

BEIRNIADAETH MEINIR PIERCE JONES

Mae hon yn gystadleuaeth bwysig oherwydd mae gwir angen awduron ysbrydoledig ar gyfer yr oed yma, sef plant neu bobl ifanc rhwng tua 11 ac 14 oed – llawer ohonynt wedi rhoi'r gorau i ddarllen Cymraeg, gwaetha'r modd, heblaw am ddarllen gorfodol fel rhan o'u cwrs addysg. A chyda chymaint o ddeniadau eraill i fynd â'u bryd – yn chwaraeon, ffilmiau a rhaglenni teledu, gemau Sega a Playstation a mwy – maen nhw'n gynulleidfa soffistigedig, anodd ei phlesio ond pwysig iawn i'w hennill os ydym am gadw'r Gymraeg yn iaith fyw ar dafod a dalen.

Calondid, felly, oedd cael bod pedwar wedi cystadlu. Dyma rai sylwadau byr am bob un ohonynt yn nhrefn teilyngdod.

Elmaro: 'Un Rhyfedd yw Honno'. Ceir yma chwe phennod a chrynodeb o weddill y nofel. Nofel yw hi am ferch yn ei harddegau sy'n cael ei hanfon i ffwrdd gan ei rhieni i wersyll gwyliau am wythnos oherwydd bod problemau gartref. Adroddir hanes y ferch yn eithaf sensitif ac mae'r stori'n darllen yn ddigon rhwydd ond dylid bod wedi cymryd mwy o ofal i greu awyrgylch a chanolbwyntio ar y cymeriadu. Mae'r penodau'n tueddu i fod yn fyr gan roi argraff stacato braidd a byddai angen gwneud cryn dipyn o waith i droi hon yn nofel gyfoes, dda ar gyfer yr arddegau. Ydi'r awdur wedi darllen *Llinyn Trôns*?

Dic Sion Dafydd: 'gwersyll iaith.com'. Ymdrechodd yr awdur hwn, a llwyddo, i greu cefndir diddorol a gwahanol ac mae ganddo ddawn i ysgrifennu'n hwyliog a bywiog, er gwaetha'r mân frychau iaith sy'n frech drwy'r gwaith. Hoffais ei syniadau gwahanol, e.e., rhaglennu'r plant a rhoi un ddawn arbennig i bob un ohonynt. Ond teimlwn fod saernïaeth y gwaith yn ddiffygiol; dylai'r awdur fod wedi cynllunio adeiladwaith ei benodau (dim ond dau baragraff sydd yn ambell un ohonynt), a'r nofel yn ei chyflawnder, yn drylwyrach o lawer. Er hynny, y mae yma addewid. Hoffwn gynghori *Dic Sion Dafydd* i ddarllen tomennydd o nofelau ar gyfer yr oed yma, yn Gymraeg a Saesneg, er mwyn cael blas ar eu patrwm, eu hieithwedd, eu hyd, ac ati.

Erch: 'Bwli'. Dyddiadur coleg llanc tuag ugain oed a geir yma ac mae'r darlun o fywyd coleg a geir ganddo – yn ei holl fanylion am seshys, secs (ei air o!), darlithoedd a thraethodau a'r gwmnïaeth mewn neuadd breswyl – yn gwbl argyhoeddiadol. At hynny, y mae *Erch* yn sgwennwr campus a chanddo iaith gyfoethog a dawn ddisgrifio nodedig (mae'r disgrifiad ohono'n ceisio llnau'r chwd o'i sinc yn ei stafell ar dudalen 19 yn un a fydd yn glynu'n anghynnes yn y cof). Rwy'n credu bod yr awdur wedi methu datblygu rhai posibiliadau cyffrous

143

a phwysig yn y stori, a fyddai wedi cryfhau'r gwaith yn ei grynswth, yn arbennig ymateb Dylan i helyntion priodasol ei rieni, ei ymateb i Adam, ei hanner brawd, a hefyd i'w gyflwr meddygol ei hun. Ond yna gellid dadlau mai mater o farn yw hynny. Un peth sy'n sicr, er cystal y deunydd a'r ysgrifennu'n arbennig, nid yw *Bwli*'n addas i'w chyhoeddi ar gyfer yr arddegau cynnar, er y byddai'n siŵr o blesio darllenwyr hŷn.

Eslyn: 'Y Neges'. Cafwyd tair pennod gyntaf nofel o'r enw 'Cronicl Efa', sef y gyntaf o gyfres o bedwar cronicl, Cronicl Bleddyn, Cronicl Llywela a Cronicl Carwyn, pob un ohonynt wedi'i adrodd yn y person cyntaf gan un aelod o'r criw o bedwar sy'n brif gymeriadau yn y storïau. Cynigir crynodebau byr o gynnwys y tri chronicl hyn yn ogystal, ynghyd â brasluniau o'r cymeriadau a chefndir y gwaith yn ei gyfanrwydd. Mae'r nofel dan sylw wedi'i gosod yn 2021 mewn math o goleg o'r enw Labordy ar lannau'r Fenai dan arweiniad y dewin Dariws, ac yn adrodd am un o helyntion y criw yn eu brwydr barhaus yn erbyn y grymoedd drwg, sef Draco a'r Llabwstiaid, y Diafoliaid a'r Epaod. Mae gan *Eslyn* ddawn lenyddol ddiamheuol ac yn y penodau cyntaf y mae Efa yn llwyddo i greu awyrgylch, i argyhoeddi ac i ddenu'r darllenydd i'r byd rhyfeddol y mae'n trigo ynddo – sydd rywle rhwng y paranormal a byd ffantasi a chwedl! Nid wyf yn teimlo bod y gwaith yn gwbl orffenedig yn ei ffurf bresennol er yr holl gyfoeth manylion ac ymchwil – gwneir gorddefnydd o ddeialog ar brydiau nes tarfu ar lif y naratif ac mae angen gwneud mwy o waith ar y plotiau – ond, heb os nac oni bai, y mae *Eslyn* wedi cyflwyno trysor i'r gystadleuaeth hon eleni. Dyma waith sy'n llwyr haeddu ei gefnogi a'i gyhoeddi – y deunydd mwyaf egnïol a chynhyrfus i mi ei ddarllen ar gyfer yr oed hwn ers hydoedd yn y Gymraeg. A does dim dadl pwy biau'r wobr a'r comisiwn.

Llyfr ffeithiol diddorol yn portreadu trosedd neu drychineb enwog a ddigwyddodd yn yr hanner canrif ddiwethaf

BEIRNIADAETH GWYN LLEWELYN

Hawdd iawn y gallai dwy lythyren fod wedi golygu teilyngdod yn y gystadleuaeth hon. Pe bai'r gofyn am 'drosedd(au) neu drychineb(au)', yna gellid yn deg ddisgwyl bod deng mil o eiriau dechreuol yn ernes o gyfrol weddol swmpus. Yn wir, mae'r gofyn yn ddiamwys: 'Dylai'r gyfrol orffenedig fod tua 30,000-40,000 o eiriau'. Do, fe gafwyd gan yr unig ddau gystadleuydd oddeutu deng mil o eiriau, ynghyd ag amlinelliad – eto yn ôl y gofyn – o drywydd yr hanesyn o hynny ymlaen. Yn y man, byddaf yn esbonio pam mai hynny fu'r maen tramgwydd yn y gystadleuaeth hon.

Gan gadw mewn cof yr hyn a ofynnwyd amdano, lled-obeithiwn gael fy nghyflwyno i droseddau neu drychinebau na chlywswn erioed amdanynt o'r blaen. Wedi'r cwbl, gallai'r trosedd neu'r drychineb fod wedi digwydd yn unrhyw ran o'r byd a does bosib nad oedd rhyw ddirgelyn anhysbys na fyddai'n ddifyr dod i wybod mwy amdano. Ond mae'n rhaid dod yn ôl eto at ofynion y gystadleuaeth sy'n nodi bod yn rhaid i'r llyfr gofnodi hanes digwyddiad 'enwog'. Fel rheol, nid yw yn fy natur i fod mor ddeddfol ond, y tro hwn, o ran tegwch, bu'n rhaid glynu'n haearnaidd wrth y rheolau wrth farnu'r ddwy ymdrech a ddaeth i law.

Jac y Gors: Cawn hanes trychineb yr awyren 'Tudor V' a ddaeth i lawr yn Llandow ym Mro Morgannwg ar Fawrth 12, 1950, gan ladd pedwar ugain o gefnogwyr rygbi Cymreig ar eu ffordd adref o Iwerddon. Rydym wedi arfer bellach â newyddion am ddamweiniau i awyrennau yn achosi marwolaeth cannoedd o deithwyr ond hon, ar y pryd, oedd y ddamwain waethaf erioed i awyren sifil. Mae'n anodd dirnad arwyddocâd ffaith fel hon heddiw a hefyd effaith y fath drychineb ar gymdeithas Gymreig pan nad oedd hedfan ond yn rhan o brofiad ychydig iawn o bobl. Gellir casglu mai perthyn i'r un cyfnod y mae *Jac y Gors* ei hun gan ei fod yr un mor gartrefol yn sôn am 'long awyr' ag ydyw am 'awyren'. Cryfheir y teimlad hwnnw pan ddyfynna dyst sy'n 'cyrraedd yr alanastr . . . yn dost a gwelw fy ngwedd'. Eir yn ofalus i gefndir a hanes y ddamwain ar ôl rhagymadrodd rhy faith sy'n darllen yn debycach i ddechrau hunangofiant llanc o Gwmafan. Yn wir, byddai'n hawdd credu mai ar y trywydd hwnnw y dechreuodd yr awdur yn y lle cyntaf. Er bod yma ôl pori dyfal am fanylion y ddamwain, ni lwyddir i greu unrhyw gyffro a syrthir i'r fagl o fod yn gatalogaidd drwy gynnwys rhestrau a chofnodion undonog.

Y Tân Cymreig: Mae stori'r awdur hwn ('Dŵr a thân a thwyll') yn llai adnabyddus ac, ar yr olwg gyntaf, yn llai gafaelgar o gryn dipyn. Caiff y cyfan ei grisialu yn y paragraff cyntaf un: 'Dychrynwyd trigolion hen fwrdeistref Cydweli yn gynnar iawn fore dydd Sul 12 Hydref 1980 gan dân enfawr yn dilyn cyfres o ffrwydriadau yn un o ffatrïoedd y dref. Tân, nid un yn unig a ddinistriodd yr adeilad . . . ond a fu'n achos i gau yr holl waith am byth gan adael 13 o bobl leol yn ddi-waith. Tân hefyd, y gwelwyd o'r cychwyn cyntaf, oedd wedi ei gynnau'n fwriadol'. Mae dull uniongyrchol yr awdur o ddweud ei stori yn gweddu ac, mewn dim o dro, hawdd ymgolli ym manylion yr ymchwiliad sy'n dilyn – nid annhebyg i ymdriniaeth tudalennau 'Insight' y *Sunday Times* pan eir ati i roi croen am asgwrn ambell bennawd bras o'r tudalennau newyddion. Yn wir, mae lle i feirniadu gor-fanylder y stori wrth i'r awdur hwn sugno o ffynonellau sydd yn ymddangos, i bob golwg, yn ddihysbydd. A yw o dragwyddol bwys, er enghraifft, mai 'pedair rhoden ar ddeg o *bright hard drawn low carbon mild steel wire* 2.64 milimedr o drwch a deg troedfedd o hyd' a ddaeth i'r fei ger yr adeilad a losgwyd yn union wedi'r tân. Byddai hepgor y fath fanylyn, a manylion eraill cyffelyb, hefyd yn osgoi'r demtasiwn i lusgo'r iaith fain i mewn i'r gwaith. Mae meistrolaeth *Y Tân Cymreig* ar ei destun yn gyflawn ond, eto i gyd, nid yw wedi taro deuddeg.

Yn ymdrechion y naill awdur fel y llall, mae dau wendid sylfaenol sy'n f'arwain at y sefyllfa anfoddhaol o orfod atal y wobr. Wedi defnyddio deng mil o eiriau ar gyflwyno talp helaeth iawn o ddwy stori dra gwahanol i'w gilydd, beth, mewn difri', fyddai dros ben ar gyfer gweddill y llyfrau? Nid am erthygl y gofynnwyd ond am gyfrol gyfan. Nid yw'n ymddangos y byddai'r hyn a nodir yn y crynodeb o'r hyn sydd i ddod yn cyflawni hynny. Ni sonnir ychwaith am unrhyw fwriad i gynnwys lluniau – byddai lluniau'n hanfodol mewn llyfrau o'r fath ac fe ddylid bod wedi anfon enghreifftiau gyda'r llawysgrifau. Ond, er na allaf ddyfarnu gwobr, ni ddylai'r naill awdur na'r llall ddigalonni. Gallai *Y Tân Cymreig*, yn arbennig, gwblhau'r hanesyn am y tân yn Unity Tools a mynd ati rhag blaen i chwilio am destunau eraill gyda'r bwriad o lunio casgliad a gâi dderbyniad, rwy'n siŵr, fel cyfrol swmpus, afaelgar. Mae gan yr awdur hwn ddawn a hefyd, 'synnwn i damaid, y defnydd angenrheidiol.

ADRAN DRAMA

CYFANSODDI

Drama hir agored, o leiaf awr a hanner o hyd, *neu* **Cyfres o ddramâu** ag iddynt gysylltiad, heb fod yn llai nag awr a hanner o hyd

---

BEIRNIADAETH ALUN FFRED A TIM BAKER

Gallech gymharu cyfansoddi drama hir â'r her o redeg marathon. Ni ddylid ei mentro heb ymarfer trylwyr, mae'n sicr o fod yn boenus, ac mae cyrraedd y llinell derfyn yn gamp ynddi ei hun, heb ystyried yr amser. Felly, dylid llongyfarch y pedwar dramodydd sydd wedi mentro eleni ar redeg yr yrfa er bod rhai mewn gwell cyflwr nag eraill ar y terfyn.

Gwaetha'r modd, yn y casgliad o ddramâu a dderbyniwyd eleni, maent, i raddau helaeth, yn dilyn yr un llwybrau ac yn ymweld â'r un mannau lle bu nifer o ddramodwyr Cymraeg eisoes. Chwilio yr oeddem am lais a thirwedd newydd.

Gyda llaw, a dim ond fel sylw y nodir hyn, byddai'n hwylusach darllen y dramâu pe bai'r copïau wedi eu styffylu mewn rhyw fodd fel y gallem eu darllen fel sgript. Nid yw cael dalennau rhydd yn llithro i'r llawr yn gwella tymer darllenydd. Yn rhy aml, fe gyflwynwyd y gwaith mewn ffordd flêr sy'n peri dryswch i'r darllenydd (e.e., diffyg gwahaniaethu rhwng deialog a chyfarwyddiadau llwyfan, rhwng lleoliadau a gwahanol amseroedd).

Clysgafn: 'Unwaith Eto yng Nghymru Annwyl'. Stori – un gyfarwydd, efallai – am athro o Gymru yn Llundain sy'n dyheu am gael dychwelyd i'w hen gwm yn y De. Ond 'chafodd o erioed gyfle ac mae'n magu teulu yn y ddinas fawr er bod ei wraig wedi dysgu Cymraeg. Daw ar restr fer am swydd yn ei gwm genedigol trwy ystryw cynghorydd lleol ond mae'n wynebu dau ymgeisydd sydd â dylanwad teuluol cryf. Caiff y freuddwyd ei chwalu o gyfeiriad annisgwyl ond mae ef yn penderfynu aros gartref tra dychwel ei deulu dros bont Hafren. Mae'r awdur yn amlwg yn teimlo i'r byw dros ei arwr ac mae'r dafodiaith yn llifo'n rhwydd ond mae strwythur y ddrama yn wan fel drama lwyfan. Mae'r lleoliadau amrywiol, sy'n cynnwys car, yn gwanio'r effaith ac mae'r cymeriadau'n un dimensiwn. Mae'r ddrama hefyd braidd yn fyr. Er bod gan yr awdur dân yn ei fol dros y pwnc, sef y cyfyng gyngor sy'n deillio pan osodir cariad tuag at 'wlad' yn erbyn cariad at 'deulu', mae'r diffiniad o 'wlad' a 'theulu', gwaetha'r modd, braidd yn ystrydebol. Does dim amau didwylledd yr awdur ond mae angen mwy o ymarfer.

Twm: 'Hafoty'. Ofnwn mai hanner marathon yn unig y mae *Twm* wedi ei rhedeg gan nad yw 'Hafoty' (sydd, mewn gwirionedd, yn ddwy ddrama fer gysylltiol), yn debyg o bara awr gyfan. Ac, o fod yn fwy beirniadol, mae angen i *Twm* ailddarllen ei sgript i gael gwared â'r camdeipio a'r brychau iaith sy'n llawer rhy niferus. Ond, a bod yn deg, mae ymgais yma i ganfod thema a rhoi ffurf ar y cyfanwaith. Digwydd yr act gyntaf mewn bwthyn adeg gwrthryfel Glyndŵr. Daw dau o'i filwyr (ar wahân) i geisio lloches yn y bwthyn. Mae un wedi cael llond bol ar y rhyfel a'r llall yn llawn tân o hyd. Yna, daw dwy chwaer sy'n trigo yn y bwthyn, adref ac, ar ôl dadlau am ryfel a chariad, cydsynia'r merched, a hynny'n hynod ddi-lol, i fynd i garu efo'r hogia' – er mwyn Glyndŵr! Digwydd yr ail act yn yr un bwthyn sydd bellach yn dŷ haf yn 2001. Daw dau gwpwl i aros a cheir trafodaethau am wleidyddiaeth Cymru, Glyndŵr, rhywioldeb, rhyddid, ac ati. Yn y diwedd, mae'r merched yn 'hawlio' eu rhyddid personol ac yn cytuno i gyfnewid partneriaid. A chwarae teg, dydi'r dynion y tro hwn ddim yn cwyno ryw lawer. Mae'r syniad o osod dau gyfnod hanesyddol yn erbyn ei gilydd fel bod un yn ddrych o'r llall yn un cyfoethog mewn egwyddor ond dylid gweithio'r eironi anacronistig ar y gynulleidfa gyda llawer mwy o ddyfeisgarwch. Ar hyn o bryd, mae'r ddwy ran yn ymddangos fel dwy stori ar wahân.

Morán: 'Dyndotcom'. Drama sy'n fwy mentrus o ran ei llwyfannu, yn ymwneud â bywydau brawd (hoyw) a chwaer (alcoholig) a chwpwl priod sydd mewn perthynas dreisiol. Mae un cymeriad arall, hen ŵr sy'n rhyw fath o sylwebydd sinigaidd ar y cwbl. Deunydd digon addawol felly. Mae'r pedwarawd canolog yn hen ffrindiau ac yn ystod y ddrama cawn gipolwg o dro i dro ar y pedwar yn gwneud ymarferion byrfyfyr ar y ddrama 'Antigone' a pharodrwydd Antigone i'w haberthu ei hun a'i charwriaeth er mwyn ei brawd. Mae *Morán* yn sicr wedi meddwl yn ddwys cyn bwrw iddi ac mae'r ddeialog (ar wahân i ambell *faux pas*) yn lân ac yn gyfoes addas i'r cymeriadau. Golwg dywyll iawn sydd gan *Morán* ar y ddynoliaeth yn ôl tystiolaeth y ddrama hon ac un cwestiwn sy'n codi yw beth yn union yw perthnasedd y ddrama Roegaidd i'r stori gyfoes? Fedrwn ni, beth bynnag, ddim gweld ym mha ffordd y mae'r hen chwedl honno yn creu eco yn y sefyllfa gyfoes. Prif gymeriad 'Dyndotcom' yw Kel, boi annymunol sy'n casáu pawb arall ac yn difetha unrhyw obaith o wir hapusrwydd yn y rhai o'i gwmpas. Dydyn ni ddim yn siŵr pam y dylai dramodydd wahodd cynulleidfa i dreulio awr a hanner yng nghwmni'r fath gymeriad diflas. Ateb y dramodydd, mae'n debyg, fyddai mai ei weledigaeth ef/hi yw fod y drwg yn 'sglyfaethu'r da yn y byd hwn a bod ganddo/i hawl i ddangos hynny. Digon teg, ond mae rhaid cynnal y gynulleidfa ar y ffordd. Mae'n amlwg bod gan yr awdur glust dda am ddeialog ac yn deall yn iawn sut i gymeriadu. Mae'r ddeialog yn fywiog, ac yn finiog hefyd, ac mae ieithwedd y cymeriadau yn hollol gredadwy – ond nid yw hynny'n ddigon ynddo'i hun i gynnal drama hir. Mae yma ddiffyg 'plot' ac yn ei le, gwaetha'r modd, ceir gormod o ryngdorri o un sefyllfa i'r llall, yn hytrach na datblygiad storïol digonol. Fodd bynnag, mae yma ddawn ysgrifennu dramatig amlwg, dawn y dylid ei meithrin a'i datblygu. 'Daliwch ati' yn bendant ydi'r farn a'r cyngor, gan geisio darganfod meysydd cyfoethocach i'r cymeriadau a'r ddeialog fedrus fodoli ynddynt.

Lli Awst: 'Pedro'. Ar un ystyr, dyma ymgeisydd mwyaf uchelgeisiol y gystadleu-aeth. Sbaen ydi'r lleoliad ac mae'r digwydd wedi'i leoli mewn dau gyfnod. Cawn Sel a Mari, a Deio ac Awen, dau gwpwl priod, ar eu gwyliau, a dilynwn hynt a helynt eu tensiynau teuluol. Dilynwn, hefyd, ddau Gymro sydd wedi ymuno â'r Gweriniaethwyr yn Rhyfel Cartref Sbaen yn 1937 a'r milwr ffasgaidd o'r Eidal a ddaliwyd ganddynt. Mae un o'r ddau, sef Tom, yn dad i Sel a deallwn mai creadur go dawel oedd Tom wedi iddo ddychwelyd o'r rhyfel ac na ŵyr Sel fawr ddim amdano. Yr unig gyswllt yw copi mewn ffotograff o lun gan Goya o ddau ddyn yn ymladd â phastynau. Y ddyfais sy'n cysylltu'r ddau gyfnod yw Sel sy'n 'ymddangos' fel cymeriad yn y golygfeydd o'r gorffennol. Pan ddaw'n ôl i'r presennol at ei wraig a'i ffrindiau, mae'n disgrifio'r 'freuddwyd' a gafodd. Os ydym wedi 'deall' y ddrama, mae'r thema yn adlais o linellau Waldo Williams: 'Pa werth na thry yn wawd/Pan laddo dyn ei frawd'. Er gwaetha strwythuro trwsgl, mae uchelgais yr awdur yn ganmoladwy ac mae'r chwarae gyda chron-oleg a lleoliad yn ddyfais theatrig bur. Fe'n hatgoffawyd gyda phleser o ddrama *Plenty* gan David Hare, lle mae'r dramodydd yn ymweld â'r presennol a'r gorffennol ar yr un pryd, a'r ddau 'fyd' yn cyfathrebu â'i gilydd mewn ffordd sy'n hollol theatrig. Ar hyn o bryd, ni chredwn fod y ddrama hon, fel mae'n sefyll, yn deilwng o'r wobr ond, wedi dweud hynny, mae'n ddigon posib, gyda mwy o waith datblygu ar y sgript, y byddai'n addas i'w pherfformio gan gwmni proffesiynol yn y dyfodol.

Gan gydnabod caledwaith yr awduron, a oes un neu ragor o'r dramâu wedi datblygu digon i'w hystyried ar gyfer eu llwyfannu? Byddai rhywun yn disgwyl drafft(iau) pellach, wrth reswm, ond er bod *Pedro* a *Morán* yn agos ati, 'fedrwn ni ddim cymeradwyo'r wobr y tro hwn. Fodd bynnag, mae'n bwysig bod yr awduron yn dal ati ac yn manteisio ar sefydliadau megis Sgript Cymru i wella a datblygu eu crefft. Mae gwir angen sgrifenwyr ar y theatr Gymraeg.

Drama fer agored, 30-40 munud o hyd

BEIRNIADAETH ALUN FFRED

Daeth naw gwaith i law, pum drama, tair comedi ac un sy'n pendilio rhwng y ddau gywair. Mae'n dda cael dweud bod gan bob ymgais ei rhinweddau a bod ôl meddwl a pharatoi arnynt i gyd. Mae beirniadaeth unigol ar gael i bob un ac felly dyma rai sylwadau cyffredinol.

Hei-Sws: 'Pictiwr Meic Stevens'. Syniad gwreiddiol am dafarn yn y de-orllewin lle mae murlun (nas gwelwn), a baentiwyd yn y chwe degau gan Meic Stevens, yn cael ei wyngalchu'n fwriadol ychydig ddyddiau cyn i'r canwr ddod yn ôl i ganu. Mae yma ymdrech i drin syniadau am rywun sy'n byw ar ramant y gorffennol ond 'dyw strwythur y stori ddim yn ddigon cryf i gynnal y cyfanwaith ac mae'r cymeriadau'n gorfod chwydu teimladau heb reswm digonol. Ac eto, mae gan yr awdur rywbeth i'w ddweud. O ran yr iaith, byddwn yn awgrymu iddo astudio deialog dramâu James Jones i weld sut mae cyfleu tafodiaith mewn print.

Y Glorian: 'Nes Y'ch Profir Chi'n Euog'. Cwest sydd yma yn dilyn marwolaeth/ hunanladdiad Deian Lloyd Evans, athro mewn ysgol uwchradd, wedi iddo gael ei gyhuddo o ymosod yn rhywiol ar ferch ysgol. Y cwestiwn sy'n cael ei ofyn yn y ddrama yw a yw pawb a gyhuddir yn ddieuog yng ngolwg y gyfraith nes profir fel arall? Fel dyfais, mae'r cwest yn ddigon effeithiol ond credaf fod angen i'r awdur ystyried nifer o bethau cyn y gellid ei llwyfannu. Wrth roi tystiolaeth, mae'r tystion yn camu allan o'r cwest i gyfres o olygfeydd *flashbacks*. Dw i'n ofni mai torri ar y tensiwn a llif y chwarae y byddai'r rhain, er mai mater o farn ydi hynny. Yn fwy sylfaenol, dw i'n credu bod cael y ferch yn tystio mor gynnar yn yr achos, ac yn datgelu'r gwir, yn tanseilio gweddill y ddrama. Yn olaf, mae'r ddau dyst proffesiynol, sef y ditectif a'r brifathrawes, mor unochrog a dideimlad fel nad oes unrhyw elfen o ansicrwydd na drama i brocio ymateb yn y gynulleidfa. Mewn drama, mae'n farwol i'r awdur gael ei weld yn ochri gydag un safbwynt yn ormodol.

Hen Ryfelwr Arall: 'Rhyfelwyr'. Sefyllfa addawol iawn. 1969 ydi'r flwyddyn ac mae Rob yn dychwelyd adref ar ôl cyfnod yn y carchar am chwythu pibellau dŵr yn yfflon fel rhan o ymgyrch MAC. Nid yw wedi caniatáu i'w deulu ymweld ag ef. Caiff groeso gwresog gan ei fam a'i chwaer ond mae tensiynau difrifol rhyngddo a'i dad, Llew, undebwr triw ond Prydeinllyd. Yn sylfaenol, cyfres o ddadleuon a geir yma rhwng cenedlaetholwr ifanc a dyn sydd wedi dod yn rhan o'r sefydliad i'r fath raddau nes ei fod yn mynd â'i deulu i'r Arwisgo yng Nghaernarfon. Y rhan fwyaf effeithiol yw pan fo'r mab yn holi ei dad am ei ran yn Rhyfel Cartref Sbaen lle bu'n garcharor rhyfel. Ond, fel yn y ddrama flaenorol, mae'r awdur yn amlwg ar ochr y mab ac yn hytrach nag archwilio'r tensiynau o fewn y tad mae'n rhy awyddus i'r delfrydwr ifanc 'ennill' y ddadl. Cadw'r ddysgl yn wastad yw unig ran y fam a'r ferch a does gan yr un ohonynt farn am ddim.

Mae'r tri dramodydd uchod wedi cael gafael ar syniad neu thema ddiddorol ond heb lwyddo i greu dramâu llwyddiannus o'r deunydd crai. Mae'r ymgeiswyr sy'n dilyn yn dangos gwell gafael ar eu crefft er bod y nod yn llai uchelgeisiol weithiau.

Gwyn: 'Cywion Brain'. 'Gwyn y gwêl y frân ei chyw' yw thema'r ddrama. Ceir dwy fam a dau fab, Kevin a Golyddan. Dychan ar agweddau dosbarth sydd yma ac mae'n amlwg bod rhannau o'r ddrama i fod yn ddigrif ac, yn wir, llwydda yn hyn o beth o dro i dro. Ond oherwydd diffyg cysondeb mewn iaith ac ymddygiad, mae'r cyfan fel pe'n syrthio rhwng dwy stôl. Yr hyn sy'n fy mlino fwyaf yw fod dwy ffaith sy'n bwysig i'r cymeriadau, sef bygythiad o drais corfforol yn erbyn Kevin a'i fam a thrais rhywiol (posibl) yn erbyn Golyddan, yn cael eu trin mor ddi-hid. Nid deunydd comedi na dychan mo'r pynciau hyn, ddwedwn i.

Efsgi Dora Dithon: 'Hen Le Blêr'. Comedi hen ffasiwn yw hon pan ddaw nai a nith y diweddar Dewyrth Dwalad, Fferm Hafod Arian, i glywed yr ewyllys. Mae yma gast o *'usual suspects'*: gweinidog pwysig, dysgwraig sy'n camdreiglo, nith uchelgeisiol a'r gŵr ariangar sy'n tueddu i siarad Saesneg, a gwas oedrannus tlawd. 'Sgwn i ba un ohonynt a gaiff yr arian? Ie, dyna chi. Er bod y teipiau braidd yn amrwd ac y byddai mwy o ddigwyddiadau yn help, mae'n gomedi dderbyniol ac yn un y gellid ei llwyfannu'n llwyddiannus gyda chast lleol.

Dinas Ebrwydd: 'Tydi, Myfi, Efe'. Drama wirioneddol ddiddorol sy'n dioddef o ymdriniaeth braidd yn llawdrwm ac ailadroddus. Drama am berthynas gŵr a gwraig wedi ei gosod yn pum degau ydyw. Mae Meurig, trafeiliwr a gŵr duwiol, yn trin ei wraig fel sgifi ac ae hithau'n ymddangos fel pe'n plygu i'r drefn yn ufudd ddiolchgar. Yn yr ail act, daw'r gweinidog i'r tŷ â newydd syfrdanol am farwolaeth y gŵr mewn damwain ac yn yr act olaf, cawn 'sgwrs' rhwng y wraig a'r ymadawedig. 'Wna i ddim datgelu rhagor. Mae yma thema gref a datblygiad cadarn sy'n cael ei ddifetha gan ddau beth yn fy marn i, sef diffyg cynildeb (e.e., wrth wneud y gŵr yn ddyn gormesol) a diffyg datblygiad o fewn y golygfeydd. Mae ôl y foeswers ar y ddrama ond credaf y byddai drafft pellach yn werth yr ymdrech.

Heli: 'Y Dyn yn y Trowsus Gwyn'. Triawd o ferched swyddfa a'r bos y mae'r tair yn glafoerio drosto. Drama ysgafn gyda thro yn y gynffon sy'n llawn dyfeisgarwch o ran y llwyfannu. Mae'r bos yn chwarae nifer o rannau '*hunks*', fel gweinydd, Eidalwr a hyfforddwr ffitrwydd mewn dramodigau o fewn y ddrama. Mae gan yr awdur ddawn i lunio deialog sy'n llifo'n rhwydd a naturiol ond dydw i ddim yn siŵr beth ydi nod y ddrama. Mae'r tair merch yn rhy debyg, y tair isio'r un pethau materol a chnawdol ac mae'r sgwrsio'n rhy debyg i falu awyr yn rhy aml. Dawn yn chwilio am syniad sydd yma.

Down yn awr at ddwy ddrama sydd wedi llwyddo mewn ffyrdd pur wahanol i gyfuno dawn a bwriad.

Meinir: 'Y Briodas'. Comedi draddodiadol ag elfennau ffars iddi a fyddai'n ddifyr iawn i'w llwyfannu. Mae'n noswyl priodas Eleri a'r paratoi'n cyrraedd uchafbwynt. Ceir cast o gymeriadau priodol: mam ffyslyd, priodferch nerfus, tad blin, ac ati, a daw nifer o ddigwyddiadau sy'n tarfu ar y diwrnod mawr. Caiff y priodfab ddamwain (nid un angheuol), â'r gweinidog yn sâl, daw cyn-gariad i ymweld ac mae'r forwyn yn meddwi. Efallai nad oes gwreiddioldeb llachar yn yr uchod ond mae'r awdur yn cymysgu'r cynhwysion yn ddeheuig a thry'r chwrligwgan yn gynt a chynt nes cyrraedd uchafbwynt priodol. Nid yw popeth yn taro deuddeg o ran y plot a'r ysgrifennu ond mae'n ymdrech dda iawn i greu comedi llwyfan.

Catatonic: 'Gwir Baradwys Rhyl?'. Rydym ym myd pobl ifanc gyda *Catatonic*, byd sy'n llawn posibiliadau a gobaith ond byd o chwithdod hefyd. O ran ei naws, mae 'Gwir Baradwys Rhyl?' yn f'atgoffa o 'Last Picture Show' gan Larry McMurtry.

Craidd y ddrama yw dwy olygfa lle mae pump o bobl ifanc ar fore olaf eu harholiadau lefel A ac yna'n dathlu diwedd yr arholiadau yn y Rhyl. O boptu'r rhain, mae dwy olygfa lle mae Beth, un o'r criw, yn siarad ar lan bedd cyfaill iddi flwyddyn yn ddiweddarach. Does dim byd gor-uchelgeisiol yma ond mae'r awdur yn dangos gafael sicr ar gymeriadu a deialog ac mae'n darlunio cellwair, ansicrwydd a chyfeillgarwch criw o ffrindiau ifanc yn wych. Coll Gwynfa go iawn.

Does fawr o bwrpas ceisio gwahaniaethu rhwng y ddwy ddrama gan fod y ddwy'n llwyddo o fewn eu terfynau. Gan fy mod i'n hoff o gomedi ac yn gwybod mor anodd ydi ysgrifennu deunydd digrif, bûm am gyfnod yn pwyso tuag at *Meinir*. Ond wedi ail a thrydydd ddarllen, mae gafael sicr *Catatonic* ar rythmau sgwrs a'r cyfuniad o asbri a chwithdod wedi fy mherswadio i roi'r flaenoriaeth o drwch blewyn iddi/iddo.

Gobeithio yn fawr y llwyfennir y ddwy ddrama yn fuan a llongyfarchiadau iddynt. Dyfarnaf £300 i *Catatonic* a £200 i *Meinir* a diolch i bawb am gystadlu.

Trosi drama i'r Gymraeg. Un o'r canlynol: *The Weir*, Conor McPherson; *The Rise and Fall of Little Voice*, Jim Cartwright; Dwy fonolog gan Alan Bennett, *Playing Sandwiches* a *Waiting for the Telegram*

BEIRNIADAETH GARETH MILES

Rwyf wedi beirniadu nifer o gystadlaethau cyfansoddi a throsi drama yr Eisteddfod Genedlaethol a braf yw gallu dweud mai hon yw'r uchaf ei safon. Haedda pob un o'r cystadleuwyr glod am ymdrech gydwybodol a meistrolaeth uwch na'r cyffredin ar Gymraeg llwyfan.

Ymarfer buddiol i ddramodydd yw cyfieithu un o weithiau'r meistri gan fod gofyn iddo astudio'r ddrama, ei chymeriadau a meddylfryd yr awdur o'r tu mewn. Rhaid iddo ddadelfennu'r ddrama wreiddiol ac wedyn ei chodi o un byd ieithyddol a'i hail-greu mewn un arall.

Dylid cadw'r ddrama yn ei bro enedigol os yw nodweddion diwylliannol, gwleidyddol neu hanesyddol honno'n anhepgorol i'r chwarae ond os yw'r ddwy gymdeithas yn ddigon tebyg, heblaw am y gwahaniaeth ieithyddol, tybiaf mai gwell yw ei haddasu ar gyfer y gynulleidfa newydd trwy newid manion fel enwau priod ac enwau lleoedd.

McDyddgen: Buaswn wedi hoffi gwobrwyo 'Y Gored', trosiad *McDyddgen* o *The Weir*, gan ei bod yn ddrama go-iawn. Er cymaint yr edmygaf fonologau athrylithgar Alan Bennett, sioeau un dyn neu un ddynes ydynt, wedi eu sgrifennu i'w traethu gan 'bennau llafar' i ddiddanu cynulleidfa radio neu deledu. (Mae'n rhaid cydnabod, serch hynny, mai sioe un dyn/un ddynes neu ddau actor yn arthio ar ei gilydd yw'r 'ddrama Gymraeg' gyfoes a hynny, yn fy marn i, oher-wydd y ffordd y cefnogir y ddrama gan Gyngor Celfyddydau Cymru.)

Lleolir 'Y Gored', fel y ddrama wreiddiol, mewn ardal wledig yng ngogledd-orllewin Iwerddon ond Cymraeg Sir Benfro a siaredir gan Jack, Jim, Brendan a Finbar ac mae'n gweddu i'r dim. Merch o Ddulyn yw Valerie ond, yn ieith-yddol, gogleddwraig sy'n byw yng Nghaerdydd ydyw ac mae hynny'n gweithio'n iawn hefyd.

Un rheswm pam na allaf roi'r wobr i *McDyddgen* yw iddo gael ei gamarwain gan naturoliaeth iaith Conor McPherson a cholli golwg ar y farddoniaeth a'r egni sydd ymhlyg yng nghynildeb y ddeialog. Ar adegau, ni chwblhaodd cyfieithiad *McDyddgen* y siwrnai o Carrick i Crymych: e.e., '*Your man* – dy fachan di' (yn lle 'Y bachan'); '*the sisters* – y chwiorydd' (yn lle 'fy 'whiorydd i'); '*Thanks a million*' – 'Mil o ddiolch' (yn lle 'Diolch yn dalpe') a '*sarjant yn y gârds*' yn lle 'sarjant 'da'r polîs'.

Ceir llawer gormod o 'ff*c' a 'ff**io' yn y trosiad hefyd. Fel arfer, nid rhegfeydd mo'r ffurfiau cyfatebol yng ngenau Gwyddelod fel y rhain, eithr 'graddolion ansoddeiriol', chwedl y gramadegwyr, a ddefnyddir i bwysleisio neu i ddwysáu, yn hytrach nag i felltithio a sarhau. Dyna pam y byddai *Cer i grafu* yn well trosiad o un *'F*** off'* na 'Ff**** hi o'ma'.

Camgymeriad dybryd yw gadael rhai o nodweddion ieithyddol y ddrama wreiddiol mewn cyfieithiad ohoni, gan mai'r nod yw argyhoeddi'r gynulleidfa ei bod yn gwylio ac yn gwrando ar ddrama Gymraeg.

Matholwch: Gosodwyd 'Disgwyl y Telegram' yn un o gartrefi hen bobl Costa Geriatrica'r Gogledd, a 'Chwarae Brechdana' mewn tref fwy gorllewinol. Cyf-ieithwyd Saesneg gogleddol Alan Bennett i Gymraeg Gwynedd yn bur llwydd-iannus ond nid yw traethu Violet a Wilfred, cymeriadau canolog y monologau, yn ddigon tafodieithol ac ni ellir eu cysylltu ag unrhyw ardal arbennig nac â chenhedlaeth arbennig o Gymry Cymraeg. Nid yw adnabyddiaeth *Matholwch* o fyd cyfnewidiol ei Violet a'i Wilfred et mor drylwyr ag eiddo Alan Bennett. Ni ddylid, er enghraifft, fod wedi Cymreigio geiriau'r 'plac ar y wal wrth y ffownten' yn y parc y cyflogir Wilfred i'w lanhau, wedi i fandaliaid ei anharddu â'r geiriau *So wot – cer i gachu*. Yn lle '*This park was opened on July 17 1936 by the Rt Honourable Earl of Harewood KG. TD*,' ceir 'Agorwyd y parc hwn gan y Gwir Anrhydeddus Iarll Dwyfor KG. TD. Gorffennaf 17 1936'. Tri chamgymeriad: nid oedd Lloyd George yn Iarll Dwyfor yn 1936; buasai plac o'r fath a osodwyd yn y flwyddyn honno'n uniaith Saesneg; yn y flwyddyn 2001, uniaith Saesneg yw graffiti'r Gymru Gymraeg, ysywaeth.

Ianto: Cyfieithiad deheuol o'r un safon ag eiddo *Matholwch*. Gor-Gymreigiwyd 'Violet' yn 'Fioled'. Yn y dyfyniad a ganlyn, ceir enghreifftiau da o ddewis yn gywir wrth gadw at y gwreiddiol, ac o Gymreigio amhriodol:

Croten ifanc . . . yn helpu Frances i 'nodi i'n y gwely . . . Myntwn i, 'Beth yw'ch enw chi, cariad?' Mynte hi, 'Devon'. Myntwn i, 'Nid enw yw hwn'na, lle yw e'. Mynte hithe, 'Ie, lle hardd iawn. Roedd mam a 'nhad yn arfer mynd yno ar eu gwylie'. Myntwn i, 'Mae'n dda aethon nhw ddim i Ros y Bol'.

Go brin y clywsai 'Fioled' am Ros-y-bol ond buasai'n gwybod ble mae'r Mwm-bwls a Saundersfoot.

Rhosydd: Cyfieithwyd *Playing Sandwiches* a *Waiting for the Telegram* yn ddeheuig iawn i dafodiaith Penllyn a rhoi enw cysefin, Cymraeg, *Llaw Wen*, i'r fonolog gyntaf ac i'r gêm blentynnaidd o'r un enw â hi. Dyma Gymraeg llwyfan o safon uchel iawn ac mae'n bosib' y buaswn wedi gwobrwyo *Rhosydd* pe bai o neu hi heb adael Wilfred a Violet yn Lloegr, rhwng deufyd, megis. Er bod Cymraeg y ddau'n hyfrydwch i'r glust, fe'n hatgoffir bob hyn a hyn mai Saeson ydynt, gan gyfeiriadau at 'Pontefract . . . Ffordd Sherwood . . . Thorpe Arch . . . Wakefield . . . Harrogate . . . Taid Greenwood . . .'

Er mwyn i berfformiad lwyddo, mae'n rhaid i'r gynulleidfa gredu'n llwyr, dros dro o leiaf, yn y byd a grëir ar y llwyfan ac os yw llais bach yng nghefn ei meddwl torfol yn tanseilio hygrededd y byd hwnnw, eled yr awdur ati rhag blaen i'w dewi.

Sosban: Fel y gellid disgwyl, ganed Eirlys – Cymreigiad penigamp – a Wilfred *Disgwyl y Teligram* a *Chwarae Brechdanau* y cystadleuydd hwn nid nepell o Barc y Strade ac mae daearyddiaeth ac ieithwedd eu bydoedd yn cyd-ffinio. Sylwer yn y dyfyniad a ganlyn ar lithrigrwydd 'naturiol' tafodiaith Eirlys ac ar y gwrth-gyferbyniad eironig rhyngddi ac ieithwedd staff y Cartref, fel y'i hadleisir gan yr hen wraig:

Gweles i be'-chi'n-galw y boi 'ma heddi. Ond sa'i fod dweud 'be'-chi'n-galw'. Dwedodd Wendy, 'Eirlys. Ma be'chi'n galw wedi'i wahardd. Pan fyddwn ni'n methu ffeindio'r gair rŷn ni'n chwilio amdano, byddwn yn ei *ddisgrifio*. Fyddwn ni ddim yn dweud 'be'-chi'n-galw'. Wel, 'chlywch chi ddim fi yn disgrifio'r peth-'na. Beth bynnag, 'be-chi'n galw' *yw* y gair bydda' i'n ei ddefnyddio. Be'-chi'n galw hwn-a-hwn. Ta beth, fel weles i e.

Feddylies i ddim mwy am y peth, ond mae'n siŵr bod 'na rywun wedi rhoi gwybod i'r Swyddfa, achos dyma Feronica Froniog yn bownso mewn. Dwedodd hi, 'Eirlys, mae'n rhaid i mi ofyn hyn. Oedd y *penis* â chodiad arni? Dwedes i, 'Nyrs Ifans. 'Dyw hwnna ddim yn air bydda' i yn ei ddefnyddio'.'Codiad?' medde hi. 'Na, dwedes i, 'y llall'. Dwedodd hi, 'Wel, Eirlys. Rych chi wedi câl beth rŷn ni'n ei alw'n strôc . . .

Mae *Sosban* yn deilwng o'r wobr – ac o ddiolchgarwch Alan Bennett.

Creu sgript i gomedïwyr

BEIRNIADAETH DYFAN ROBERTS

I feddwl bod gwobr o £150 am sgript o lai na chwarter awr ynghyd â'r abwyd ychwanegol o roi'r goreuon ar lwyfan, braidd yn siomedig oeddwn yn nifer y cystadleuwyr ac yn safon y gystadleuaeth. Nid nad oes gennym gomedïwyr Cymraeg sy'n medru sgrifennu stwff da ond efallai fod cystadleuaeth fel hon yn dioddef o broblem dragwyddol adran ddrama'r Eisteddfod, sef bod y sgriptwyr llwyddiannus yn cael eu comisiynu'n gyson gan y teledu a'r radio, a hwyrach ddim yn gweld gwerth mewn anfon cynigion i gystadleuaeth fel'ma.

Wrth gwrs, mae modd gwobrwyo potensial, fel hwb galonogol i'r sgriptiwr dibrofiad sy'n teilyngu hynny. Gwaetha'r modd, er bod llawer o ddeunydd da yn ambell gynnig a gododd wên ar wyneb, doedd yna ddim un cynnig gwreiddiol a ffres a oedd yn codi i dir uwch y tro yma. Hwyrach, wir, nad oes llawer o destun chwerthin wedi bod ym mywyd yr hen genedl fach yma'n ddiweddar!

Doedd cymeriadau *Tir Bach*, dyn dan fawd ei fam, a *Pistyll*, stereoteip o Americanwr cefnog, ddim yn ddigon cryf, mewn gwirionedd, o ran datblygiad y sgript na chryfder y jôcs i'w rhoi ar lwyfan.

Roedd cynnig *Groucho*, sef athro ysgol yn rhoi prawf deallusrwydd i rapsgaliwn o ddisgybl, yn llawer mwy theatraidd. Bron na ddywedwn i fod y sgript hon wedi ei defnyddio mewn sioe ysgol rywbryd. Er i mi hoffi naws gyfoes y sgript (er enghraifft, sylw bachog yr athro y 'dylai bod y prifathro yn gwneud ffôns symudol yn rhan swyddogol o iwnifform yr ysgol – byddai llai o barch at y pethau wedyn!'), roedd jôcs cracars 'Dolig yn difetha'r sgript yn llawer rhy aml.

Roedd gan *Blewyn Glas* gymeriad parod yn un o greadigaethau Ifan Gruffydd ac fe wnaeth yn fawr o'r cyfle, gyda'r hen Idwal cwynfanllyd yn ei bac-a-mac lwyd yn sôn am y pynciau arferol – penolau, pyjamas a peils! Roedd ganddo un jôc dda am Felicity, cariad Idwal, yn galw am wasanaeth plymar: 'Ac ma' hi'n gweud wedyn: Ma set 'n Nhŷ Bach i wedi torri. Le wy'n sefyll?' – wel, roedd hi'n newydd i mi! Biti na fasai ganddo fwy o newydd-deb yn ei sgript oherwydd mae wedi dal rhythm siarad Idwal yn dda.

Yn rhyfedd, er mai cymeriad *Pengwyn*, sef hen weinidog wedi ymddeol, yw'r mwyaf hen ffasiwn o'r cyfan, mi fedrai hwn, pe bai'r awdur yn gweithio ar ei sgript, fod yn gymeriad sy'n dod trosodd yn llwyddiannus ar lwyfan, gyda'i hiwmor diniwed a'i henaint yn ei alluogi i ddweud pethau digon amheus mewn ffordd ddoniol a derbyniol. Gwaetha'r modd, ar wahân i ddwy jôc reit dda, jôc y grisiau a jôc yr hwrdd, yr unig ffordd y gwelaf fi berfformio gweddill y straeon tila a'r hen hen jôcs yw chwerthin cymaint fel bod rhaid i'r gynulleidfa chwerthin efo chi! Un cyngor bach arall i *Pengwyn*: osgowch ddiwedd swta; cadwch y jôc orau at y diwedd.

Caleb sydd wedi dod agosaf ati o ran arddull glasurol y comedïwr clwb. Mae ei fonolog yn sgwrsiol a bywiog, yn cyfeirio'n aml at y gynulleidfa, yr ardal a digwyddiadau cyfoes, ac mae wedi meistroli'r dechneg o lithro'n llyfn o un stori i'r llall. Ac ar y cyfan, mae'r straeon hynny yn gweithio fel jôcs (er i mi glywed ambell un o'n blaen – ond dyna fo), a dwy ohonynt, stori'r angladd a stori'r "chihuahua" yn rhai gwych. Felly, beth sydd o'i le? Wel, dw i'n gwybod bod hyn yn mynd i swnio braidd yn rhagrithiol gan un sydd wedi gwneud peth bywoliaeth o bortreadu cymeriad amheus mewn *macintosh* fudur o gwmpas llwyfannau Cymru, ond mae arna i ofn, *Caleb*, fod 'na ormod o 'secs' yn dy sgript di. Dyma bwnc saith o'r naw stori. Rhyw, rhannau rhywiol dynion a merched, lleianod, anifeiliaid . . . maen nhw i gyd yma, un ar ôl y llall. Gormod o bwdin. Mae'r gynulleidfa'n mynd i flino yn y diwedd, a dyheu am rywbeth gwahanol, rhywbeth clyfrach neu fwy diniwed, *unrhyw beth* heblaw'r pwnc arbennig yna! Mae hyn yn biti o safbwynt *Caleb*, oherwydd mae'n amlwg o'i sgript fod ganddo ddawn ddiamheuol, a bod yr awydd i ddiddanu cynulleidfa ar lwyfan yn gryf ynddo.

Mae arnaf ofn nad oes yr un cystadleuydd yn teilyngu'r wobr eleni.

Sgript ar gyfer y teledu. Un rhaglen allan o gyfres o bump, gyda braslun o'r gweddill

---

BEIRNIADAETH TERRY DYDDGEN-JONES

Mae'n rhaid i unrhyw sgript deledu ddal sylw'r gwyliwr yn syth ac, felly, mae'n rhaid iddi fod yn fachog yn weledol ac yn glywedol.

Uchelgais pob awdur yw creu cymeriadau byw a'u gosod mewn cyd-destun diddorol er mwyn i'r gynulleidfa barhau i ddilyn eu hynt a'u helynt a'u gweld yn blodeuo yn natblygiad y stori. Gan fod yr elfen weledol a thechnegol yn bwysig, mae llwyddiant y sgript yn aml yn dibynnu ar brofiad yr awdur yn y maes. Mae dysgu'r grefft o ysgrifennu ar gyfer y teledu yn broses araf. Cymharol hawdd yw meistroli sgiliau cymeriadu a deialogi. Serch hynny, mae hi dipyn anoddach meithrin y grefft o strwythuro pennod fel ei bod yn symud yn chwim. Dyma ble mae diffyg profiad awdur yn ei amlygu ei hun.

Cyflwynodd y ddau awdur yn y gystadleuaeth hon waith diddorol. O ran arddull, mae'r ddwy gyfres yn gwbl wahanol: un yn ddrama gyfnod wedi ei seilio yng ngogledd Cymru a'r llall yn gyfoes o fewn ffiniau Dinas Caerdydd.

Arnallt: Dewisodd blasty o'r enw Tŷ Gwyn yn ddolen gyswllt i'w benodau. Diddorol yw gweld fel y mae'r tŷ yn ganolbwynt i sawl stori sydd yn digwydd dros wahanol gyfnodau mewn hanes. Mae ei brif stori yn nhraddodiad Catherine Cookson a braf yw gweld sut y mae wedi cydblethu cynnwrf byd môr-ladron â chymdeithas fonedd y ddeunawfed ganrif yng Nghymru. Mae hon yn stori ddiddorol a bachog ond mae angen chwynnu a strwythuro gofalus ar y bennod hon. Un o'r prif wendidau yw bod y cymeriadau'n arwynebol ac mae'r cyd-ddigwyddiadau braidd yn rhy gyfleus (megis y dudalen o lyfr yr eglwys yn cael ei darganfod). Mae cymeriad Ann yn anghyson iawn ei hymddygiad a chydymdeimlaf â'r actores a fyddai'n gorfod chwarae cymeriad mor wamal â hon. Serch hynny, mae gan yr awdur ddawn i lunio stori dda ond bod angen iddo olygu a chwynnu'r ddeialog hirwyntog a chreu pobl o gig a gwaed. Collwyd y cyfle i gael eiliad dramatig enfawr yn gynnar yn y plot sef y darganfyddiad mai plentyn siawns yw Roger. Mi fyddai strwythuro gofalus wedi sicrhau bod y digwyddiad hwn yn allweddol i'r bennod. Dyma enghraifft o syniad cryf a wanhawyd oherwydd adeiladwaith gwael.

Mae pob sgript deledu yn dilyn patrwm cyfarwydd ond anghofiodd *Arnallt* rifo'r golygfeydd a rhoi amser a disgrifiad o'r math o leoliad oedd ganddo mewn golwg. Manylion yw'r rhain ond mae'n bwysig cael y pethau elfennol yn iawn wrth gyflwyno gwaith i gystadleuaeth fel hon.

Peth iach yw uchelgais ac mae'r gyfres hon yn sicr yn uchelgeisiol. Fodd bynnag, mae drama gyfnod yn un o'r cynyrchiadau drutaf i'w gwneud yn enwedig gan fod hon fel cyfres yn pontio chwe chyfnod. Serch hynny, ar ôl yr holl sylwadau yma, mae'n rhaid dweud bod gan *Arnallt* y gallu i greu stori ddifyr.

Dyn Dŵad 2001: Fel y soniais yn gynharach, mae'r ail sgript yn gwbl wahanol ei naws. Mae'r cystadleuydd hwn wedi creu cerdyn post bendigedig o fywyd dinesig Caerdydd yn y gyfres 'Lawr yn y Ddinas'. Y perygl gyda ffurf *This Life*-aidd fel hon yw bod cymeriadau'n mynd yn anniddorol, arwynebol a ffug-ddosbarth-canol. Mae *Dyn Dŵad 2001* wedi llwyddo i osgoi hyn i gyd gan greu sgript sydd yn fywiog, yn gredadwy ac yn gwbl Gymreig.

Ar ôl darllen y brasluniau sydd ganddo mewn golwg ar gyfer gweddill y gyfres, roeddwn yn ysu i weld y rhain ar y sgrîn. Mae ef yn amlwg wedi dysgu ei grefft o safbwynt strwythuro penodau ac mae ei ymwybyddiaeth o'r ffordd ddinesig o fyw yn graff iawn. Mae ei waith yn gynnil a bachog ac mae ganddo wir ddealltwriaeth o dechneg teledu, o dorri'n sydyn a gadael i'r gwyliwr aros am y cyfrinachau mawr. Mae *Dyn Dŵad 2001* hefyd yn feistr ar lunio cymeriadau a sefyllfaoedd credadwy. Mae'r pontio diddorol rhwng gorffennol Llio a Deian yn aeddfed a bachog. Mae dangos Llio ar ddechrau'r bennod yn caru gyda dyn y mae hi newydd gwrdd ag ef yn cyferbynnu'n fendigedig â'r olygfa lle mae hi'n llefain ar ddiwedd y rhaglen. Ceir cyferbyniad da rhwng y portread o'r sefyllfa waith a'r hwyl a geir yn y dafarn. Mae'r digwyddiadau mawr tuag at ddiwedd y noson gyntaf yn y dafarn wedi eu datblygu'n gywrain tu hwnt. Rhagflas yw hyn o'r corddi mewnol sydd yn gyrru ein cymeriadau'n agos at ddibyn personol.

Un elfen chwithig yn y bennod gyntaf oedd y ffaith bod y ddwy waled yn mynd ar goll. Roedd angen dyfais arall er mwyn i Beth ddod yn ôl i chwilio am El.

Mae hon yn gyfres newydd a ffres sydd yn ymdrin â phynciau cyfarwydd ond sydd eto'n cyflwyno darlun gwreiddiol i ni. Mae *Dyn Dŵad 2001* yn gweld y byd trwy lygaid craff ac yn ein hannog i uniaethu â'i gymeriadau beth bynnag yw eu ffaeleddau. Dymunaf bob llwyddiant i'r awdur hwn yn y dyfodol gan ei fod wedi agor drws ar y gymdeithas Gymreig yng Nghaerdydd ac, wrth wneud hynny, wedi bwrw goleuni ar sefyllfa sydd â photensial dramatig diddorol.

Pwysaf arno i ddal ati i ysgrifennu gan fod ganddo lais cyfoes egnïol a chyfraniad enfawr i'w wneud yn y dyfodol. Mae *Dyn Dŵad 2001* yn llwyr haeddu'r wobr o £150.

ADRAN FFILM

Ysgoloriaeth Geraint Morris

BEIRNIADAETH PETER EDWARDS

Julia Gitâr: 'Cestyll Tywod'. Mae'r awdur yn ddeallus ac yn ymwybodol o ofynion ffilm. Mae'r delweddau'n gryf a'r ddeialog yn syml a naturiol. Mae'n pwysleisio delweddau a *shots* syml a chlir ac yn defnyddio arddull ffilm yn hytrach na llenyddiaeth i ddweud ei stori. Wrth ddewis ffilm fer fel cyfrwng, llwyddodd i greu sgript ffilm sydd â phosibiliadau comig a thrasig. Rwy'n meddwl bod y cystadleuydd yn dangos talent a photential a chredaf ei fod deilwng o'r wobr.

ADRAN DYSGWYR

CYFANSODDI I DDYSGWYR

Dyddiadur wythnos. Lefel 1

BEIRNIADAETH MAIR SPENCER

Calonogol dros ben oedd derbyn cymaint â 35 o gynigion i'r gystadleuaeth hon. Mae testun 'ysgrifennu dyddiadur wythnos' yn cynnig posibiliadau eang ac amrywiol ynglŷn â hyd, cynnwys a chyflwyniad.

Rhoddais ystyriaeth i dri ffactor yn bennaf, sef cywirdeb yr iaith (er nad hynny yw'r peth pwysicaf mewn cystadleuaeth i bobl Lefel 1 y disgwylir cam-gymeriadau gramadegol ganddynt), gwreiddioldeb a chreadigolrwydd, a'r gofal a gymerasid o ran cyflwyniad.

O ran cynnwys, ysgrifennodd y rhan fwyaf o'r ymgeiswyr am brofiadau a digwyddiadau yn eu bywydau personol. Gall hynny droi'n undonog braidd, heb arddangos fawr ddim creadigolrwydd. Roedd y sawl a fentrodd i fyd y dych-mygol yn eithaf llwyddiannus yn eu hymdrechion ond ychydig iawn a ddilynodd y trywydd hwnnw.

O ran cyflwyniad, roedd yna amrywiaeth mawr ac, wrth reswm, mae ymgais sy'n dangos gofal a gwaith sydd wedi'i ysgrifennu'n daclus neu wedi'i deipio yn gwneud argraff dda ar feirniad.

Mae nifer o ymgeiswyr yn hoffi chwaraeon. Mae *Gareth Jones, Fred Lewis Watkins, Bethan Cuthbertson*, a *Kath*, yn hoffi gwylio Cymru'n chwarae rygbi ar y teledu ond mae'n well gan *Joanna Howard* farchogaeth a nofio (ond nid ar yr un pryd!) tra mae *Eira Williams* yn chwarae *bowls*, a *Sgïwr* yn mwynhau sgïo (wrth reswm) a *Gwin Gwdihŵ* yn hwylio yn ei chwch. Cadw'n heini yw hobi *Lowri Hughes*, *Ffion* yn gantores dda, *Angharad Carr* yn mwynhau gêm o gardiau ac mae *Winnie* yn hoffi cwisiau ond yn casáu chwaraeon. Mae *Meic ap Rheinallt* yn cael trafferth gyda'i gyfrifiadur ac mae *Catrin Tedalen* yn edrych ymlaen at basio'i phrawf gyrru.

Mae *Agnes Davis* a *Nad-fi'n angof* yn gogyddion da. Cafodd *Morwen o Abergwaun* ddiwrnod 'Trwynau Coch' diddorol, *Mirain Owen o'r Rhyl Heulog* ddiwrnod arbennig yn Alton Towers, *Sonelidun* Sul y Mamau hapus gyda'i theulu; dath-lodd *Betty Blockley* ben-blwydd ei mab yn 21 oed tra oedd *Susan* yn lwcus – yn cael cerdyn Sant Ffolant oddi wrth Cliff Richard! Roedd *Dewi Derwen* yn gwella ar ôl damwain gyda help ei gymdogion. Mae *Marjorie King* yn drefnus iawn yn codi am 7:30 bob bore er mwyn mynd â'i chi am dro, mwynha *Julia* wylio

'Coronation Street' ac 'ER'. Yn anffodus i *Ann* a *Lilian Owen*, treuliasant eu hwythnos yn glanhau'r tŷ tra oedd *Brychan ap Llywarch* a *Mojo* yn mwynhau wythnos o wyliau. Roedd *Hedd yr Ardd* yn gyfrifol am ddatrys trosedd difrifol yn erbyn y Gymraeg tra oedd *Marlene Powell* yn rhy brysur gyda'r *FBI* i gael te gyda'r frenhines.

Yn y diwedd, daeth pump i'r brig am resymau gwahanol:

Enfys: Roedd cyflwyniad y dyddiadur a'r gofal amlwg a roesid wrth ei lunio yn dangos bod yr awdur yn ddysgwr sydd wedi ymdrwytho yn y Gymraeg nid yn unig fel pwnc dosbarth nos ond fel ffordd o fyw hefyd.

Mona: Cyflwynodd ddyddiadur yn cynnwys cryn dipyn o hiwmor 'tafod-yn-y-foch'. Mae'n amlwg bod yr awdur wedi cael hwyl wrth ysgrifennu am ddigwydd-iadau doniol ond credadwy yn ei bywyd bob dydd.

Y Gwylan: Hoffwn yr arddull farddonol ac roedd safon yr iaith yn uchel dros ben i ddysgwr lefel 1. Fy unig feirniadaeth yw nad yw'r arddull bob tro yn adlewyrchu arddull dyddiadur.

Philip Mitchell: Cawsom ddyddiadur amserol a chyffrous ac, fel *Mona*, mae'n amlwg bod yr awdur wedi mwynhau ei ysgrifennu (yn ogystal â mwynhau gwylio 'Eastenders').

Siân Alyn: Gwerthfawrogais wreiddioldeb y syniad. Hwn oedd yr unig gynnig a ysbrydolwyd gan hanes Cymru ac mae'r awdur wedi llwyddo i ddal yr awyrgylch o ofn-ar-drothwy-brwydr yn dda.

Hoffwn rannu'r wobr fel hyn: £15 i *Enfys;* £15 i *Mona;* £10 i *Y Gwylan;* £5 i *Philip Mitchell* a £5 i *Siân Alyn*.

Sgwrs dros y ffens. Lefel 2

BEIRNIADAETH ALED DAVIES

Roedd 17 wedi rhoi cynnig ar y gystadleuaeth hon. Sgwrs syml rhwng dau gymydog a gafwyd gan y rhan fwyaf o'r cystadleuwyr, gyda defnydd effeithiol o iaith ar y lefel hon i'n cyflwyno i ddau gymeriad. Dyna oedd natur gwaith *Y Marhog, Joyce, Susan, George, Fiola Wen, Blodwen Brodwaith, Seren Porth Tywyn, Y Marchod, Wil Cwac Cwac* a *Kimberley Clark*.

Roedd y cystadleuwyr eraill wedi bod yn fwy mentrus wrth geisio cyflwyno stori neu gyfleu emosiynau trwy gyfrwng y 'Sgwrs dros y ffens'. Ambell waith, roedd menter y cystadleuwyr hyn yn golygu bod rhagor o wallau iaith yn eu darnau, ond roedd pob un wedi llwyddo i gyfleu ei stori. Roedd gwaith *Rhonwen Nanmor, Mabli Jones, Bendigeidfran, Catrin, Cath Twymgalon* a *Merch o Drefflemin* yn ymdrechion da iawn yn y categori hwn. Gair bach o gyngor i bob un sy'n dysgu'r Gymraeg – byddwch yn ofalus wrth i chi ddefnyddio geiriadur – 'dyw cyfieithu syml air am air ddim yn gweithio bob amser ac fe syrthiodd sawl cystadleuydd i'r fagl hon yn eu gwaith.

Roedd gwaith yr enillydd yn sefyll allan. Mewn sgwrs sy'n llifo'n rhwydd, mae Mrs Jones yn hel clecs am gymydog newydd gyda Mrs Williams drws nesa. Mae Mrs Williams hithau yn annog ei chymydog i ddweud mwy a mwy cyn y tro ar gynffon y sgwrs wrth i ni gael gwybod mai merch Mrs Williams sydd wedi bod yn cael ei henllibio. Llongyfarchiadau mawr felly i'r enillydd, *Amserhwylio*, ac i bob un o'r cystadleuwyr eraill ar fentro a llwyddo i roi eu Cymraeg ar waith yn effeithiol yn y gystadleuaeth hon.

Llythyr cwyno. Lefel 3

BEIRNIADAETH GRUFF ROBERTS

Derbyniais bump ar hugain o lythyrau a chalonogol iawn oedd gweld bod nifer mor dda wedi 'mentro i'r gad'. Roedd safon y dysgwyr hyn yn bur uchel a phleser fu twrio drwy'r bwndel. Wrth edrych ar y cyfeiriadau ar y llythyrau, ni allwn beidio â sylwi mai o Ogledd Cymru y deuai mwyafrif y llythyrwyr. Fe gafwyd cwyno am bob math o bethau – maes carafanau, ffordd osgoi, y trên yn hwyr, baw ci ar lwybrau, ac enwi ond ychydig ohonynt. Cafwyd llythyrau byr, rhai canolig a rhai hir, rhai'n swta, rhai'n fforchog, a rhai'n cynnwys tipyn o hiwmor. Mi fuaswn yn dweud bod y llythyrau doniol yn rhai pur fentrus i'r rhai sy'n dysgu'r iaith. Ond dewis chwarae'n saff a wnaeth y mwyafrif a chadw eu hymgais yn seriws ac o fewn eu gallu ieithyddol. Anghofiodd rhai roi eu cyfeiriad ar ben y ddalen ac roedd sawl un, wrth ysgrifennu llythyr ffurfiol, wedi anghofio rhoi enw a chyfeiriad y sawl oedd i dderbyn y llythyr. Cafwyd ambell lythyr heb ei lofnodi. Credaf fod yr elfennau hyn yn bwysig mewn cystadleuaeth. Roedd pob llythyr yn daclus a darllenadwy a'r ramadeg yn foddhaol iawn ar y cyfan, er bod cryn wahaniaeth rhwng yr ymgeisiau gorau a'r rhai gwannaf. Fe gafwyd enghraifft neu ddwy o gamffurfio'r amser gorffennol ond fe ddaw hynny gyda dyfalbarhad a phrofiad.

Fe rannwyd y llythyrau yn dri dosbarth. Gosodais un ar ddeg yn y trydydd dosbarth. Mae'r rhan fwyaf o'r rhain yn fyr. Cawsant eu hysgrifennu gan *Myfanwy Puw, Owain yr Oen* a *Lili Wen Fach* ac fe gafwyd fflach o hiwmor gan y tri yma. Yna, *Jane Rigby, Mair Denule, Blodwen Huws, Mr Dicllon, Rhian Rhys-Morgan, Corfran, Tywyn Bach* a *Penfilia*.

Yn yr ail ddosbarth, ceir *Gwladus Jones* (byr ond gogleisiol), *Gwilym G. Roberts, Teithiwr eofn, Karen* (cryno), *Llion ap Miall* (cryno gyda hiwmor), *Dewi Llewelyn Rodregues* (hiwmor), *R. S. W., Llansteffan, Sandra Evans, Rhiannon Williams* ac *Anfodlon.*

Yn y dosbarth cyntaf, rwy'n gosod y tri chystadleuydd gorau yn fy nhyb i:

Elinor Mair: Ysgrifennodd lythyr sy'n uchel iawn yn y gystadlcuacth. Dyna hyfryd fyddai cael pob un ar Lefel 3 i gyrraedd y safon yma. Fe geir ymdrech gelfydd, ddoniol, feiddgar a'r cyfan yn troi o amgylch 'toriad trydan'! Mae'r iaith yn llifo'n llyfn iawn.

Ms Mona Way: Ganddi hi, fe gawn lythyr wedi ei gyfeirio at Drefnydd Eisteddfod Genedlaethol 2001. Mae'n cwyno ar gorn y dewisiadau ar gyfer y Dysgwyr, cystadlaethau fel 'Llythyr Cwyno' a 'Stori Arswyd'! Cafodd y llythyr hwn ei ysgrifennu'n gynnil a chrefftus ac mae'r iaith yn gywir drwyddi draw.

Yr Hen Gonan: Mae'r ffugenw'n gweddu'r llythyrwr i'r dim. Mae yma enghreifftiau o lu o bethau sydd wedi mynd o'u lle ac fe gwynir o'u herwydd. Druan ag e'. Mae'n bwrw'i faich ar ei gyfaill, Ffred. Mae hwn yn llythyr difyr a doniol iawn, ar waetha'i gynnwys.

Cafwyd tri llythyr arbennig yn y dosbarth uchaf ond mae'n rhaid cloriannu. Rhoddaf y wobr gyntaf o £25 i *Yr Hen Gonan*, yr ail o £15 i *Elinor Mair*, a'r drydedd wobr o £10 i *Ms Mona Way*. Diolch yn fawr iawn i'r gweddill, a daliwch ati!

Cofnod o ohebiaeth e-bost go-iawn rhwng dysgwr a rhywun arall/rhywrai eraill. Lefel: Agored

BEIRNIADAETH RICHARD ROBERTS

Derbyniwyd dau e-bost, y naill gan *Janette* a'r llall gan *ilar*, gyda gwahaniaeth amlwg rhwng lefel iaith ysgrifenedig y ddau ymgeisydd. Siomedig yw'r nifer isel hwn gan fod ymgymryd â gwaith ysgrifennu cystadleuol yn y dosbarth iaith yn cynnig dimensiwn arall i'r dysgwr ac yn fodd i gryfhau a chadarnhau ei afael ar yr iaith.

Janette: Mae Janette yn ei chynrychioli ei hun a'i chymheiriaid o'r dosbarth nos a fu'n llunio ymatebion ar ffurf e-bost i ddarn a ymddangosodd yn y *Western Mail* yn ymwneud â rhesymau pobl dros ddysgu'r Gymraeg. Cynigir rhesymau amrywiol gan ddysgwyr sy'n frodorion ac yn fewnfudwyr i Gymru. Mae'r gwaith yn ddiddorol i'w ddarllen ac yn cynnwys blas o gyffro tref Llanelli yn y dyddiau a fu ynghyd ag enghreifftiau o'r modd y bu i lawer o Gymry Cymraeg ddewis magu eu plant trwy gyfrwng y Saesneg – rhai ohonynt erbyn hyn wedi ymdrechu i ailafael yn yr iaith. Defnyddir ystod briodol o amserau'r ferf a chyfoethogir y gwaith gan eirfa eang. Mae'r dysgwyr hyn yn amlwg ar eu ffordd i ruglder yn y Gymraeg.

ilar. Gwaith llawn hiwmor a'r arddull anffurfiol yn nodweddiadol o gyfathrebwyr e-bost; er enghraifft: '. . . aeth *zimmer* Mam gyntaf a doedd hi ddim yn gallu mynd drwy'r drws!' Weithiau, fodd bynnag, mae'n anodd deall beth yn union y mae *ilar* yn ceisio'i gyfleu yn ei waith oherwydd amlder y gwallau iaith ac mae hyn yn amlwg yn difetha'i ymgais.

Rhodder y wobr i *Janette.*

Cerdd. Testun: Yfory. Lefel: Agored

BEIRNIADAETH MOI PARRY

Cynigiodd dau ar bymtheg. Er bod amrywiaeth mawr yn safon y Gymraeg, roedd yn gystadleuaeth i godi calon dyn. Braf gweld cynifer wedi meistroli'r iaith yn ddigon da i fentro barddoni ynddi. Mae mwy nag un, fel y gallem ragweld, wedi sôn am yr argyfwng traed a'r genau, mae llawer yn edrych ymlaen at yfory a sawl un yn mynnu nad yw 'fory byth yn dod. Cefais flas ar waith pob un.

Diffygion ei Gymraeg yw prif rwystr *Cariad.* Dalied ati i ddysgu. Mae *Y Marhog* am i ni anghofio ddoe a heddiw. Mae'n ein hannog i 'gynllunio am y dyfodol' am fod yfory yma eisoes. 'Does neb yn gwybod be sy'n dod' yw neges *Tico.* Eisiau i'r 'byd fyw mewn heddwch a pherffaith gytgord' y mae *George F. Sales* ond nid yw'r dweud yn apelio digon ganddo. Mae gan *Ian Haigh* gyfres o gwpledi odledig. Hoffais ei neges yn y cwpled hwn: 'Mae yfory'n addo llawer o bethau/gwnawn yr iaith yn un o'r pwysig bynciau'.

Cyfres o gwestiynau odledig sydd gan *S. Coleman.* Dydy o ddim yn cynnig atebion ond gwna i ni feddwl wrth holi, e.e., 'Yfory, fydd yna ŵyn bach yn y cae/Yfory, fydd yna gregyn yn y bae?'. Anobeithio am yfory a wna *Catrin Tedalen* a'n gweld i gyd 'fel lemingiaid yn brysio ein dinistr ni'. Clwy'r traed a'r genau yw thema cerdd *Hafina.* Lle'r oedd gwartheg a defaid yn crwydro, bellach 'Heddiw ydi fory, does neb yn y man'. Poeni am y dyfodol y mae *Siw.* 'Wyt ti'n meddwl fydd pethau'n wahanol yfory?/Wnawn ni fwydo'n plant i gyd yfory?'. Ond dydy'r gerdd ddim yn datblygu ac mae'n gorffen yn rhy swta gen i.

I *Ji-Binc,* mae 'fory yn gyfle i wella fel person. Dyma sut y bydd o yfory:

Gwrando ar bobl yn garedig
Gan gadw blinder yn anweledig:

Cydymddwyn â phobl eraill:
Bod i bob person fel ei gyfaill
Daw dim gair o fy ngheg
Sy'n ddadleugar, cas, annheg.

Yna, ar y diwedd, ar ôl yr holl welliannau, mae'n amau ai fo fydd y person newydd hwnnw. Cerdd odledig dda.

Mae cerdd *Corfran* yn wahanol. Mae'r ddau bennill cyntaf yn mynd â ni yn ôl i 1931 a'r bardd yn blentyn yn edrych ymlaen at fynd i lan y môr 'yfory'. Rydym yn y flwyddyn 2001 yn y ddau bennill olaf a'r bardd bellach yn hen ac yn disgwyl ei ferch i'w weld, neu efallai ei bod hi wedi bod eisoes, nid yw'n siŵr – 'Mae heddiw a 'fory 'run peth'.

Clwy'r traed a'r genau eto yw thema *Pam?*. Dau bennill da yn gwrthgyferbynnu – y naill yn sôn am 'gaeau gwyrdd . . . dan awyr las' a'r 'Defaid yn pori heb bryder', a'r llall yn nodi'r 'Tawelwch trwm, Gwacter arswydus' a'r 'goelcerth angladdol yn barod'.

Bu'n rhaid pendroni tipyn uwchben cerdd *Ynysowen*. Trychineb Aberfan sydd yma, os wyf yn iawn. Ni chaiff y blodau (sef y plant) 'gyfle i wreiddio, Na chael maeth o ddaear eu gwlad'. Hoffais y pennill cyntaf hwn ond ni chredaf fod yr ail bennill wedi taro deuddeg. Nid yw mor eglur i mi. Ond mae *Ynysowen* yn ymgeisydd cryf.

Y gerdd fwyaf gwahanol o'r cyfan yw eiddo *Bob*. Cerdd ysgafn, ddoniol yn ail-adrodd hen jôc. Gwnaeth hynny'n dda gan ailddweud yn effeithiol o gwpled i gwpled. Gadael popeth tan yfory y mae: paentio'r ffens, golchi'r car, tacluso'r garej, sgwennu at Ffred, ac ati. Ond, yna, pan mae'i wraig yn ei atgoffa ei bod yn ddiwrnod siopa drannoeth, mae'n honni nad oes amser ganddo gan fod cymaint o bethau eraill i'w gwneud, sef y pethau a enwyd eisoes ac a adawodd heb eu cyffwrdd 'tan yfory'.

Daeargryn sy'n ganolog i gerdd *Aderyn yr Eira*. Mae'n disgrifio bywyd ham-ddenol yn y wlad a'r prysurdeb mewn tref. Yna chwelir y cyfan: 'Dechreuodd y ddaear grynu' ac mae: 'Pob creadur yn ofni yfory/Heb obaith, dyfodol na thŷ/ Y ddaeargryn wedi rhwygo ein byd'.

Mae dau ar ôl. Apeliodd gwaith y ddau ataf o'r dechrau: cynildeb myfyriol *Siabod* a chrefft *Yr Alarch*. 'Byw heddiw' yw neges *Siabod* a 'Paid aros am yfory' oherwydd hwnnw yw 'Y diwrnod na ddaw byth'. Ganddo ef y mae llinellau mwyaf gwefreiddiol y gystadleuaeth pan mae'n sôn am yr yfory na ddaw:

Yfory yn modrwyo
o'th gwmpas di
fel gwinwydden niwlog
amhosibl ydy dal tarth.

Edrych ymlaen yng nghanol nos y mae *Yr Alarch*. Mae mewn 'llesgedd caeth' ond yn ffyddiog y bydd yfory'n well:

> Cyn sychu eto'r manwlith ir
> Fe fyddaf wyn fy myd.

Mae *Yr Alarch* yn grefftwr. Ysgrifennodd bum pennill mewn mydr ac odl. Mae ei Gymraeg yn arbennig o gywir a chyfoethog. Buaswn wedi bod yn fodlon cadeirio *Siabod* ac wedi ailedrych ar ambell un arall pe na bai *Yr Alarch* yn y gystadleuaeth. Y fo, neu hi, biau Cadair Dysgwyr Eisteddfod Sir Ddinbych a'r Cyffiniau.

Y Gerdd

YFORY

> Os blin fy ngwedd am lawer awr
> Yn nhrymder hir y nos,
> Myfyriaf beth a ddwg y wawr
> Pan gân y llinos dlos.
>
> Caf weld pelydrau haul yr haf
> Yn treiddio trwy fy llen,
> Ac yng ngoleuni'r wawrddydd braf
> Gostegir cur fy mhen.
>
> Er bod y nos yn awr yn hir
> Dan lesgedd caeth o hyd,
> Cyn sychu eto'r manwlith ir
> Fe fyddaf wyn fy myd.
>
> Ni cheir un rhosyn yn yr ardd
> Yn tyfu heb ei ddrain,
> Ni welir byth aderyn hardd
> Mor fud â'r alarch cain.
>
> Trysoraf bob munudyn llon
> A ddaw â nerth di-lyth.
> Ac erys heddwch yn fy mron
> Yfory, ac am byth.

Yr Alarch

Stori arswyd. Lefel: Agored

BEIRNIADAETH PAT CLAYTON

Wrth gloriannu gwaith y naw a ymgeisiodd, chwiliwn am gynllun stori a fydd-ai'n creu awyrgylch arbennig gydag elfennau o densiwn, arswyd, ofn neu fygythiad ac a fyddai'n cyrraedd uchafbwynt dramatig. Cyflwynodd dau ymgeisydd weithiau ffeithiol ac felly roedd hi'n anodd iddynt gyrraedd uchafbwynt. Roedd yr iaith yn amrywio o fod yn syml iawn i fod yn eithaf soffistigedig ac roedd gan y rhan fwyaf o'r ymgeiswyr grap da ar gystrawennau, gramadeg a phriod-ddulliau. Ar y cyfan, ni chafwyd fawr o syniadau gwreiddiol. Roedd ysbrydion a mynwentydd yn boblogaidd.

Y Ploryn Mawr: 'Arswyd y Bedd'. Fel portread o fywyd pentref a'i fân gwerylon, mae'r stori hon yn taro deuddeg. Fel stori arswyd, dydy hi ddim mor llwydd-iannus. Cryfder y storïwr hwn yw comedi ddu. Mae'r digwyddiadau yn y fynwent yn llawn hwyl. Gwaetha'r modd, mae'n anodd bod ag ofn ysbryd sy'n ddoniol yn hytrach nag yn arswydus. Mae'n amlwg bod yr awdur yn mwynhau ysgrifennu ond, yn ei frwdfrydedd, mae'n colli arno'i hun. Mae'r stori'n dechrau'n araf ac mae'n mynd yn rhy hirwyntog oherwydd na all yr awdur beidio â chyflwyno cymeriad doniol arall neu is-gynllun newydd nad yw'n ychwanegu unrhyw beth at y prif gynllun. Hoffwn annog yr ymgeisydd hwn i ddal ati. Awgrymaf ei fod o'n ymarfer tipyn o hunanddisgyblaeth wrth ysgrifennu ond dylai gadw'i hiwmor.

Catrin:'Teithiol'. Mae tristwch a dirgelwch yn hofran o gwmpas y stori hon ac mae'r awdur wedi llwyddo i greu awyrgylch iasol yn y fynwent, ac mae emynau yn y cefndir yn effeithiol iawn. Nid ydy'r stori'n magu digon o densiwn, er gwaethaf y diweddglo syfrdanol. Nid ydy hi'n glir pam y mae'r cymeriad canolog yn symud o fod yn *hi* ar y dechrau i fod yn *fi* hanner ffordd drwy'r stori.

Tristram: 'Stori arswyd'. Stori am yr Iddewon a'r Palestiniaid a geir yma. Mae'n wir ei bod yn stori arswyd sy'n parhau ond mae'r ymgais yn fwy o adroddiad a sylwadaeth nag o stori. Pe bai'r awdur wedi canolbwyntio ar ddigwyddiad unigol yn y gwrthdaro – y stori am yr hogyn bach a'i dad, er enghraifft – efallai y byddai wedi gwneud ei bwynt yn fwy effeithiol. Yn aml, mae stori o ddiddordeb dynol yn taro deuddeg yn well na disgrifiad o'r cynfas ehangach.

Blotswen: 'Hen Bethau'. Dyma'r ymgais fyrraf yn y gystadleuaeth. Mae syniad canolog y stori'n un da ond nid yw *Blotswen* yn rhoi'r cyfle iddi'i hun ddat-blygu'r math o awyrgylch sy'n creu tensiwn neu arswyd.

Yr Hetiwr Hurt: 'Stori Arswyd'. Mae holl elfennau stori arswyd yn y stori hon. Mae llyfrwerthwr cyffredin yn prynu llun gan ddieithryn ifanc, gwelw ac mae'r tensiwn yn codi ar unwaith. Pan mae cymeriad hyll yn dilyn y dyn ifanc i mewn i'r siop, rydan ni'n gwybod y bydd o'n un drwg. Mae'r storïwr yn datblygu'r

awyrgylch wrth i rywbeth diniwed droi'n ddrygionus. Mae gennym ddrychiol-
aethau o'r gorffennol yn cuddio trosedd dirgel, a phethau sy'n gwneud twrw
gefn nos. Mae'r tensiwn yn codi wrth i'r cymeriad canolog frwydro i ddeall
beth sy'n digwydd ac mae'r awdur yn ein cadw ni mewn gwewyr hyd y diwedd.
Ymgais neilltuol o dda.

Y Llais Ansicr: 'Bedd Mari'. Syniad da oedd sylfaenu'r stori ar hanes lleol
adnabyddus yn ardal Porthmadog. Cryfder yr awdur yw medru creu awyrgylch
a disgrifio teimladau. Mae'r tensiwn yn y sgyrsiau a pherthynas y ddau gymer-
iad yn arbennig o dda. Mae uchafbwynt y stori braidd yn wan ond, ar wahân i
hynny, mae'n ymgais dda.

Encil: 'Gwanwyn Distaw'. Stori arswyd gyfoes yw hon, lle cawn ddyddiadur
gwraig fferm sy'n wynebu clwy'r traed a'r genau ar ei fferm. Mae'n stori drist a
llwyddwyd i ddal y teimladau o ansicrwydd, dicter ac anobaith yn dda iawn.
Buasai'n gwneud erthygl ardderchog mewn papur newydd ond mae eisiau
math gwahanol o gynllun ar gyfer stori mewn cystadleuaeth.

Y Ladi Wen: 'Credwch neu beidio!' Stori dda sy'n disgrifio sut y mae pethau
rhyfedd yn gallu digwydd i bobl gyffredin a sut y mae sefyllfa bob dydd yn
medru troi'n frawychus. Llwyddodd y storïwr i gyfleu ofn yn dda, ac mae ei
disgrifiad o'r lleoliad yn arbennig o dda. Ond mae rhywbeth ar goll. Dydy hi
ddim yn creu digon o densiwn. Hefyd, mae'r uchafbwynt yn esboniad, sydd
braidd yn fflat. Mae eisiau rhywbeth mwy dramatig yn ddiweddglo i'r stori.

Sandra Evans: 'Stori Arswyd'. Cynlluniwyd y stori fach hon yn dda er bod ynddi
nifer o gamgymeriadau gramadegol. Gwaetha'r modd, pan mae stori'n dech-
rau gyda rhywun yn teimlo'n gysglyd, mae'n debygol y bydd hunllef yn dilyn.
Felly, er bod yr awdur yn creu awyrgylch o ofn a bygythiad yn llwyddiannus,
dydy'r uchafbwynt ddim yn peri syndod.

Mae un enillydd amlwg. *Yr Hetiwr Hurt* sy'n ennill y Tlws eleni.

Y Stori Arswyd

Penderfynodd Ebenezer Jones hongian y llun uwchben y silff ben tân. Yn y fan hon, medrai ei weld heb symud ei ben o'r lle yr eisteddai bob noson yn ei gadair esmwyth. Bellach, wrth edrych i fyny oddi wrth ei bapur newydd, tynnwyd ei sylw ato hyd yn oed yng ngwyll y stafell yn union fel y gwnaeth pan welodd ef am y tro cynta'n gynt yn y dydd.

Daethpwyd â'r llun i'r siop y bore 'na gan ddyn ifanc, tenau, llwyd ei wedd. Er mai gwerthwr hen lyfrau oedd Ebenezer Jones, derbyniai brintiau a hen luniau bob hyn a hyn yn ôl ei ffansi. A rhyw gynneddf yn ymddygiad y dyn a wnaeth iddo wneud hynny ar yr achlysur hwn. Yr oedd y dyn dieithr ar bigau'r drain ac yn ysu am gael mynd ond, ar yr un pryd, yn hollol benderfynol o wneud i'r llyfrwerthwr dderbyn ei barsel, doed a ddelo – fel pe bai'n tybio mai'r siop, er ei bod yn aflêr ac yn orlawn, oedd ei gartref iawn. A dweud y gwir, dyna lle byddai wedi aros, fel rheol, yn casglu llwch mewn rhyw gornel dywyll. Ond, heb yn wybod y rheswm pam, cafodd Ebenezer Jones ei hun yn ei gario i fyny'r grisiau culion i'w stafell fyw amser cinio, fel petai'n meddwl amdano – â'r Nadolig ar y trothwy – yn anrheg iddo'i hun.

Lwcus iddo wneud hynny oherwydd, wrth iddo ailagor y siop y prynhawn hwnnw, wynebwyd ef â rhywun a oedd yn holi am y peth – rhywun a oedd yn benderfynol o roi ci ddwylo arno, pa beth bynnag y byddai'n rhaid iddo'i wneud. Rhywun, ar ben hynny, a oedd yn gwrthod credu Ebenezer Jones pan ffugiodd anwybodaeth yn ei gylch achos, erbyn hyn, yr oedd y llyfrwerthwr yn fwy awyddus nag erioed i'w gadw. Er ei fod yn gyfarwydd â phobl o bob lliw a llun yn chwilio ac yn chwalu trwy ei silffoedd am argraffiadau cyfyngedig, dyma'r tro cynta i Ebenezer Jones ddod ar draws dyn fel hwn yn ei siop. Gŵr braidd yn anghwrtais a garw oedd ac, wrth siarad, gwibiai ei lygaid bach o ochr i ochr, fel un sy'n cadw golwg ar rywbeth. Ac nid siarad yn unig a wnâi ond mwmian a murmur wrtho'i hun ar yr un pryd. Gwthiodd heibio i Ebenezer Jones a sefyll yn syllu o'i gwmpas heb gymryd rhagor o sylw o'r llyfrwerthwr cyn dechrau chwilota trwy'r tomennydd o brintiau a darluniau a oedd wedi eu pentyrru yn erbyn y silffoedd ac ymhob cornel o'r siop. Wrth ei ddesg, gallai Ebenezer Jones ei glywed wrth iddo symud o bentwr i bentwr y tu ôl i'r silff-oedd uchel. Dim ond tua diwedd y prynhawn, wrth i'r llyfrwerthwr hebrwng y gŵr at y drws â'r agoriad yn ei law yn barod o gloi'r siop, y sylwodd ar y daeargi gwyn a du a eisteddai'n amyneddgar y tu allan. Ar y dechrau, yr oedd yn meddwl bod y creadur yn disgwyl am ei feistr. Ond, wrth weld y gŵr, camodd y ci'n ôl, gan grychu'i wefus a chwyrnu'n fygythiol cyn sleifio ymaith i'r tywyll-wch. Cyn iddo droi ymaith, rhoddodd y gŵr ar ddeall i Ebenezer Jones y byddai yn ei ôl, heb gelu'r ffaith ei fod yn credu i'r siopwr guddio'r peth yn rhywle.

Bellach, yn nhywyllwch cynyddol y stafell fyw, cododd y llyfrwerthwr a chynnau'r golau. Wrth edrych yn fanwl ar ei eiddo newydd, fe'i cafodd ei hun yn pendroni dros ddiddordeb dwys yr ymwelydd ynddo. Llun pin a golchiad ydoedd, yn dangos gardd yn y gaeaf. Yn y cefndir, yr oedd tŷ haf addurnedig, Fictoraidd. Gerllaw, gellid gweld coedlan a chipolwg ar blasty rhwng y coed. O flaen y tŷ haf, yr oedd sedd ac arni ddyn, wedi gwisgo amdano'n gynnes rhag yr oerfel, yn darllen. Ni allai Ebenezer Jones weld ei wyneb gan ei fod wedi ymgolli'n llwyr yn ei lyfr. Nid oedd dim golwg o lofnod yr arlunydd a phrin y llwyddodd i ddarllen y dyddiad, 1900, yn y gornel – ganrif union yn ôl.

Wrth weld y pictiwr, pwy a feddyliai y byddai'n creu argraff o'r fath. A pham oedd y gŵr rhyfedd hwnnw yn y siop mor awyddus i gael hyd iddo? Yna, bob yn dipyn, dechreuodd y llyfrwerthwr sylweddoli bod rhywbeth yn gyfarwydd ynglŷn â'r olygfa o'i flaen. Yn araf deg, gwawriodd arno ei fod yn edrych ar lun o'i ardd ei hun. Yr oedd llawer wedi newid, wrth gwrs. Rywbryd dros y ganrif ddiwethaf, cawsai'r hen stablau eu haddasu yn siop a fflat. Chwalwyd y plasty ers talwm a thai newydd wedi eu codi ar y tir gan leihau maint yr ardd ond yr oedd y goedlan yno o hyd yn ogystal â seiliau'r hen dŷ haf. Po fwyaf yr edrychai arno, sicraf yn y byd yr oedd. Ac wrth iddo edrych, deuai'n ymwybodol o ail ffigwr yn y llun nad oedd wedi sylwi arno o'r blaen. Yn y fan yna, ymhlith y coed y tu ôl i'r tŷ haf, safai gŵr efo rhaw yn ei ddwylo. Garddwr, mae'n debyg. Diffoddodd Ebenezer Jones y golau a mynd i'w wely.

Ond methai gysgu gan feddwl am y dyn ar y sedd. Pwy oedd hwnnw a oedd yn eistedd yn ei ardd *ef* yng nghanol y gaeaf ganrif yn ôl? Am resymau na allai eu hesbonio, dechreuodd y llyfrwerthwr deimlo rhyw ias oer yn ymlithro drosto. Rywbryd yn y bore bach, cododd a mynd i'r gegin i wneud panad iddo'i hun. Ar ei ffordd yn ôl, arhosodd am funud wrth y lle tân, gan anelu'r torts ar y pictiwr a bwrw cipolwg arno cyn mynd yn ei flaen. Ond nid nes iddo fod yn gorwedd yn ei wely unwaith eto, yn sipian ei de, y daeth y teimlad drosto fod y ffigwr yn y coed – y ffigwr â'r rhaw, y ffigwr nad oedd ef wedi sylwi arno i ddechrau – wedi symud. Am eiliad, rhewodd, efo'r cwpan de yn ei law yn hofran yn yr awyr. Yna, fel chwip, i ffwrdd ag ef yn ôl i'r stafell fyw. Nid oedd y gŵr wedi symud ymhell ond, eto i gyd, symudasai. Sefyll yn ei gwrcwd yr oedd erbyn hyn ar fin y coed fel pe bai'n ymdrechu i'w guddio'i hun. Gafaelodd rhywbeth yn y llyfrwerthwr nad oedd ganddo enw arno – rhywbeth rhwng ofn a hudoliaeth fel cwningen o flaen gwenci. Efo cryn drafferth, llwyddodd i dynnu'i hun ymaith a mynd i nôl blancedi oddi ar ei wely. Nid oedd dim i'w wneud ond eistedd o flaen y llun a disgwyl.

Pan agorodd ei lygaid, yr oedd heulwen aeafol yn llenwi'r stafell. Am ennyd, yr oedd yn synnu ei gael ei hun allan o'r gwely. Yna, daeth y cyfan yn ôl i'w gof. Neidiodd ar ei draed a chamu at y lle tân. Yr unig ffigwr i'w weld oedd y dyn ifanc ar y sedd. Chwiliodd y llyfrwerthwr y coed am y gŵr efo'r rhaw ond nid oedd neb yn y golwg. Ar wahân i'r ffaith bod ei aelodau wedi cyffio o'i gwsg yn y gadair a phresenoldeb y cwpan de wrth erchwyn ei wely, yr oedd popeth fel pe nai bai dim byd wedi digwydd.

Ychydig o waith a wnaeth Ebenezer Jones y diwrnod hwnnw ac esgynnodd y grisiau o'r siop islaw sawl tro i weld y llun. Ond yn ofer – nid oedd dim gwahanol i'w weld trwy'r dydd. Erbyn yr hwyr, yr oedd yn dechrau'i argyhoeddi ei hun, unwaith eto, ei fod wedi camgymryd. Efo'r Nadolig yn nesáu, yr oedd wedi bod yn gorweithio yn ystod yr ychydig ddyddiau diwethaf. Er nad oedd ond canol oed, teimlai'r llyfrwerthwr o bryd i'w gilydd braidd yn debyg i'w annwyl lyfrau hynafol, yn hŷn o lawer. Ac ar ôl y noson cynt, yr oedd angen noson dda o gwsg arno. Ond, yn ddiweddarach y noswaith honno wrth iddo daflu cipolwg olaf ar y llun cyn mynd i'w wely, clywodd ei waed yn rhewi ynddo. Yr oedd yr ail ffigwr yno eto. Allan o'r coed erbyn hyn, yn sleifio'n slei o dipyn i beth tua'r sedd, gan ddod i fyny y tu ôl i'r dyn ifanc a oedd yn dal i ddarllen heb wybod am y perygl a ddynesai. A beth oedd yn y gwair bras wrth y tŷ haf? Symudodd Ebenezer Jones yn nes. Ci ydoedd, os nad oedd yn camgymryd. Daeargi, yn ôl pob golwg. Yn raddol, dechreuodd y ffaith wawrio arno ei fod yn dyst i drychineb erchyll. Ac yr oedd yr hanes yn digwydd o flaen ei lygaid fel yr oedd y pictiwr yn datguddio'r gyfrinach frawychus.

Â chynnwrf cynyddol yn ei feddiannu, dechreuodd y llyfrwerthwr gamu ar hyd y stafell. Beth oedd ystyr hyn oll a beth oedd yn mynd i ddigwydd nesaf? Yr oedd rhywbeth yng nghefn ei feddwl – rhywbeth nad oedd ond rhyw frith gof, rhywbeth y soniodd ei daid amdano flynyddoedd yn ôl: trasiedi ynglŷn â'r hen blasty pan oedd ei daid yn grwt bach. Crafodd Ebenezer Jones ei ben, ond yn ofer. Nid oedd neb a allai ddweud hanes fel ei daid ond yr oedd ganddo gymaint ohonynt nad oedd yn hawdd cofio p'run oedd p'run. Daeth yn hanner nos heb i unrhyw newid ddigwydd yn y llun. Erbyn hyn, yr oedd y stafell yn oeri. I ffwrdd â'r llyfrwerthwr i lenwi'r bwced lo – gwaith rhyw dri munud i droed chwim. Ond erbyn iddo ddychwelyd, yr oedd pethau wedi symud ymlaen. Am y tro cyntaf, gallai Ebenezer Jones weld wyneb y dyn ifanc ar y sedd. Wyneb yn rhyw hanner troi tuag at y ffigwr efo'r rhaw; wyneb efo golwg na allai'n hawdd ei anghofio; wyneb wedi'i ddirdynnu mewn braw ond un y gallai ei adnabod serch hynny – wyneb y dyn ifanc, tenau, llwyd ei wedd, a oedd wedi dod â'r pictiwr i'r siop y diwrnod o'r blaen oedd hwn! A phwy oedd y dyn arall, felly? Rhuthrodd y llyfrwerthwr i nôl chwyddwydr er ei fod erbyn hyn yn nwfn ei galon yn gwybod yr ateb i'w gwestiwn. Ni fu fawr o dro cyn dod yn ôl ond, er hynny, roedd y gŵr wedi symud hyd yn oed yn nes efo'i raw wedi'i chodi uwch ei ben. Nid oedd ar Ebenezer Jones angen chwyddwydr bellach. Yr oedd yn iawn – nid oedd y gŵr neb amgen na'r cwsmer a oedd wedi troi'r siop â'i phen i lawr wrth chwilio am y llun. Ond at y ci, druan bach, yn hytrach nag at y dyn, yr oedd y gŵr yn anelu'r rhaw, gan fod y daeargi yn neidio ato i amddiffyn ei feistr. Ar yr un pryd, yr oedd hwnnw wedi codi a sefyll fel delw â'i ddwylo'n llonydd wrth ei ochrau. Beth bynnag a oedd yn mynd i ddigwydd, yr oedd yn amlwg mai dyma'r noson y digwyddai, a hynny'n fuan iawn yn ôl pob tebyg. Am yr awr nesaf, prin y tynnai'r llyfrwerthwr ei lygaid oddi ar y pictiwr ond cyhyd ag y byddai'n gwylio, ni symudai neb. Arhosai cymeriadau'r ddrama wedi fferru yn eu hystumiau gwrthun. Yn y diwedd, aeth i'w wely a'i daflu ei hun arno heb dynnu'i ddillad.

Ni wyddai Ebenezer Jones am ba hyd y bu'n gorwedd yno. Mae'n debyg iddo gysgu oherwydd, rywbryd yn yr oriau mân, fe'i deffrowyd yn sydyn gan sŵn. Gorweddodd am sbel â'i bwys ar ei benelin heb feiddio symud blewyn. Ac yna, fe'i clywodd unwaith eto. Y tro yma, nid oedd amheuaeth ganddo beth oedd – udiad poenus ci ac, wedyn, nâd hir, wylofus. Eisteddodd y llyfrwerthwr yn syth â'i ddwylo'n gwasgu ei glustiau rhag clywed rhagor o ddioddefaint y creadur truan. Ond rŵan, yr oedd popeth yn ddistaw, er bod y distawrwydd bron yn fwy dychrynllyd na'r sŵn erchyll cynt. Siglodd Ebenezer Jones ei goesau oddi ar y gwely a chychwyn tua'r stafell fyw. Ond hyd yn oed cyn iddo gyrraedd y drws, torrwyd ar y llonyddwch gan y sgrech fwyaf iasol yr oedd y llyfrwerthwr erioed wedi'i chlywed, sgrech annaearol. Ar ôl hynny, tawelwch llethol, hir. Mewn tri cham bras, yr oedd wrth y lle tân ac o flaen y llun.

Nid oedd neb i'w weld ond y ci druan a hwnnw'n gorff bach gwyn a du yn gorwedd wrth y sedd a oedd wedi'i dymchwel. Rhwng y sedd a'r tŷ haf, yr oedd olion traed ac argoelion brwydr ffyrnig yn y trwch tenau o eira a oedd yn gorchuddio'r ardd erbyn hyn. Er gwaetha'r tân a fudlosgai yn y grât, teimlodd y llyfrwerthwr oerfel sydyn yn gafael ynddo pan sylwodd fod drws y tŷ haf, a fuasai ar gau, yn llydan agored bellach. Serch hynny, ni allai weld y tu mewn ond gwyddai mai'r tu ôl i'r drws hwnnw y byddai act olaf y drasiedi arswydus yn cael ei pherfformio. Dim ond ar achlysuron arbennig iawn y byddai Ebenezer Jones yn codi'i fys bach ond, y funud honno, cofiodd fod ganddo botelaid o wisgi yng ngwaelod y cwpwrdd yn y gegin. Ond hyd yn oed cyn iddo yfed llym-aid, daeth sŵn gwydr yn torri'n deilchion y tu ôl iddo. Collodd ei galon guriad a chollodd hanner y wisgi ar y llawr.

Gorweddai'r llun ar y carped o flaen y lle tân mewn llanast gwydrach ac yng nghanol pentwr cardiau Nadolig oddi ar y silff ben tân. Yn y golwg ymhlith yr anhrefn yr oedd darn o bapur wedi melynu gan henaint yn estyn allan o'r tu ôl i'r pictiwr. Yn ofalus, efo dwylo crynedig, tynnodd y llyfrwerthwr ef allan. Tudalen wedi'i rwygo o bapur newydd ydoedd ond gyda thameidiau coll fel pe bai'r sawl a'i cuddiodd wedi bod ar frys gwyllt ar y pryd. Aeth Ebenezer Jones â'r darn papur i'r goleuni a dechrau darllen:

LLOFRUDDIAETH ERCHYLL YM MHLAS HENDRE

Mae'r corff a ddarganfuwyd yn nhŷ haf Plas Hendre
ddydd Nadolig, wedi ei adnabod fel . . . 22 oed, unig
fab . . . wedi arfer eistedd y tu allan beth bynnag y
tywydd . . . dioddef o'r darfodedigaeth.

Dywedodd yr heddlu fod y dyn yma wedi derbyn
anafiadau arswydus i'w ben . . . daethpwyd o hyd i raw
. . . erfyn llofruddiaeth . . . mae'n ymddangos bod 'Dot',
daeargi a chydymaith ffyddlon y dyn marw wedi
ymdrechu i amddiffyn ei feistr . . . dioddef y
canlyniadau marwol . . . Ar hyn o bryd, nid oes neb . . .

Y dyddiad ar ben y tudalen oedd Rhagfyr 27, 1900.

Aeth y llyfrwerthwr yn ôl i'w wely efo llond gwydr o wisgi. Rhwng cwsg ac effro
fel y dechreuai'r gwirod gael effaith arno, bu bron iddo'i argyhoeddi ei hun
unwaith eto ei fod wedi dychmygu'r cyfan. Yr oedd y cwbl yn rhy anhygoel.
Dyna'r funud pan glywodd sŵn traed. Yr oedd rhywun yn dringo'r grisiau oddi
tanodd ond nid tan ar ôl i ddrws y stafell fyw agor y clywodd Ebenezer Jones y
murmur a'r mwmian. Yr oedd y gŵr a fu yn y siop yn ôl – fel yr addawodd. Nid
arwr mo'r llyfrwerthwr – nid oedd arno gywilydd cyfaddef hynny, chwaith.
Tawel ddigon fu ei fywyd hyd yn hyn. Nid oedd yn gyfarwydd ag anturiaethau
fel hon ar wahân i'r rheini y byddai'n darllen amdanynt rhwng y cloriau felwm
ar y silffoedd i lawr y grisiau. Am ychydig eiliadau, gorweddai yno wedi'i fferru
gan ofn wrth iddo sylweddoli mai llofrudd oedd yn y stafell nesaf. Ac efe,
Ebenezer Jones, oedd yr unig dyst i'w drosedd enbyd. Dim ond ef a wyddai'r
gwir ynglŷn â'r noson honno. A dim ond pared oedd yn eu gwahanu bellach.
Prin ei fod yn meiddio anadlu wrth iddo wrando ar y tresbaswr yn symud o
gwmpas ymhlith y gwydrach. Unrhyw funud, disgwyliai iddo ymddangos yn
nrws y stafell wely. Petruso oedd y llyfrwerthwr a godai ai peidio. Byddai synnwyr
cyffredin yn ceisio dweud wrtho mai'r ffordd orau i drechu'r drwg oedd bod yn
barod i gwrdd ag ef. Wedi'r cyfan, llofrudd oes a fu – gan mlynedd union i'r
diwrnod – oedd y dyn yn y stafell nesaf. Nid oedd dichon y gallai ei niweidio.
Ond roedd pa ddewrder bynnag y gallai'r wisgi fod wedi'i gynnig iddo wedi
diflannu'n hollol erbyn hyn.

Yn sydyn, daeth cri uchel o boen ac wedyn rheg fel pe bai'r gŵr wedi torri ei
law ar y gwydr, cyn i'r murmur a'r mwmian ailddechrau eto. Yn fuan ar ôl
hynny, clywodd Ebenezer Jones sŵn traed yn mynd i lawr y grisiau unwaith eto.
Wedyn, llonyddwch. Lledorweddodd ar ei wely yn syllu ar amlinell wan y
ffenestr yn nhywyllwch y stafell. Tybed faint o bobl sydd heb brofi'r teimladau

'na o ofn yn oriau mân y bore pan fydd demoniaid arswyd ac amheuaeth yn preswylio ymhob twll a chornel? Ac nid cyn i'r wawr gael gwared â'r cysgodion bygythiol o bob cornel o'r stafell ac i'r adar cyntaf groesawu'r dydd y bydd y demoniaid yn ffoi. Hawdd credu, felly, gymaint oedd anobaith Ebenezer Jones yr eiliad honno.

Erbyn iddo fentro allan o'r gwely a mynd i'r stafell fyw, yr oedd golau cyntaf gwawr dydd Nadolig yn dechrau ymlithro i mewn. Yr oedd cipolwg yn ddigon i Ebenezer Jones sylweddoli bod y llofrudd wedi dianc efo'r dystiolaeth i gyd. Nid oedd arlliw o'r pictiwr yn unman. Ac yr oedd pob un o'r cardiau Nadolig wedi eu gosod yn ôl ar y silff ben tân unwaith eto. Yr oedd fel pe na bai dim wedi digwydd. Yna, trawodd y llyfrwerthwr nad oedd dichon i'r gŵr fod wedi gallu cael gwared â phopeth fel hyn heb adael rhyw argoel. Byddai wedi bod yn amhosibl. Mae'n rhaid ei fod wedi breuddwydio amdano wedi'r cyfan. Hunllef o'r dechrau i'r diwedd oedd y cwbl a dim byd arall. Teimlodd Ebenezer Jones ei galon yn codi fel petai cwmwl du, mawr wedi codi'n sydyn. Yr oedd yn fore bendigedig o braf ac yr oedd yn ddiwrnod Nadolig.

'Nadolig Llawen', dywedodd yn uchel wrtho'i hun, fel petai am ei argyhoeddi ei hun fod popeth yn iawn a diwrnod Nadolig oedd hwn, yr adeg i ddathlu. Y funud honno, daliwyd ei sylw gan fflach o rywbeth metalig dan y bwrdd pentan. Wrth iddo blygu trosodd ac estyn i'w godi, gwelodd y gwaed ar y ffender. Tri diferyn, tebyg i waed o fys wedi'i dorri gan ddarn o wydr, efallai.

*   *   *

Gan ei fod yn byw ar ei ben ei hun, a'i bod yn ŵyl Nadolig, ni ddaethpwyd o hyd i gorff Ebenezer Jones am nifer o ddyddiau. Yn ôl y dystysgrif, achos ei farwolaeth oedd trawiad ar y galon. Ond, mewn atodiad, tynnodd y crwner sylw at bresenoldeb disg enw metal wedi ei ddal yn dynn yn llaw dde'r ymadawedig. Disg tebyg i rai a geir ar goler ci. Ond roedd hyn yn rhywbeth od iawn gan nad oedd gan Ebenezer Jones gi. Ar y disg, roedd yr enw 'Dot'.

Yr Hetiwr Hurt

174

Cywaith grŵp. Y profiad o ddysgu Cymraeg. Lefel: Agored

BEIRNIADAETH MEIC RAYMANT

Roedd yn ddiddorol iawn darllen ymdrechion y tri chystadleuydd. Mae'n amlwg bod y dysgwyr a gyfrannodd wedi cael llawer iawn o brofiadau gwahanol – y rhan fwyaf ohonynt yn rhai cadarnhaol, diolch byth!

Yr hyn sydd yn rhedeg trwy'r holl hanesion yw'r awydd i lwyddo i feistroli'r iaith. Nid yw'r llwybr yn un hawdd bob tro ond, mewn dosbarth Cymraeg, mae modd derbyn gwybodaeth, cefnogaeth ac ysbrydoliaeth nid yn unig gan y tiwtor ond hefyd gan gydaelodau. Pob lwc i bawb yn eu hymdrechion i geisio dysgu Cymraeg. Mae derbyn profiadau cadarnhaol mor bwysig, pa ddull dysgu bynnag sydd yn cael ei ddefnyddio.

Roedd y tri chynnig – gan *Dyfalwyr Donc, Y Doeth a'r Deallus* a *Grŵp Glannau Colwyn* – yn dda iawn. Sut bynnag, roedd un cywaith yn arbennig wedi llwyddo i arddangos undod yr ymdrech yn y dosbarth a'r awydd i ymarfer y tu allan iddo, ynghyd ag ystod eang o bersonoliaethau a phrofiadau gwahanol. Oherwydd hynny, hoffwn roi'r wobr i *Y Doeth a'r Deallus.*

PARATOI DEUNYDD AR GYFER DYSGWYR

Gêm fwrdd ar gyfer teuluoedd sy'n dysgu Cymraeg

BEIRNIADAETH ELWYN HUGHES

Pan gyrhaeddodd gwaith y pedwar a gymerodd ran yn y gystadleuaeth hon, ni allwn lai na rhyfeddu at yr ymdrech roedd pob un wedi'i wneud i greu'r pecyn cyflawn ar gyfer eu gemau. Nid y deunydd crai'n unig – bwrdd chwarae a chan-llawiau – a gawsom ond, hefyd, bocs pwrpasol, clawr deniadol, cardiau di-rif, dis, darnau chwarae ar gyfer pob chwaraewr, ac ati. Rhoddwyd sylw gofalus i'r manion ac aeth ambell un i drafferth fawr i greu diwyg lliwgar a phroffesiynol yr olwg. Hoffwn ddiolch i bob un am gystadlu gyda'r fath egni a brwdfrydedd.

O gofio geiriad y testun, roeddwn yn chwilio am gêm: (a) a fyddai'n apelio at ystod eang o oedrannau; (b) a fyddai'n sbarduno'r chwaraewyr i sgwrsio yn Gymraeg; (c) na fyddai'n cynnwys gormod o elfennau 'addysgol' amlwg nac yn ymddangos yn rhy debyg i weithgaredd dosbarth ond a allai gyfrannu'n gynnil at ddatblygiad ieithyddol y chwaraewyr; (ch) a fyddai, fel pob gêm dda, yn dibynnu ar gyfuniad o strategaeth a lwc; a (d) a fyddai'n cynnwys elfen gystadleuol hwyliog lle byddai digon o gyfle i'r plant guro'u rhieni.

Dyma rai sylwadau am bob cystadleuydd:

Rhonwen Nanmor: Diwyg da a deunydd lliwgar. Mae'n rhaid cyrraedd o A i B trwy daflu dis a gwneud tasgau ar hyd y ffordd. Mae'r gêm yn cynnwys pentwr o gardiau ac arnynt enwau, berfau ac ansoddeiriau, a'r dasg fel arfer yw llunio brawddeg gan ddefnyddio'r geiriau sydd ar y cardiau a godir. O dro i dro, mae'n rhaid meimio'r gair yn hytrach na'i ddefnyddio. Cryfderau'r gêm yw bod digon o gyfle i siarad ac i greu brawddegau doniol a meimiau digrif. Y diffyg mwyaf yw nad oes unrhyw sgwariau cosb ac, felly, mae'r elfen gystadleuol yn wan. Hefyd, mae'r tasgau'n swnio braidd yn rhy debyg i waith dosbarth; a dweud y gwir, tybiaf y byddai'r gêm yn gweithio'n dda fel sail i ymarfer patrymau a geirfa mewn dosbarth ond nid yw'n taro deuddeg yn llwyr fel gêm gymdeithasol i'r teulu cyfan.

Chwaraewr: Diwyg ardderchog, hynod broffesiynol, ac mae'r pecyn yn cynnwys cannoedd, yn llythrennol, o gardiau. Y dasg unwaith eto yw mynd o A i B trwy daflu dis ac ateb cwestiynau ar hyd y ffordd. Mae'r cwestiynau wedi'u dosbarthu fesul thema (e.e., Dyddiadau, Teulu ac Arian, Gwybodaeth Gyffredinol, ac ati) a'r bwriad yw bod chwaraewr yn taflu dis a glanio ar sgwâr ond bod y person nesa ato'n codi'r cerdyn priodol ac yn gofyn y cwestiwn iddo. Cryfder y gêm yw'r pwyslais ar siarad ond, gwaetha'r modd, mae natur y cwestiynau braidd yn siomedig: maen nhw bron i gyd yn dasgau sillafu, cyfieithu neu brofi cywirdeb gramadegol, hyd yn oed o dan bennawd fel 'Gwybodaeth Gyffredinol'. Hefyd, gan fod chwaraewr yn cael parhau i ateb cwestiynau a symud o gwmpas y bwrdd nes bydd yn cael ateb yn anghywir neu nes bydd yr amser yn dod i ben, mae'r dysgwyr mwyaf galluog yn mynd i ennill bob tro. Fedra i ddim gweld y gêm yma'n apelio ryw lawer at deuluoedd ar ei ffurf bresennol ond o newid cynnwys y cardiau, efallai fod potensial i ddatblygu'r syniad sylfaenol.

Andi Capp: Siopa yw thema'r gêm hon ac er nad yw'r cystadleuydd hwn wedi gallu creu diwyg mor orffenedig a phroffesiynol â'r lleill, mae wedi llwyddo i lunio gêm liwgar a deniadol. Y dasg yw mynd yn ôl ac ymlaen i'r siop trwy daflu dis a phrynu gwahanol nwyddau yn eu tro; y cyntaf i lenwi ei fasged sy'n ennill. Mae'r syniad yn un digon apelgar ond efallai y gellid amrywio tipyn mwy ar y cyfarwyddiadau ar y cardiau (e.e., rhywbeth fel 'mae'r llefrith wedi troi: ewch â fo'n ôl i'r siop') a rhoi cyfle i un cystadleuydd 'ddwyn' rhywbeth o fasged y llall os yw'n glanio ar yr un sgwâr. Byddai hynny'n helpu i gynnal diddordeb y chwaraewyr a chreu awyrgylch mwy hwyliog. Y gwendid mwyaf, serch hynny, yw nad oes gofyn i'r chwaraewyr siarad o gwbl: er bod y gêm yn creu sefyllfa siop, mae'r chwarae'n dibynnu'n gyfan gwbl ar ddilyn cyfarwyddiadau ar gardiau.

Rwy'n sicr y byddai modd datblygu'r gêm trwy ychwanegu arian i'r pecyn a chynnwys elfennau o brynu, gwerthu, bargeinio, hawlio arian yn ôl, ac ati, er mwyn hyrwyddo defnydd ymarferol o'r iaith wrth chwarae.

B.M.: Os oedd gwaith y tri chystadleuydd uchod yn ddeniadol ac yn dangos ôl gwaith mawr, mae gêm *B.M.* yn gwbl, gwbl ryfeddol o ran cynllun a diwyg. Amrywiad ar *Scrabble* ydy hi ac mae yma fwrdd chwaethus a theils pwrpasol (sy wedi'u seilio ar amledd llythrennau yn y Gymraeg, gyda llaw: bendith fawr i unrhyw un sy wedi ceisio chwarae *Scrabble* yn Gymraeg gyda'r fersiwn Saesneg!). Rydw i wedi dotio'n arbennig at y bocs sy'n dal y cyfan yn hynod dwt, gyda lle anrhydeddus i gopi o'r *Welsh Learner's Dictionary* yn y gornel! Yr hyn sy'n gwneud y gêm yma'n wahanol i *Scrabble* ydy (a) bod pob cystadleuydd yn gorfod creu pedwar gair personol yn y lle cyntaf (un gair tair llythyren, un gair pedair llythyren, ac ati) cyn cystadlu â'i gilydd i gwblhau pum gair yng nghanol y bwrdd; (b) bod llythrennau blaen yn cael eu dosbarthu gyntaf a bod rhaid i bob cystadleuydd osod y rheiny yn eu lle cyn gweld pa lythrennau eraill a fydd ganddo wedyn: apeliodd yr elfen strategol yma ataf yn fawr; ac (c) bod diwedd pendant i'r gêm pan mae'r pum gair yn y canol wedi'u cwblhau.

Mae'r gêm rywfaint yn llai hyblyg na'r *Scrabble* arferol ond teimlaf fod hynny'n fantais wrth addasu'r gêm ar gyfer dysgwyr, rhag iddynt grwydro'n ormodol oddi wrth eiriau pob dydd defnyddiol. Mae'r pecyn yn cynnwys dwy deilsen 'unrhyw lythyren' i hwyluso'r gwaith o gwblhau geiriau: teimlaf y byddai'n fanteisiol cael ychydig mwy o'r rheiny er mwyn cynnal momentwm y gêm a sicrhau bod pawb yn cymryd diddordeb yng ngeiriau ei gilydd. Unig anfantais y gêm yng nghyd-destun dysgwyr yw nad oes gwir angen siarad wrth chwarae ond mae iddi gymaint o elfennau cadarnhaol eraill, gan fod yr elfen gystadleuol strategol yn gweithio'n dda a'r elfen addysgol o ddatblygu geirfa'n gynnil effeithiol hefyd. Gall apelio at ystod eang o oedrannau, mae'n hwyliog ac mae'n her. Byddai hon yn gêm ardderchog ar gyfer Cymry Cymraeg hefyd.

Hoffwn longyfarch y pedwar cystadleuydd ar eu gwaith ond, yn ddi-os, *B.M.* sy'n mynd â hi'r tro hwn.

Paratoi cardiau fflach a phosteri cysylltiedig ar gyfer dosbarthiadau Cymraeg

BEIRNIADAETH PETER HUGHES GRIFFITHS

Cystadleuaeth siomedig o ran nifer a chynnwys. Ble mae holl athrawon y dysgwyr ar hyd a lled Cymru sy'n paratoi deunydd ardderchog yn gyson? Dim ond tair ymgais a ddaeth i law.

Cardiwr. Nid cardiau fflach sydd ganddo/i ond dau becyn o gardiau chwarae. Cyfle sydd yma i ymarfer ateb cwestiynau. Cafwyd poster maint A4 ond nid yw'n adlewyrchu'r cynnwys.

Llywelyn Ap Elidir. O dan y teitl 'Cardiau Fflach' mae'r cystadleuydd hwn yn nodi: 'Does dim posteri i gyd-fynd â'r cardiau' ond mae'r gystadleuaeth yn gofyn am bosteri! Cardiau fflach sy'n cynnwys geiriau'n unig a geir yma. Mae'r ysgrifen braidd yn fach o gymharu â maint y cardiau.

Dafad: Poster maint A4 sydd gan yr ymgeisydd hwn hefyd ond, gwaetha'r modd, mae llun afal ganddo a'r gair 'oren' uwch ei ben, ac nid yw'r Gymraeg yn gywir. Gan *Dafad* y mae'r cardiau fflach gorau gyda lluniau lliwgar ar un ochr a'r llythyren gyntaf yr ochr arall. Eto, ceir camgymeriadau (e.e., 'i am iar' ond llun hwyaden! Ac yna 'th am theisen').

Rwy'n ofni nad yw'r safon yn ddigon derbyniol ac felly rwy'n atal y wobr.

Paratoi tâp sain ar gyfer gwrando arno yn y car, yn cynnwys e.e., straeon gwerin, straeon gwreiddiol, hanesion difyr am ardal arbennig, troeon trwstan, ac yn y blaen

BEIRNIADAETH HELEN PROSSER

Llongyfarchiadau i Bwyllgor Dysgwyr Eisteddfod Dinbych a'r Cyffiniau ar ddewis y gystadleuaeth hon. Un peth y mae galw mawr amdano o du'r dysgwyr yw tapiau sain ac, yn enwedig, tapiau y gallant eu defnyddio'n annibynnol – boed yn y car neu gartref. Roedd cynnwys y tâp hefyd yn ddigon penagored i ganiatáu i'r ymgeiswyr ddilyn eu trywydd a'u diddordebau eu hunain.

Gan fod y gystadleuaeth hon wedi pennu y dylid paratoi tâp ar gyfer gwrando arno yn y car, yn y fan honno yr euthum ati i wrando ar y pedwar tâp a ddaeth i law. Dyma air byr am bob un ohonynt.

Ben: Mae hwn yn berl o dâp lle mae'r adroddwr yn adrodd hanesion wrth ddilyn afon Afan ar ei feic. Mae nid yn unig yn disgrifio'r ardal a'r tirwedd ond mae'n adrodd yr holl hanesion sy'n gysylltiedig â'r lleoedd y daw ar eu traws ac, yn fwy na hynny, y cymeriadau lliwgar sydd yn gysylltiedig â nhw. Nid wyf yn siŵr a yw'r tâp wedi'i baratoi ar gyfer dysgwyr yn benodol ond byddwn yn argymell *Ben* i sicrhau bod pobl yr ardal yn gallu cael gafael ar y tâp hwn er mwyn cael clywed yr holl hanesion.

Sam: Cymysgedd o storïau am Guto Bach y Glanhäwr Ffenestri a storïau traddodiadol a geir ar y tâp hwn. Fe'i bwriedir ar gyfer rhieni sy'n dysgu Cymraeg a'u plant. Nid yw cynnwys ieithyddol y tâp yn hawdd ond y mae'r straeon am Guto yn hyfryd a byddai'n werth i ddysgwyr o oedolion tua safon 4 (TGAU) ac uwch wrando ar y tâp hwn yng nghwmni eu plant. Diolch am y deipysgrif hefyd.

Sgradog: Unwaith eto, nid oes ymdrech yma i baratoi tâp yn benodol ar gyfer dysgwyr. Nid oes cyfaddawdu yn yr iaith. Yr hyn a geir yw sgyrsiau difyr iawn am bentref Gorslas yng Nghwm Gwendraeth. Cynhelir sgwrs gan yr awdur â dau gymeriad lleol (gan gynnwys ei fam, Annie Owen) am bentref Gorslas ac am hen arferion megis lladd mochyn. Gyda golwg ar ddysgwyr rhugl yng ngorllewin Cymru, teimlaf y byddai'r tâp yn gaffaeliad er mwyn iddynt gael clywed yr acenion hyfryd a chael cyfle i ymestyn eu dealltwriaeth. Gobeithiaf y bydd modd i Gonsortiwm Cymraeg i Oedolion Dyfed gael gafael ar y tâp hwn. Gan fod cynnwys y tâp yn anodd, byddai teipysgrif yn ddefnyddiol er mwyn i'r dysgwyr fedru darllen dros y sgript (ar ôl gadael y car!).

Y Ddysgwraig: Hwn oedd y tâp mwyaf amrywiol o safbwynt ei gynnwys – straeon, troeon trwstan, jôcs a chaneuon. Mae'r tâp yn amlwg wedi'i baratoi gan ddysgwraig ac mae'n rhaid ei chanmol am safon ei Chymraeg. Mater o chwaeth yw apelio at wahanol bobl ond nid oedd cynnwys y tâp hwn yn taro deuddeg i mi.

Dyfarnaf y wobr o £75 i *Sgradog* am fy mod yn credu y gall ei dâp fod yn werthfawr iawn i ddysgwyr rhugl mewn ardal yng Nghymru lle mae'n bwysig iawn cymhathu dysgwyr yn y cymunedau Cymraeg.

ADRAN CERDDORIAETH

CYFANSODDI

Emyn-dôn i eiriau'r Parchedig Dafydd Hughes Jones

BEIRNIADAETH ALUN GUY

Mae'r emyn ardderchog eleni gan y Parchedig Dafydd Hughes Jones yn gosod her i'r cyfansoddwyr gyda'r mesur 12.12.12.12. Nid mesur cyffredin mohono – nid yw'n ymddangos hyd yn oed yn ein llyfr cydenwadol newydd!

Mae'n rhaid canmol safon cynnwys a diwyg y rhan fwyaf o'r 47 o donau a ddaeth i law – llawer ohonynt yn manteisio ar feddalwedd gyfrifiadurol, gan gynhyrchu gwaith o safon broffesiynol a oedd yn hawdd ei ddarllen. Yn wir, ychydig iawn o gynigion gwael a dderbyniwyd. Credaf fod rhai o'r cynigion gwannaf wedi cael eu creu wrth y piano neu'r allweddell gan gyfansoddwyr â chlust dda ond sydd heb ymboeni'n ormodol am symudiadau'r rhannau mewnol a thriniaeth cordiau'r seithfedau, er enghraifft. Mae'n dda gen i gofnodi hefyd fod llawer o fenter a dychymyg yn y cynganeddau. Y gamp, mewn gwirionedd, yw ffitio seiniau harmonïau newydd, ffres i mewn i batrwm ceidwadol traddodiadol yr emyn-dôn Gymreig gan chwilio am ffordd 'wahanol' o gyflwyno neges yr emyn.

Dangoswyd parch ac ôl astudiaeth fanwl o neges 'Mawl a Deisyfiad' yr emynydd yn y cynigion. Cafwyd amrywiaeth o gyweirnodau. Y dewis amseriad mwyaf poblogaidd oedd triphlyg syml ac amser cyffredin. Cafwyd alawon canadwy iawn â'r rhannau lleisiol ar y cyfan o fewn paramedrau'r gynulleidfa arferol.

Mae'r hen bla o ddefnyddio pumedau ac wythfedau dilynol fel petai'n darfod bellach – a da o beth yw hynny. Ymddengys fod y cyfansoddwyr yn fwy ymwybodol o 'ramadeg' cerddoriaeth y dyddiau hyn ac yn anelu at ddosraniad mwy cyfartal rhwng y lleisiau. Mae'r dewisiadau o gordiau hefyd yn dda iawn ac yn sicrhau rhediadau harmonig derbyniol a diddorol. Cafodd nifer drafferthion, serch hynny, gyda'r ddiweddeb olaf oll wrth geisio sicrhau clo effeithiol a thrawiadol i'r dôn – yn aml yn gorgymhlethu'r rhythmau a'r harmoni.

Mae'n rhaid bod yn ofalus hefyd wrth drin dilyniant. Mae'n ddyfais effeithiol iawn i godi tensiwn y moliant ond mae rhai cystadleuwyr yn tueddu i'w orddefnyddio nes colli effaith. (Rhyw ddwywaith neu deirgwaith ar y mwyaf y byddai J. S. Bach yn ei ddefnyddio'n olynol yn ei goralau). Mae'r un neges yn berthnasol hefyd o safbwynt y defnydd o nodau camu acennog yn yr alawon.

Yr adeiledd mwyaf poblogaidd ymysg y 47 cynnig yw AABA, sef ffurf deiran: mae rhai hefyd wedi rhoi cynnig ar y ffurf ddwyran, sef AABB. Cafodd y rhan fwyaf o'r ymgeiswyr hwyl dda gyda chwpled cyntaf yr emyn gan ddewis y cywair llon er mwyn rhoi cychwyn cerddorol sicr a hyderus i'r geiriau '*I Luniwr llawenydd sy'n deilwng o'n moliant,/Offrymwn ganiadau i leisio'i ogoniant*'.

Mae trin y cwpled olaf, fodd bynnag, yn brawf anoddach i'r cerddorion. Bu sawl ymgais yn aflwyddiannus oherwydd y symudiad dramatig i gyweirnodau estron a'r methiant i ddarganfod ffyrdd harmonig derbyniol yn ôl i'r tonydd gwreiddiol. Mewn gwirionedd, roedd triniaeth yr ail gwpled yn dangos teithi meddwl cerddorol y cyfansoddwyr i'r dim ac yn ffon fesur i wir lwyddiant y cyfansoddiadau. Mae rhai wedi datblygu syniadau a motifau a glywyd yn yr agoriad tra bo eraill wedi cyflwyno syniadau cerddorol newydd.

Un nodwedd a ddaeth yn amlwg i mi eleni yw'r arferiad o fynd i gywair y llywydd ar ddiwedd A ac yna dechrau adran B yng nghywair y feidon – trawsgyweiriad a glywir droeon yn ein halawon cerdd dant cyfoes. Mae'n drawsgyweiriad ardderchog ac yn cynnig cyfle i gyffwrdd â nifer o gyweirnodau newydd wrth basio. Hefyd, mae'n ddatblygiad seinyddol grymus sy'n rhoi cyfle i ehangu ffigurau neu fotifau a glywyd eisoes yn adran A.

Daw wyth tôn i'r dosbarth cyntaf, sef eiddo *Coed bach, Priodwr, Ty'reithin, Gellideg, Morfa, Hawis, Rhos Helyg,* a *Llys-y-Coed*. Mae i bob un ohonynt rinweddau cerddorol tra chanmoladwy a haeddant gael eu cynnwys mewn detholiadau Cymanfaoedd Canu. Mae'r ymgeiswyr i'w canmol am y modd y bu iddynt ddehongli'r emyn gan sicrhau priodas hapus rhwng yr emyn a'r dôn.

Mae cyfansoddiad *Ty'reithin* yn rhagori yn y gystadleuaeth ar sawl lefel. Mae dilyniannau'r harmonïau agoriadol yn llyfn gyda chordiau awgrymedig y nawfed a ffigurau cromatig tonnog uwch ac is y tenoriaid yn cydio yn y dychymyg yn syth. Mae'r alaw'n cael ei hadeiladu'n gelfydd ac yn symud i mewn i'r ail gwpled yn ddi-dor heb golli dim o'r momentwm wrth gyffwrdd â'r cyweirnodau lleiaf ar y ffordd.

Nid cyfansoddiad homoffonig pur ydyw oherwydd mae symudiadau rhythmig cyferbyniol yn yr alto, tenor a bas gyda nodau tonnog, nodau camu acennog a diacen yn sicrhau bod y ffocws harmonig yn symud o'r naill ran i'r llall. Hoffaf y modd y mae *Ty'reithin* wedi ailadrodd rhan gyntaf y llinell olaf yn y penillion gan atal llif y dôn a rhoi cyfle i'r cantorion fyfyrio ar y geiriau '*yn aberth i Roddwr*' (Pennill 1), '*A phrofi tangnefedd*' (Pennill 2), '*Yn gymorth diatal*' (Pennill 3), a '*Fo'n foddion i'n tywys*' (Pennill 4). Mae'r uchafbwynt wrth ailadrodd y geiriau yn codi'r emyn-dôn i dir uwch ac yn gorffen yn rymus a chadarn. Mae motifau dotiedig yr alaw a ffigurau tonnog y rhannau mewnol agoriadol yn cael eu gwrth-droi ar y diwedd ac mae'r dewis o harmonïau hefyd yn debyg i'r dechrau gan roddi adeiledd â naws gylchol i'r cyfansoddiad. Ymgais ganmoladwy a llwyddiannus gan wir grefftwr.

Barnaf fod *Ty'reithin* yn gwbl haeddiannol o'r wobr gyntaf ac edrychaf ymlaen at y datganiad cyhoeddus cyntaf yn y Gymanfa Ganu.

Yr Emyn-dôn Fuddugol 2001
(i eiriau'r Parchedig Dafydd Hughes Jones)

Yn a berth i Ro ddwr, Yn

a - berth i Ro - ddwr gra - su - sau di - hys - bydd.

Ty'reithin

MAWL A DEISYFIAD

1.
I Luniwr llawenydd sy'n deilwng o'n moliant
Offrymwn ganiadau i leisio'i ogoniant;
Esgynned cyweirnod y folawd na dderfydd
Yn aberth i Roddwr grasusau dihysbydd.

2.
Cysegrwn ein doniau o hyd mewn addoliad
O glod i'n Gwaredwr a bendith i'n henwlad;
Deisyfwn adferiad o'n mynych wyriadau
A phrofi tangnefedd yr Hwn sy'n eu maddau.

182

Doh=A♭

s,	d :- .r	m :s,	t, :-	l, :l,	r :- .m	f :l,	d :-	t, :s,	r :-	m :f
s,	m, :- .f,	s, :m,	s, :-	l, :s,	f, :- .s,	l, :f,	l, :-	s, :s,	s, :t,	d :t,
s,	d :t,	d :r	d :de	r :m	r :de	r :m	f :m	r :t,	t, :s	s :s
s,	d, :-	d, :m,	f, :-	m, :de,	r, :-	r, :f,	s, :fe,	s, :s,	s, :f	m :r

m :- .r	d :t,	l, :r	- :d	d :-	t,	:t	t, :-	r :t,	d :- .t,	l, :d
d :t,	l, :s,	l, :-	l, :l,	l, :-	s,	:l	se, :-	t, :se,	l, :-	m, :l,
s :se	m :m	s :-	fe :r	f :r	m	:re	m :-	m :m	m :-	m :m
d :m,	l, :d	r :-	r, :fe,	s, :-	s,	:f,	m, :- .fe,	se, :m,	l, :t,	d :l,

Yn a - - - - - - - - - - berth i Ro - - - - - - - - -

r :-	f :r	m :- .r	d :l,	se, :-	t, :-	l, :-	- :d	t, :-	r :-
t, :-	r :t,	d :-	s, :m,	f, :-	- :-	m, :-	fe, :-	s, :-	- :-
s :-	s :s	s :-	s :d	r :-	- :-	d :-	r :-	r :-	f :-
s, : .l,	t, :s,	d :r	m :d	t, :-	se, :-	l, :-	r, :-	s, :-	l, :t,

ddwr, 𝄎. Yn a - - - - - berth i Ro - - - - -ddwr gra - su - - - sau di - hys - - - - - - - bydd.

d :-	- :s	l :-	f :r	s :- .f	m :d	l :-	f :r	d :-	t, :-	d :-	-
s, :-	- :d	d :-	d :t,	d :t,	d :s,	f, :s,	l, :l,	s, :-	- :-	s, :-	-
m :-	f :s	f :- .s	l :s	s :-	s :d	d :de	r :r	m :-	r :f	m :-	-
d :-	r :m	f :-	f :f	m :r	d :m,	f, :m,	r, :f,	s, :-	- :-	d, :-	-

Ty'reithin

3.
Doed sicrwydd sy'n angor pan ddelo amheuon,
A'r wawrddydd i ymlid yr ofn o'r cysgodion;
A bydded addewid y Duw sy'n gydymaith
Yn gymorth diatal i gynnal ein gobaith.

4.
Boed llewyrch ei eiriau yn nannedd pob drycin
Yn olau na chilia er ymchwydd yr heldrin;
A'r llusern fu'n arwain dros donnau'r gorffennol
Fo'n foddion i'n tywys i lan y dyfodol.

183

Unawd piano neu delyn, addas ar gyfer chwaraewyr o safon Gradd 6, 7 neu 8

BEIRNIADAETH STEPHEN PILKINGTON

Daeth wyth ymgais i law a dyma ychydig sylwadau ar bob un.

Vox Humana: 'Cyfres o Bedwar Manddarlun Jas i Biano'. Cyfres ddymunol iawn o ddarnau jas – ond mae'r brif thema yn Rhif 1 yn llawer rhy debyg i lawer o ddarnau 'jogio bysedd' eraill! Mae Rhifau 2 a 4 (er mor ddymunol) yn nes at safon gradd 4/5; mae syniadau Rhif 3 yn effeithiol. Ar y cyfan, 'does dim digon o'r deunydd yn cyrraedd safon Gradd 6 a buaswn wedi hoffi gweld un darn parhaus ar gyfer y gystadleuaeth hon.

Bryn Bwgan: Darn effeithiol (na roddwyd teitl iddo) o safon Gradd 8. Mae'r cynnwys a'r syniadau harmonig yn gysyniadol fodern a defnyddir amrywiaeth da o ddeinameg. Caiff y syniad agoriadol, a'r ateb sy'n dilyn ar ffurf gradd-feydd, eu datblygu'n eithaf da. Byddai'r darn yn well eto pe bai'n cynnwys mwy o amrywiaeth o ran datblygiad neu pe bai syniad arall neu adran arafach wedi cael eu cyflwyno yn y canol. Ar hyn o bryd, mae'n tueddu i swnio braidd yn ail-adroddllyd ond, serch hynny, mae'n ymdrech dda iawn.

Telynores Twt: 'Adlewyrchiad'. Mae hwn yn ddarn byr eithaf dymunol ond braidd yn rhy gonfensiynol ar gyfer cyfansoddiad modern ac nid oes digon o sylwedd ynddo. Nid yw un thema fer, gydag adran fyrrach fyth yn y canol, ac ailadroddiad byr iawn o'r agoriad, yn ddigonol ar gyfer y gystadleuaeth hon.

Joanne Francis: Mae'r darn di-deitl hwn yn llawer rhy hen ffasiwn ar gyfer cystadleuaeth yn yr unfed ganrif ar hugain. Mae'r cynnwys harmonig yn wan ac ni ddatblygir digon ar y thema.

Porthyn: 'Marwnad'. Nid yw'r darn hwn yn taro deuddeg! Nid oes elfen adeiladol ynddo – dim ond adrannau nad ydynt yn mynd i unman. Mae'r cynnwys harmonig braidd yn elfennol ac nid yw'n cael ei ddefnyddio'n gywir bob tro. Mae'r holl ddarn yn swnio fel pe na bai'r cystadleuydd yn gwybod beth i'w wneud ar ôl y darn agoriadol. Efallai y byddai astudio rhai cyfansoddiadau modern ar gyfer y delyn o gymorth i'r ymgeisydd hwn.

Hwyrnos: 'Hwyrnos'. Mae hwn yn ddarn eithaf pert ond mae'n llawer rhy elfennol a rhamantaidd ar gyfer y gystadleuaeth hon. Mae'n rhaid cael agwedd fwy modern tuag at y cynnwys harmonig a rhythmig hyd yn oed ar gyfer darn safon Gradd 6.

Berg: Darn dymunol iawn (heb deitl) sy'n llawn mynegiant ond yn llawer rhy fyr ar gyfer y gystadleuaeth hon.

Y Mynach: 'Amrywiadau ar Hwiangerdd Cymru i Biano'. Mae hon yn ymdrech dda ar gyfansoddi thema ac amrywiadau mewn idiom fodern ac mae'n mabwysiadu gwahanol arddulliau ar gyfer y thema. Fodd bynnag, mae'r thema braidd yn rhy amlwg drwy gydol y darn a gellid bod wedi ei defnyddio ychydig yn gynilach, ac mae'n drueni bod y 4 bar olaf mor wael! Nid oedd yr ymgeisydd yn gwybod sut i'w orffen yn effeithiol. Er hynny, ymdrech dda. Byddai thema a syniad gwreiddiol y cystadleuydd ei hun wedi bod yn fwy derbyniol ar gyfer y gystadleuaeth hon.

Eiddo *Bryn Bwgan* oedd y cyfansoddiad gwreiddiol gorau yn y gystadleuaeth o bell ffordd, yn enwedig felly am ei fod yn un darn, ac iddo ef y dyfarnaf y wobr gyntaf.

Darn byr i organ bib addas i'w chwarae mewn priodas

BEIRNIADAETH GERAINT LEWIS

Naw ymgeisydd ond, ar y cyfan, roedd y safon braidd yn siomedig. Dyma gystadleuaeth ddefnyddiol a byddai'n braf meddwl am gyhoeddi llyfryn o ddarnau priodas gan gyfansoddwyr Cymreig. Gwaetha'r modd, dim ond dyrnaid o'r darnau a ddaeth i law sy'n ddigon effeithiol a phroffesiynol i'w cynnwys mewn cyfrol o'r fath.

Diapason: Nid oes rhaid i ymdeithgan ddilyn amseriad pedwar curiad – cyfansoddodd Elgar ymdeithgan i wasanaeth Coroni Siôr V sydd â thri churiad i'r bar am adrannau helaeth. Mae ymdeithgan 'chwech-wyth' *Diapason*, felly, yn chwim ei cherddediad ac yn ddigon effeithiol. Braidd yn undonog yw'r effaith, serch hynny, ac yn yr adran ganol mae dyn yn cael ei arwain i ddisgwyl alaw nad yw byth yn cyrraedd.

Ianto: Darn swynol i gyfarch y briodferch. Mae'n hynod draddodiadol ei naws er nad yn llai effeithiol oherwydd hynny. Ond mae yma ddiffyg amrywiaeth yn y bôn sy'n troi'n ystrydebol.

Twm hapus: Ymdeithgan drom braidd sy'n ddiddychymyg o ran ysgrifennu i'r organ.

Y Fronfraith: Darn digon swynol ac effeithiol sy'n defnyddio gwahanol ddulliau o ysgrifennu ar gyfer yr organ yn ddeheuig. Nid oes yma bersonoliaeth gerddorol gref, gwaetha'r modd.

Ymgeisydd: Syml iawn ei ddefnydd a'i wead a chwbl undonog ei gymeriad.

Illtyd: Dyma ni mewn cae gwahanol. Mae'r ymgeisydd hwn yn deall yr organ ac yn tynnu seiniau cyffrous ohoni. Mae'r darn hwn yn *doccata* ar y flaengan hynafol *Salve Regina* ac fe fyddai'n hynod effeithiol wrth i bâr newydd eu priodi adael eglwys neu gapel. Mae iaith *Illtyd* yn hyblyg a naturiol.

Dyfrig: Darn tawel hyfryd yn defnyddio seiniau cyfareddol yr organ. Mae'r teitl 'Epithalamium' yn golygu darn at briodas ac fe fyddai hwn yn hyfryd fel egwyl o fyfyrdod.

Berg: Ffanffer swnllyd yn dynwared agoriad ymdeithgan enwog Mendelssohn. Gwaetha'r modd, nid oes yma unrhyw sylwedd cerddorol.

Y Mynach: Ffanffer effeithiol yn arwain at alaw i'r trymped sydd yma. Mae'r alaw wedi ei seilio'n agos ar y *Processional* enwog gan William Mathias ac yn gweu deunydd y ffanffer yn gelfydd i rediad yr alaw. Braidd yn fyr yw'r darn – efallai ar gyfer adeilad heb lwybr mewnol hir!

Dyfarnaf £100 yr un i *Illtyd* a *Dyfrig* – er mai'r un yw'r sant, i'm tyb i!

Gosodiad (gyda chyfeiliant neu'n ddigyfeiliant) o unrhyw eiriau o Lyfr y Salmau (unrhyw fersiwn) ar gyfer côr merched

BEIRNIADAETH JOHN HYWEL

Gwynfyd: Mae'r gerddoriaeth yn addas i'r geiriau o ran yr ystyr a'r acenion naturiol. Ceir amrywiaeth gwead a thonyddiaeth ac mae'r ffurf wedi ei chynllunio'n grefftus, gydag uchafbwynt grymus yn arwain at ddiwedd tyner.

Dafydd: Dyma ddarn deniadol dros ben, darn y byddai corau a chynulleidfaoedd yn ei fwynhau. Mae cyfoeth yr harmoni a'r cyferbyniadau tonyddol yn creu darn lliwgar a dramatig. Gresyn bod yr hen *cliché* o dripledi cordiol yn ymddangos yn y cyfeiliant.

Tywyn bach: Gwelir yma gryn feistrolaeth o'r cyfrwng côr ac organ, gyda rhan organ idiomatig a dramatig, rhan sydd yn annibynnol ond eto'n gefnogol i'r lleisiau.

Absalom: Darn hapus sy'n llifo'n hamddenol yn 6/8 ond mae angen mwy o amrywiaeth yn y rhannau lleisiol, lle mae hanner y darn yn unsain!

Collen: Dyma ddarn diddorol iawn gan gyfansoddwr sydd yn meddu ar iaith harmonïol liwgar a thechneg aeddfed. Mae'r gwaith yn datblygu'n naturiol ac yn grefftus o'r ffigurau agoriadol ac mae *Collen* yn llwyddo i greu perthynas soffistigedig a *flessible* (y cyfarwyddyd tempo) rhwng y geiriau a'r gerddoriaeth.

Meillion: Arbrawf bywiog i greu natur 'dawns' gydag organ a chôr ond mae problemau technegol o safbwynt gosodiad y geiriau a harmoni yn amharu ar lwyddiant y gwaith.

Merch Mynydd y Grug: Mae'r darn ar y cyfan yn rhy statig o ran rhythm a buasai cymryd agwedd fwy hyblyg wrth osod y geiriau wedi arwain at waith mwy effeithiol.

Heb unrhyw amheuaeth, enillydd y gystadleuaeth hon yw *Collen*.

Carol Nadolig deulais neu fwy, i gyfeiliant piano neu organ, ar gyfer unrhyw gyfuniad o leisiau

BEIRNIADAETH ERIC JONES

Daeth pedwar ar ddeg o gyfansoddiadau o amrywiol arddulliau i law a rhywbeth diddorol i'w gynnig gan bob cyfansoddwr. Mae safon uchel yn perthyn i'r goreuon a dylid eu cyhoeddi er mwyn hyrwyddo perfformiadau ohonynt.

Gobeithiol (SATB ac organ): Hoffais apêl uniongyrchol y garol fach yma o'r dechrau. Mae'r iaith gerddorol yn draddodiadol ac eto mae yna ffresni yn y trawsgyweiriadau annisgwyl. Yr un deunydd sylfaenol sydd i bob un o'r penillion ond ceir ymdriniaeth gelfydd wahanol ohono bob tro, gyda chyfeiliant annibynnol i'r organ sy'n ychwanegu at y naws. Symlrwydd yw ei phrif nodwedd, efallai, ond fe'i lluniwyd gan feddwl cerddorol craff.

Gwynt o'r Dwyrain (SATB a phiano): Dyma iaith gerddorol fwyaf mentrus y gystadleuaeth. Ffigwr 'siglo' yw sail y cyfeiliant sydd, gydag cffaith y pedal, yn creu cordiau clwstwr amrywiol a lliwiau pur ddiddorol. Mae'r alaw ar y llaw arall yn foddol ei naws, gydag ail frawddeg y pennill agoriadol yn drosiad o'r gyntaf. Clywir yr un alaw yn yr ail bennill mewn trydeddau a'r ffigwr siglo yn parhau ond y cyfyngau newydd yn creu lliwiau gwahanol. Gosodiad homoffonig yw'r trydydd pennill gyda chordiau achlysurol yn cynnig cymorth i'r lleisiau yn y cyfeiliant, heb ddim ond awgrym o'r ffigwr siglo bellach. Dychwela'r alaw wreiddiol yn y pennill olaf ond, y tro yma, mewn estyniad. Mae yma ddyfeisiadau diddorol ynghyd â syniadau da ac eto mae yna adegau lle caf y teimlad nad yw'r cyfansoddwr wedi cael gafael lwyr ar yr hyn yr oedd yn ei ddymuno – bar yn awr ac yn y man nad yw'n gorwedd yn gwbl esmwyth yng nghorff y darn.

Sabrina 2 (SAB a phiano): Arddull ysgafn-boblogaidd a geir yn y garol hon ac mae symlrwydd ei halaw'n ei gwneud yn ddeniadol dros ben. Nid yw'n hawdd cofnodi'r math yma o gerddoriaeth gyda'r trawsacennu a'r nodau clwm ond llwyddwyd i wneud hynny yma i raddau helaeth ac i gynganeddu'r gerddoriaeth mewn tri llais hefyd yn effeithiol iawn. Heb os, byddai'n ddarn i apelio at gôr ieuenctid neu gôr hŷn mewn ysgol uwchradd ac mae digon o angen deunydd o'r math. Dylid cywiro ambell wall bychan – tawnodau wedi mynd yn angof, er enghraifft, ac efallai y dylid edrych eto ar osodiad rhythmig dechrau ambell frawddeg.

Sabrina 1 (SATB a phiano): Rhinweddau tebyg sydd yn perthyn i'r gosodiad yma o 'Sanctaidd nos' gan yr un cyfansoddwr ond efallai nad yw'r gynghanedd leisiol yr un mor effeithiol yn y darn hwn. Eto, gydag adolygiadau, teimlaf y gallai'r garol hon fod yn ychwanegiad gwerthfawr i *repertoire* Nadoligaidd ein corau ieuenctid. Anogaf y cyfansoddwr yma i ddyfalbarhau gan ei fod yn deall yr idiom gerddorol i'r dim ac yn gerddor crefftus a deallus.

Y Mynach (SA ac organ): Cyfansoddwr profiadol sydd yma a'r gallu ganddo i chwistrellu darn byr â sylwedd cerddorol trawiadol. Mae'r rhannau lleisiol yn adlewyrchu naws fywiog y dathlu i'r dim a'r ysgrifennu i'r organ yn ddyfeisgar tu hwnt gyda chyfarwyddiadau cofrestru manwl i'r perfformiwr. Mae'r effaith *carillon* yn y pennill cyntaf yn ymdawelu erbyn yr ail, lle ceir stop ffliwt yn dyblu'r lleisiau a chord clwstwr yn ychwanegu at y lliw. Dychwela'r effaith clychau, yn ddwysach y tro yma, i'r pennill olaf, gyda'r dyblu lleisiau'n awr ym mhedalau'r organ – dyfais fentrus ond gyda chofrestru gofalus. Nid yw'r bar cyswllt i'r ail bennill yn fy narbwyllo'n llwyr ac, yn sicr, byddai cadw at y marc metronom a roddir yn arwain at berfformiad gwyllt. Byddaf mor hy â mentro mai gwall ydyw. Mân frychau yw'r rhain, serch hynny, mewn darn hynod afaelgar.

Emrys (SATB a phiano): Alaw syml sydd yma gydag ymdrech deg i amrywio'r driniaeth ohoni o bennill i bennill, er nad yw'r cyfansoddwr yn gwneud ei fwriadau'n gwbl glir yn y ffordd y mae wedi gosod y gerddoriaeth ar bapur. Os mabwysiedir idiom draddodiadol yma o ran iaith gerddorol, mae'n rhaid parchu'r rheolau technegol sy'n nodweddiadol ohoni, ac mae ambell broblem yn y cyd-destun hwn yn y rhannau lleisiol.

Glasfryn (SATB a phiano): Mae'r agoriad mewn arddull ffanffer yn drawiadol dros ben ac, yn wir, mae'r cyfansoddiad cyfan yn gelfydd o ran triniaeth y lleisiau a'r cyfeiliant. Mae tinc ambell anthem o eiddo William Mathias yma yn yr iaith gerddorol a'r gosodiad cynnil o eiriau. Dyma un o gyfansoddwyr gorau'r gystadleuaeth ond pryderaf mai darn byr iawn yw hwn a gymer brin funud i'w berfformio. Nid yw hyn ynddo'i hun yn wendid ond efallai'i fod yn dioddef mewn cystadleuaeth fel hon o'r herwydd.

Tysilio (SATTBB ac organ): Mae'r elfen werinol a'r harmonïau sy'n seiliedig ar yr hen foddau yn y darn hwn yn dwyn i gof rai o weithiau lleisiol hudolus

188

Vaughan Williams. Dyma gyfansoddwr deallus sy'n gwybod sut y mae creu naws i adlewyrchu'r geiriau. Alaw syml sydd i'r garol, gosodiad o 'Wele'n wir ddirgelwch gwiwlan' ond mae'r driniaeth ohoni yn y gwahanol benillion, ynghyd â chyfeiliant organ crefftus iawn, yn arwydd o feddwl cerddorol craff. Mae'r agoriad i unawd soprano a'r diweddglo i unawd tenor yn gosod y darn hynod effeithiol yma mewn ffrâm daclus.

Attapatu (SATB a phiano): Mae yma syniadau cerddorol diddorol ac ymgais deg i adlewyrchu'r geiriau ond braidd yn ddigyfeiriad ac undonog yw'r darn fel cyfanwaith. Mae ymgais i amrywio'r cyfeiliant o bennill i bennill ond mae mân wallau technegol yn yr ysgrifennu lleisiol a'r gynghanedd yn gyffredinol. Dylid edrych eto, hefyd, ar osodiad rhythmig y geiriau mewn ambell fan er mwyn osgoi sillaf wan yn syrthio ar guriad cryf.

Alarch (SSA a phiano): Daeth y gwaith yma i law wedi ei argraffu a'i recordio ar dâp trwy gyfrwng rhaglen gyfrifiadurol. Ar ei orau, mae yma harmonïau diddorol ac addas i'r idiom ysgafn-boblogaidd. Ceir hefyd ambell adran wir afaelgar wrth newid cywair ac mae'r diweddglo'n wirioneddol drawiadol. Syndod, felly, yw nodi alaw sydd ar adegau braidd yn arwynebol a di-fflach. Yn wir, efallai fod yma ormod o syniadau cerddorol ac mae angen chwynnu a didoli. Gyda golygu gofalus, gallai'r darn yma lwyddo i gydio mewn perfformiad.

Prysor (TTBB a phiano): Mae carolau i gorau meibion yn brin iawn ac mae'r cyfansoddiad hwn yn ychwanegiad i'w groesawu gan fod y cyfansoddwr yn deall ci waith. Cryno a syml yw'r deunydd cerddorol yn ei hanfod ond mae'r defnydd ohono'n gynnil, a'r cyfeiliant yn gerddorol, yn gynhaliol i'r lleisiau ond byth yn ymwthiol. Mae 'na fân wallau yn y copïo ond teimlaf mai'r angen mwyaf yw adolygu'r mynediad cyfeiliannol i benillion 1, 2 a 4 lle nad yw'r llywydd yn gafael rywsut. Ym mhennill tri, mae'r tonydd yn gweithio'n well ac yn llifo ymlaen yn fwy naturiol.

Twr-Bach (SA a phiano): Braidd yn ddi-fflach yw'r cyfansoddiad yma, gyda defnydd cyfyng iawn o gordiau, a thrawsgyweirio ceidwadol i gyweiriau perthynol agos yn unig. Mae'r gosodiad o'r geiriau yn ddigon derbyniol ac mae ymgais i adlewyrchu sain y clychau y cyfeirir atynt yn y geiriau. Hwyrach y gellid anelu at gyfeiliant sydd yn fwy annibynnol o'r lleisiau fel un ffordd o wella'r darn.

Garth (SA a phiano): Tybiaf mai cyfansoddwr ifanc yn dysgu'i grefft sydd yma ac mae addewid bendant yn y defnydd o harmoni, y modd y datblygir brawddegau cerddorol, a'r naws briodol a grëir i adlewyrchu'r geiriau. Y nod bellach yw dysgu sut y mae trawsgyweirio'n esmwyth ac i fod ychydig yn fwy mentrus yn gyffredinol.

Llwyni (SA a phiano): Mae'n bosib mai cyfansoddwr ifanc yw hwn, hefyd, gan mai gosodiad syml a gafwyd ond sydd eto â syniadau canmoladwy'n perthyn iddo. Y cam nesaf yw ceisio rhoi bywyd annibynnol i'r cyfeiliant.

Am wahanol resymau, gosodaf *Gwynt o'r Dwyrain, Gobeithiol, Glasfryn, Prysor, Y Mynach* a *Tysilio* yn y dosbarth cyntaf, gan obeithio'n fawr y clywir perfformiadau o'r darnau yma yn y dyfodol. Mae pob un o gyfansoddwyr y darnau hyn yn grefftus, yn gryf o ran techneg ac yn meddu ar ddychymyg cerddorol byw. Mae ganddynt hefyd y gallu i dreiddio i wir ystyr y geiriau a'u hadlewyrchu yn hanfod eu cerddoriaeth. Mae pob un ohonynt yn deilwng o'r wobr ond chwaeth bersonol beirniad sydd, ar yr achlysur hwn, yn dyfarnu y dylid rhannu'r wobr rhwng *Y Mynach* a *Tysilio*.

Gosodiad Cymraeg o'r *Magnificat* a'r *Nunc Dimittis* ar gyfer côr cymysg SATB, gyda chyfeiliant neu yn ddigyfeiliant

BEIRNIADAETH GERAINT LEWIS

Dyma gystadleuaeth bwrpasol yn gofyn am osodiad Cymraeg o'r cantiglau traddodiadol a glywir yng ngwasanaeth Gosber yr Eglwys yng Nghymru. Gobeithio, yn wir, bod corau yng Nghymru sy'n perfformio yn Gymraeg yng nghyd-destun gwasanaeth o'r fath. Nid oes llawer o osodiadau yn bod yn yr iaith a llenwi'r bwlch hwnnw yw'r gobaith, mae'n siŵr, y tu cefn i'r gystadleuaeth. Ar yr un pryd, byddai gosodiad effeithiol yn ddefnyddiol hefyd mewn cyngherddau.

Beuno: Mae'r cyfansoddwr hwn yn deall adnoddau côr ac organ i'r dim ac mae ei gyfansoddiad yn awgrymu bod yma gerddor eglwysig wrth reddf a phrofiad. Mae arddull ei osodiad yn drwm dan ddylanwad Herbert Howells (1892-1983), y meistr Seisnig a gyfansoddodd osodiadau o'r cantiglau i holl eglwysi cadeiriol a chapeli colegau Lloegr fwy neu lai! Mae *Beuno* yn defnyddio cywair ac awyrgylch y gosodiad enwog i Gadeirlan Pawl Sant yn Llundain ac fe fydd unrhyw gôr eglwysig ystwyth yn mwynhau canu'r darn. Er nad yw'r cyfansoddi yn awgrymu unrhyw fflach bersonol iawn, mae'r gosod yn y Gymraeg yn hynod o naturiol tra'n dal i atgoffa'r glust o rediad y gosodiadau Saesneg. Ond mae'r cyfan yn 'anadlu' yn dda gyda chydbwysedd da rhwng y côr a'r organ.

Benedictus: Piano sy'n gyfeiliant yng ngwaith *Benedictus* ac mae'r ysgrifennu'n drwm braidd ac yn glogyrnaidd ei natur. Mae'r ysgrifennu corawl hefyd yn anystwyth ac nid yw'r gosod geiriau yn gelfydd o gwbl. Mae'n anodd clywed y gwaith hwn yn cael unrhyw effaith mewn perfformiad heblaw straen a gorymdrech. Efallai y dylai'r cyfansoddwr astudio rhai o weithiau eglwysig meistr fel William Mathias i weld sut y gellir cyfansoddi'n effeithiol i leisiau a hefyd sut i asio cyfeiliant i rediad darn.

Fyrsil: Gosodiad digyfeiliant sy'n defnyddio'r un gwead lleisiol trwy gydol y darn. Er bod yr ysgrifennu'n ddigon cyffyrddus i'r lleisiau, mae'r undonedd yn troi'n fwrn ar ôl ychydig, yn enwedig gan i'r gerddoriaeth aros yn yr un cywair am hydoedd. Nid oes gallu yma i liwio ystyr y geiriau'n effeithiol ac mae'r gwaith yn awgrymu diffyg ymwybyddiaeth o'r cefndir litwrgaidd wrth i'r *Magnificat* arwain yn ddi-dor (o ran gorchymyn y cyfansoddwr) i'r *Nunc Dimittis*. Gwaetha'r modd, ac yn baradocsaidd, nid yw'r gosodiad yn ddigon diddorol o ran cynnwys cerddorol i awgrymu bywyd annibynnol mewn awyrgylch cyngerdd.

Dyfarnaf y wobr o £200 yn llawn i *Beuno*

Symudiad byr (heb fod yn hwy na 7 munud) ar gyfer cerddorfa lawn

BEIRNIADAETH GARETH GLYN

Pedair ymgais a ddaeth i law, dwy ohonyn nhw wedi'u cysodi a dwy ar ffurf llawysgrif. Mae'r adnoddau i gysodi cerddoriaeth mor gyffredin a hwylus bellach nes bod deunydd wedi'i ysgrifennu â llaw yn dechrau edrych mor hen ffasiwn â llawysgrifen mewn cystadleuaeth lenyddol.

Wyn Parry Williams: 'Agorawd'. Mae'r cyfansoddwr yn ddigon cymwynasgar i ddatgan ar ei dudalen flaen bod y gwaith hwn yn para tua 6 munud, 50 eiliad – mae wedi ei dcilwra ar gyfer y gystadleuaeth arbennig hon, mae'n amlwg! Mae'r gerddorfa yn un fawr, gyda chwythbren triphlyg, pedwar offerynnwr taro, piano, telyn a celesta – ond defnyddio'r adnoddau fel palet i gymysgu'i liwiau'n gelfydd y mae'r ymgeisydd a phur anaml y mae'r holl gerddorfa yn seinio gyda'i gilydd. Mae'r gwaith yn rhythmig a bywiog (bron yn jazzaidd mewn mannau) ac yn eitha tonyddol (bron yn foddol ar adegau) a hawdd gwrando arno. Mae'n seiliedig ar nifer o fotifau byrion sy'n cael eu hailadrodd yn helaeth, ac mae'r defnydd o alawon mewn pedwareddau olynol yn yr adran ganol, dawelach, efallai'n dangos dylanwad cerddoriaeth William Mathias. Mae rhannau helaeth o'r adran olaf yn ailadroddiad digyfnewid o'r adran gynta – yn wir, mi af ar fy llw mai'r un tudalennau ydyn nhw, wedi eu llungopïo i'r diben hwnnw – ac mae hyn yn gwanhau'r gwaith yn fy nhyb i. Hefyd, gan fod y motifau mor syml yn eu hanfod, mi ellid dadlau eu bod nhw'n cael eu gorailadrodd. Ond dyma gyfansoddwr sy'n deall ei waith ac yn gwybod sut i drin cerddorfa.

Byrasgell: 'Cyfeillion yn Harlech – Dathliad ar gyfer Cerddorfa'. Roeddwn i'n gwybod beth i'w ddisgwyl pan welais i'r teitl – darn yn seiliedig ar *Ryfelgyrch Gwŷr Harlech* – ond mae'r cyfansoddwr hwn yn ein harwain at yr alaw enwog yn gelfydd, gan dreulio'r rhan fwyaf o'i amser yn 'chwarae' â mymrynnau bach ohoni. Dim ond unwaith y clywn ni ddatganiad digamsyniol o'r alaw – dros 150 o fesurau i mewn i'r darn, a thrwy'r gwaith mae'r amrywiadau ar nodweddion o'r alaw yn gymysg â thoreth o ddeunydd hollol wreiddiol, fel y mae Benjamin Britten yn trin alaw boblogaidd yn *Canadian Carnival* – darn sy'n eitha tebyg o ran arddull i un *Byrasgell*, sy'n gyfansoddwr celfydd a dychmygus.

Caradog: 'Mardi Gras'. Gwaith byr yng ngwir ystyr y gair – dim ond naw tudalen o gerddoriaeth gyflym, yn para oddeutu dau funud a hanner (mi fyddai'n fyrrach na hynny oni bai am y cyfarwyddiadau sy'n galw am ailadrodd sawl adran). Mae'r holl gyfansoddiad yn seiliedig ar ddau fesur sy'n ailadrodd trwy gydol y gwaith, heblaw am chwe mesur tua'r diwedd; ar ben hynny, mae'r chwe mesur agoriadol yn ailymddangos yn ddigyfnewid bedair gwaith yn rhagor yn ystod y darn. Arddull John Adams, neu efallai Michael Torke, sy'n cael ei adleisio yma – hynny ydy, symlrwydd eithafol o ran alaw a rhythm – ond mae minimaliaeth neu led-finimaliaeth yn galw am ddatblygu dros gyfnod ehangach o amser na'r hyn sy'n cael ei gynnig yn y darn hwn.

Berg: 'Rhagrybudd'. Mae'n amhosibl dweud beth fyddai hyd y darn hwn mewn perfformiad, gan na roddodd y cyfansoddwr unrhyw gyfarwyddyd tempo, sy'n golygu y gallai fod yn unrhyw beth rhwng ymdeithgan angladdol a dawns wyllt. Mewn gwirionedd, mae'r gwaith yn dioddef o brinder dybryd o gyfarwyddiadau o unrhyw fath – i'r bwa o ran yr offerynnau llinynnol, i ynganiad yr offerynnau chwyth, ac yn y blaen – fel pe bai dramodydd wedi ysgrifennu drama heb nac atalnodau na chyfarwyddiadau llwyfan. Ond beth am natur y gerddoriaeth ei hun? Symlrwydd ydy'r arwyddair yma fel yn ymgais *Caradog* ond, er bod y cynfas lawer yn ehangach (mae'r gwaith bron yn hanner can tudalen o hyd), does fawr ddim yn digwydd yn y darn heblaw am ailgyflwyno alawon braidd yn elfennol i gyfeiliant o nodau hirion, neu ailadrodd motifau o hanner-cwafer i drosodd a throsodd. Does fawr o ymgais ychwaith i arddangos lliwiau'r gerdd-orfa ac er bod dau o bob offeryn chwythbren, maen nhw bron yn ddieithriad yn canu naill ai'n unawdol neu mewn unsain. Gobeithio nad ydw i'n tramgwyddo trwy dybio mai ymgeisydd ifanc sydd yma; os felly, llongyfarchiadau ar fentro ar ddarn sylweddol, a dalier ati – ond mae angen hefyd astudio gweithiau cerddorol y meistri cyfoes, a darllen llyfrau am gerddorfäeth a gramadeg cerddoriaeth.

Rwy'n rhoi £50 o'r wobr i *Wyn Parry Williams* a £150 i *Byrasgell*, gan annog y ddau i wario peth o'r arian ar feddalwedd cysodi cerddoriaeth!

Un symudiad ar gyfer ensemble offerynnol

BEIRNIADAETH ALUN GUY

Cystadleuaeth o safon uchel. Derbyniwyd chwe chyfansoddiad ar gyfer gwahanol gyfuniadau offerynnol a oedd yn arddangos deallusrwydd o ystod a chydbwysedd seinyddol yr offerynnau. Mae pob un o'r chwe chynnig wedi rhoi cryn sylw hefyd i'r ffordd o gyfuno *timbre* arbennig yr offerynnau dan sylw. Gyda chystadleuaeth agored fel hon, diddorol oedd sylwi bod nifer o'r cyfansoddiadau yn troedio yn ôl llwybrau cerddorol cyfansoddwyr ail ysgol Vienna gydag arddulliau anniatonig cynhyrfus ac arbrofol. Gwelir hefyd elfennau o resyddiaeth yn y cyfansoddi sydd i'w canmol. Mae'n amlwg fod dylanwad yr 'ysgol' hon yn dal yn gryf ymysg ein cyfansoddwyr yn eu hymdrech i chwilio am ffordd newydd o gyfathrebu'n gerddorol. Bu'r byd ffantasïol ac argraffiadus yn gymhelliad cryf i nifer ohonynt, gan adael i'w teithi cerddorol eu harwain gyda menter a dychymyg.

Deryn du: Cyfansoddiad da iawn wedi'i gyflwyno'n daclus ar gyfer ffliwt, feiolin, fiola a sielo mewn amseriad cyfansawdd dyblyg. Mae'r naws yn rhamantaidd a cheir yma harmonïau diatonig hyfryd o seithfedau a nawfedau mwyaf sy'n rhoi awyrgylch cynnes a ffres i'r gwaith. Mae ffocws yr alaw yn glir bob amser ac mae'r motifau a ddaw allan o'r alawon idiomatig agoriadol yn cael eu datblygu gan yr offerynnau llinynnol yn eu tro. Dengys hyn adnabyddiaeth y cyfansoddwr o gyfrwng yr ysgrifennu. Cawn wrthgyferbyniadau cyweirnodau a rhythmau, gyda rhythmau sisilianaidd yn cyfeilio yn yr adran ganol. Ar adegau, mae'r fiola a'r sielo yn chwarae'r alaw yn uchel iawn yn eu cwmpawd gan ddangos menter ac awydd i gyflwyno seiniau soniarus yr offerynnau hyn. Gyda dychweliad yr agoriad, mae naws gylchol i'r cyfansoddiad. Rhoddwyd gofal mawr i ofynion technegol y perfformiad yn ogystal ag i ofynion dynamegol y gwaith.

Mistral: Cyflwyniad sy'n arddangos cryn dalent a meistrolaeth o elfennau rhythmig a harmoni. Gwaith yw hwn i ffliwt, obo, clarinét, baswn a chorn Ffrengig mewn amseriad cyffredin a'r cyfan wedi'i sgorio yn C (er bod y clarinét a'r corn Ffrengig yn offerynnau trosi). Nid yw'n ofni ysgrifennu i fyny yng nghwmpawdau uchaf yr offerynnau ychwaith. Mae triniaeth elfennau rhythmig y motifau agoriadol yn gyffrous iawn ac mae'r seiliau rhythmig hyn yn tanategu'r holl gyfansoddiad. Mae'r elfen arbrofol yn amlwg iawn gyda'r harmonïau anghytseiniol a'r newid tempi cyson o'r *allegro* i'r *lento*. Mae llawer o densiwn hefyd yn rhan gyntaf y gwaith gyda dyfeisiadau megis dilyniant, canon a chlystyrau cyfeiliol yn cyfrannu at y tensiwn. Mae'r adran ganol mewn amseriad cyfansawdd ac yn llawn o ddychymyg deugyweiriol modern wrth i fotif chwareus pum nodyn gael ei drin yn ffiwgaidd gan bawb yn eu tro. Mae naws y motifau rhythmig cromatig agoriadol yn dychwelyd i ddod ag adeiledd cylchol y cyfansoddiad i ben.

Hayley Strung: Pedwarawd llinynnol yw'r dewisiad ensemble mewn amseriad cyffredin gyda thempo *allegro moderato*. Rhoddwyd llawer o ofal i'r marciau dynameg a'r mynegiant. Mae'r pwyslais rhythmig yn newid yn bur fynych ond, er hynny, yn digwydd yn llyfn iawn. Mae'r cyfansoddwr yn defnyddio holl ystod seinyddol yr offerynnau wrth gyflwyno lliwiau gwrthgyferbyniol i'r gwaith. Ar y dechrau, ceir y fiola a feiolin 2 yn cynnal y cynganeddion cyn i bedal addurnedig y sielo groesawu alaw groesacen feiolin 1 gyda'i chyfyngau agored ac eang. Mae datblygiad crefftus iawn wrth i'r ddau ffigur hyn gael triniaeth harmonig newydd gan greu tensiwn sy'n cynyddu yng nghwmpawd uchaf y sielo a feiolin 1. Mae'r adran ganol, lle mae'r ffigurau rhythmig newydd yn cyfeilio i alaw newydd yn feiolin 1, yn arddangos ehangder seinyddol argraffiadus. Mae'r gofynion perfformio yn disgwyl i'r chwaraewyr ddefnyddio technegau megis *pizzicato* a *spiccato* er mwyn cynnal lliw ac effaith wahanol i'r gwaith. Dyma gyfansoddwr sy'n gartrefol iawn gyda chyfrwng y pedwarawd llinynnol.

Berg: Cyfansoddiad ar gyfer feiolin, sielo a phiano yn E meddalnod mwyaf, wedi'i argraffu'n daclus ar gyfrifiadur. Mae amcan ac adeiledd y cyfansoddiad yn gwbl eglur a'r arwyddion dynameg a thempo wedi'u marcio'n ofalus. Byddai marciau bwa ac arwyddion pedalu wedi bod yn dderbyniol. Mae'n rhaid cofio bob amser am y cydbwysedd seinyddol yng nghyd-destun sain y piano modern. Dengys ddealltwriaeth o'r offerynnau, ac mae'r syniadau'n llifo'n rhwydd. Mae motifau agoriadol gyda chyfyngau seithfed sy'n cael eu dyblu yn llaw dde'r piano yn rhoi effaith herfeiddiol a gloyw i'r gwaith. Mae defnydd helaeth o ffigurau *ostinato* gwrthsymudol y piano yn rhoi cyfle i ddatblygu'r motifau agoriadol yn y llinynnau yng nghywair y feidon. Ceir dyfeisiadau antiffonïaidd hyfryd rhwng y sielo a'r piano yn yr ail atgan ac efelychiant pwrpasol yn y drydedd atgan. Mae'r ffigurau tripledi *ostinato* newydd yn y piano yn yr atgan olaf yn rhoi dimensiwn arall i'r cyfansoddiad ac mae dychweliad motifau'r atgan agoriadol yng nghyweirnod y tonydd yn rhoi adeiledd cylchol i'r cyfansoddiad. Ymgais addawol iawn sydd wedi llwyddo i integreiddio'r offerynnau a hefyd wedi rhoi elfennau o annibyniaeth i bob un o fewn cyd-destun y cyfansoddiad.

Y Mynach: Pedwarawd llinynnol gydag amseriad cyffredin mewn arddull anniatonig sy'n gosod her dechnegol arbennig iawn i'r perfformwyr. Cyfansoddiad ardderchog – hynod o drawiadol gydag atganau amrywiol o ran eu hansawdd a'u hamseriadau. Mae dawn gerddorol arbennig yn y gwaith hwn gyda nifer o agweddau technegol sy'n profi bod y cyfansoddwr yn gwbl gyffyrddus wrth ysgrifennu ar gyfer pedwarawd llinynnol. Mae'r gwaith yn ddiddorol gydag ôl meddwl a chrefftwaith arbennig arno. Mae'r sgôr mewn llawysgrif daclus iawn ac mae'r marciau perfformio hynod fanwl, e.e., *tremolo sul pont*, wedi'u cynnwys ar y sgôr. O fewn yr atganau, ceir motifau cyferbyniol wedi'u trin mewn ffordd arbennig o aeddfed gyda disgyblaeth gaeth ar yr elfennau cyfansoddi. Mae'r amrywiaeth rhwng yr atganau *Andante Lento, Tranquillo,* yr *Allegro* a'r *Lento,* i gyd yn cyfuno i greu cyfansoddiad llwyddiannus dros ben. Nid yw'n ofni defnyddio

holl ystod seinyddol yr offerynnau mewn modd effeithiol gan barchu annibyn-
iaeth y pedwar offeryn. Mae gan bob un yn ei dro rannau rhythmig ac nid
yw ffocws y gerddoriaeth yn aros yn hir gydag un chwaraewr. Erys nifer o
enghreifftiau o gyfansoddi cynhyrfus megis yn yr ail atgan, *Allegro*, lle mae
feiolin 2 a'r fiola yn cydchwarae *ostinati* hanner cwaferi tra bo feiolin 1 a'r sielo
yn ailadrodd cordiau cwaferi eang *pizzicato* mewn tagiad triphlyg!

Draenog: Ffantasi i bedwarawd llinynnol mewn amser cyffredin. Mae'r gwaith
wedi'i argraffu'n daclus iawn oddi ar gyfrifiadur. Mae'r arddull anniatonig yn
cyfrannu at yr awyrgylch atmosfferig – ac mae'r teitl '*Rhith yn y niwl*' yn clor-
iannu'n effeithiol nod ac amcan y gwaith. Mae'r arwyddion tempi a'r marciau
perfformio wedi'u gosod yn ofalus ar y sgôr ond byddwn yn croesawu marciau
bwa hefyd. Ceir nifer o wahanol elfennau rhythmig yn y cyfansoddiad. Hefyd,
mae'r driniaeth o fotifau cromatig uwchben pedal hir y sielo yn rhoi rhagflas
o'r gyfriniaeth gerddorol sydd i ddod. Mae ffocws yr alawon yn symud yn
effeithiol rhwng yr offerynnau gyda nifer o ddyfeisiadau technegol da i'w
clywed. Mae'r newid i amseriad cyfansawdd yn rhoi cyfle i gyflwyno alawon
herciog/llyfn uwchben pedalau hirion y fiola a'r sielo. Gwelir datblygiad traw-
iadol yn yr atgan hon a da gweld elfennau o'r raddfa tonau cyfan yma hefyd.
Dengys atgan fer, mewn amseriad triphlyg, y fiola'n chwarae'n uchel iawn yn ei
chwmpawd ac uwchben feiolinau 1 a 2 ar adegau. Adeiledd cylchol sydd i'r
gwaith a chlywir yr agoriad hudol yn dychwelyd unwaith yn rhagor. Gwaith da
sy'n cynnwys llawer o elfennau cerddorol canmoladwy.

I grynhoi, felly, mae *Y Mynach* wedi ysgrifennu darn o ansawdd uchel iawn gan
arddangos medrusrwydd technegol a gwreiddioldeb canmoladwy. Mae'n bleser
gen i ddyfarnu'r wobr iddo.

Tlws y Cerddor. Cyfrol o 3 unawd ar gyfer llais isel (bas neu gontralto)
addas i'w cynnwys yng nghystadlaethau'r Eisteddfod Genedlaethol

BEIRNIADAETH RICHARD ELFYN JONES A JEREMY HUW WILLIAMS

Gwyddom fod llu o gyfansoddwyr a allai fod wedi ymgeisio'n llwyddiannus
mewn cystadleuaeth mor apelgar â hon ond lle maen nhw? Siom i ni oedd
derbyn cyn lleied o gynigion. Siom fwy oedd gweld safon isel rhai ohonynt,
gyda chymaint o wendidau technegol a diffyg cyffredinol mewn gwreiddioldeb
ac ysbrydoliaeth.

Sopranino: Dewisodd osod cerddi gan William Glyn, Guto'r Glyn a Gruffydd ap
Dafydd ap Hywel. Gall greu awyrgylch lled hudolus weithiau ond mae dwy o'r
caneuon yn 'sgwâr' iawn eu rhythmau, efallai er mwyn adlewyrchu hynafiaeth y
geiriau. Hefyd, er mwyn ystwytho'r llif, awgrymwn fod *Sopranino* yn gwneud
astudiaeth fanwl o gyfeiliannau caneuon da o Gymru a'r tu hwnt.

Berg: Mae problem gyda'r cyfeiliant ganddo yntau hefyd. Er ei fod yn gallu datblygu alaw yn gywrain a'i phriodi gyda chynghanedd addas ar y piano yn ei dair cân ('Crib Goch', 'Eira Mynydd' a 'Mynyddoedd'), mae'r orddibyniaeth ar ddull adroddgan braidd yn ddigyfeiriad ac nid yw'r cyfeiliant wedi'i ddatblygu'n ddigonol. Da o beth yw cynildeb ond nid os yw hynny'n arwain at foelni a phrinder deunydd.

Rhodri: Mae agwedd eironig gellweirus yng ngwaith yr ymgeisydd hwn oherwydd, yn ei osodiad o 'Y Pabi Coch' (I. D. Hooson) a 'Fy Ngwlad' (Gerallt Lloyd Owen), mae'n mynnu dyfynnu o ddarnau fel 'Bugail Aberdyfi', 'Ymdeithgan Angladdol' (Chopin), 'Mae Bys Meri Ann', 'Duw Gadwo'r Frenhines', ac ati. Rydym yn gwerthfawrogi'r jôc ond nid yw neges y cerddi yn ein hargyhoeddi bod angen y miri hyn. Mae gan *Rhodri* grebwyll cerddorol, fel y dengys ei ail gân, 'Gwenoliaid y Bondo', ond mae angen iddo ddelio gyda dyfyniadau mewn ffordd lai amrwd, gan fod tuedd i effeithiau cellweirus bylu wrth eu perfformio'r eildro.

Mae'r tri chynnig sydd ar ôl yn perthyn i ddosbarth uwch ei safon.

Crwydryn: Mae'r ymgeisydd hwn wedi dewis gosod ei eiriau ei hun ac mae'n gyfansoddwr talentog, dramatig, sy'n ymddiddori mewn gwrthbwynt rhythmig, soffistigedig; yn wir, mae'r plethiad rhwng llais a phiano yn y gân gyntaf, 'Y Gorllewin', mor frathog gyflym nes bod amheuaeth ynglŷn â'i hymarferoldeb, yn enwedig yng nghyd-destun cystadleuaeth leisiol mewn eisteddfod. Yn ei ail gân, 'Defaid y Ddinas', teimlwn fod rhai o'r nodau ar brydiau yn anghyffyrddus o isel i'r unawdydd. Yn y gân hon, troir at arddull Americanaidd ailadroddus ac mae dyfeisgarwch rhythmig eto i'w weld. Yn y gân olaf, ''Mhlentyn I', mae yna symlrwydd dymunol ac fe allai'r gân hon ddod yn boblogaidd ar lwyfannau eisteddfod a chyngerdd. Yn gyffredinol, fodd bynnag, nid yw cyfrol *Crwydryn* yn ei chyfanrwydd yn gwbl gydnaws â gofynion penodol y gystadleuaeth, sef i fod yn addas ar gyfer cystadlaethau'r Eisteddfod Genedlaethol.

Mae'n amlwg o'r llawysgrif mai'r un cyfansoddwr yw *Cantor* a *Sandy*.

Cantor: Dan y ffugenw hwn, ceir gosodiadau i gontralto a phiano o emynau gan Bantycelyn ac Elfed. Mae'n saernïwr crefftus sy'n gallu creu llif harmonig cwbl naturiol er ei fod, weithiau, yn orddibynnol ar batrymau confensiynol – rhediad o seithfedau dilynol, er enghraifft, sydd fel petai'n dilyn crwydradau mecanyddol y bysedd ar y piano.

Sandy: Wrth droi at ei ymgais dan y ffugenw hwn, ceir diddordeb pwerus ychwanegol oherwydd y dewis o eiriau, sef tair cerdd allan o bryddest goronog Eisteddfod Genedlaethol Llanelli, 'Tywod' gan Dylan Iorwerth. Mae arddull harmonig ychydig yn dywyll gan *Sandy* sy'n gweddu'n dda i lymder y cerddi trist hyn ac sy'n addas iawn i 'Druidston', gyda'i glogwyni bygythiol a fu'n gefndir i hanes y bachgen teirblwydd a fu farw. Mae 'Storm' yn llawn gwrachod a sgrechiadau ac ofn, gyda'r cyfeiliant piano uchelgeisiol a dirdynnol ei effaith yn helpu i greu naws ddatblygedig effeithiol. Math ar *scena* operatig sydd yma gyda llawer o ysbryd a chynnwrf. Ac i gloi'r gyfres, gosodir y gerdd 'Llinellau' sydd, yn ei rhan ganol, yn creu atgof melys am 'dy deirblwydd sionc yn mwmial dychymyg wrth droedio'r tywod', ac sy'n cadarnhau ein barn fod y cyfansoddwr hwn yn gwbl gyffyrddus yn gosod barddoniaeth Gymraeg. Oherwydd cysondeb y mynegiant a'r dechneg sicr trwy'r gyfrol hon, rydym yn gytûn bod yna ymgeisydd buddugol yn y gystadleuaeth eleni, sef *Sandy*.

IEUENCTID

Cystadleuaeth i ddisgyblion ysgolion uwchradd a cholegau trydyddol dan 19 oed

Ffolio o waith amrywiol i gynnwys dim mwy na 5 o ddarnau

BEIRNIADAETH PWYLL AP SIÔN

Cystadleuaeth i ddisgyblion ysgolion uwchradd a cholegau trydyddol dan 19 oed yw hon ac os yw cystadleuaeth fel hon yn faromedr ar gyfer mesur addewid cyfansoddwyr y dyfodol, nid oes gennym ddim byd i boeni yn ei gylch. Mwynheais wrando ar y gweithiau a chwarae drwy bob un o'r naw ffolio a ddaeth i law ac yr oedd rhinweddau yn perthyn iddynt oll. Ond os oeddwn yn edrych am unrhyw beth penodol, yna fflach o wreiddioldeb, parodrwydd i fentro, a hunanhyder wedi'i eni o argyhoeddiad llwyr oedd hynny. Un elfen siomedig oedd i'r gystadleuaeth hon, sef diffyg ymwybyddiaeth y rhan fwyaf o'r cystadleuwyr o gerddoriaeth 'glasurol' yr ugeinfed ganrif. Wrth gwrs, mae'r diwylliant pop i'w glywed yn nifer o arddulliau'r cystadleuwyr – a pham lai! Ond drwy ddiystyru pwysigrwydd arloeswyr mawr yr ugeinfed ganrif – Schoenberg, Stravinsky, Varese, Cage, Stockhausen – aros yn gymharol ddiogel a diuchelgais a wna ein hymdrechion cyfansoddol – heddiw ac yn y dyfodol.

Ar ôl ystyried yn hir, penderfynais rannu'r grŵp yn ddau. Mae'r grŵp cyntaf yn cynnwys rhai ag iddynt rinweddau pendant ond sydd â mân frychau.

Beca: Braidd yn orddibynnol ar frawddegau ailadroddus yw 'Beth yw'r ystyr?' (er enghraifft, ailadroddir mesurau 1-2 yn 3-4, 5-6, a 7-8, ac yn yr un modd 35-6 yn 37-8, 39-40, a 41-2). Fodd bynnag, dyma ymdrech arwrol i geisio creu cân boblogaidd flaengar allan o gyfres o adrannau gwahanol – rhyw fath o 'Bohemian Rhapsody' Cymraeg. Thema ac amrywiadau yw man cychwyn 'Ynys Afallon' ac efallai y byddai'r thema wedi elwa o fod ychydig yn fwy amrywiol o ran ei phatrymau harmonig, rhythmig a melodaidd. Efallai y byddai'r amrywiadau eu hunain yn gwella o dderbyn mwy o 'amrywiaeth' – yn fwyaf penodol, traws-gyweiriad i gyweiriau perthnasol megis C fwyaf, D leiaf ac E leiaf.

Telynores Twt: Cyfres o ddarnau ar gyfer telyn unawdol sydd yn y ffolio yma. Darnau cymharol fyr ydynt i gyd ac, o ganlyniad, maent wedi eu cyfyngu i un neu ddau o syniadau cerddorol. Gallai un darn o sylwedd fod wedi rhoi cyfle i *Telynores Twt* arddangos yr addewid ddiamau sy'n perthyn i'w gwaith a rhoi cyfle iddi ddatblygu yn arbennig elfennau rhythmig ar gynfas cerddorol ehangach.

Gilo ap John: Mae'r tebygrwydd rhwng y ffolio hwn ac eiddo *Telynores Twt* yn awgrymu mai'r un person ydynt, ond mae mwy o amrywiaeth yn perthyn i ffolio *Gilo ap John*. Defnyddia'r ffanffer agoriadol ar gyfer y delyn frawddegau cerdd-orol eang sy'n gosod ffurf glir i'r darn. Rhyw fath o *bastiche* o Bach ar gyfer ffidil a phiano sy'n dilyn cyn gorffen gyda darn ysgafn a bywiog ar gyfer ffliwt a phiano. Gellid ystyried ymestyn ambell dro ar iaith harmonig donyddol y gerddoriaeth i gynnwys harmonïau mwy 'modern' eu naws ond efallai y daw hyn gydag ym-wybyddiaeth ehangach o gyfansoddwyr cyfoes.

Noidywg: Mae'n bosibl i harmoni mwy modern ac anghytsain yr ymgeisydd hwn godi o'r ffaith ei fod wedi bwriadu i un darn fod yn gyfeiliant ar gyfer un o ffilmiau Dracula. Wedi dweud hynny, mae'r darnau eraill hefyd yn osgoi cyfeir-iadau tonyddol amlwg, gan ddewis iaith harmonig foddawl neu estynedig, megis yn 'Gwahaniaethau' (sydd ag adran jasaidd ddiddorol ar y diwedd). Efallai y byddai *Noidywg* yn elwa ychydig o gynllunio'i gyfansoddiadau'n fanylach ymlaen llaw, er mwyn sicrhau dilyniant cryf a phwrpasol o syniadau. Mae hyn i'w weld ar ei amlycaf yn 'Cyfathrebu'.

Caradog: Cyweiriau lleddf a cherddoriaeth drist, fynegiannol yw nodweddion amlycaf y gerddoriaeth hon. Mae'r gân 'Dawns y Dail' yn gwyrdroi o amgylch D leiaf, a'r 'Chanson Triste' ar gyfer piano yn ddarn dramatig a firtwosig yn E leiaf (er ei fod yn gorffen braidd yn od ar y *tierce de picardy* yn E fwyaf). Cynefin cerddorol naturiol *Caradog* yw'r *repertoire* piano rhamantaidd ac mae dylanwad y cyfnod – o Chopin i Chabrier – i'w glywed yn nifer o'r darnau. Yn wir, dyma lle y cefais yr argraff orau o *Caradog*, yn hytrach nag yn y 'Mardi Gras' ar gyfer organ, lle y dibynna'n ormodol ar ystrydebau cordiol poblogaidd (A leiaf – G fwyaf – F fwyaf). Teimlaf mai pianydd sy'n cyfansoddi yma yn hytrach na chyfansoddwr yn ysgrifennu ar gyfer y piano. Ond mae lle i'r ddau ohonynt, wrth gwrs!

Meillion: Rhanna rywbeth o ddiddordeb *Caradog* mewn cerddoriaeth o'r bedwar-edd ganrif ar bymtheg fel y tystia 'Llonyddwch' (cello a phiano) a 'Humorsque' (clarinet a phiano). Nid yw rheolaeth *Meillion* ar yr arddull yma mor gadarn ac fe geir rhai cystrawennau digon anesmwyth (er enghraifft, bar 21 o 'Llonydd-wch'). Mae *Meillion* ar ei orau wrth fentro ar iaith fwy cyfoes a dyma'r hoffwn ei weld ganddo/ganddi yn y dyfodol. Mae'n rhaid dweud bod cordiau gorau'r gystadleuaeth yn perthyn i fesurau 20-21 yn 'Anesmwythder' (obo, ffidil, piano) sy'n ddarn atmosfferig a thrawiadol mewn arddull ddigywair.

Yn yr ail gategori, teimlais fod yma barodrwydd i ddefnyddio harmonïau a thechnegau estynedig, gydag ychydig mwy o wreiddioldeb a greddf cyfansoddwr yn perthyn i'r gwaith.

Gruff : Arddull argraffiadol Debussy a Ravel yw sail harmonig cyfansoddiadau'r ymgeisydd hwn, ynghyd â chyffyrddiadau jas (gweler ei ddefnydd helaeth o gord llywydd y nawfed gyda'r nawfed wedi'i addasu hanner tôn yn uwch; er enghraifft, G-B-D-F-A llonnod). Mae ffurf a datblygiad pendant yn perthyn i'w waith er bod yr ail ddarn yn awgrymu'n gryf berfformiad byrfyfyr ar y piano. Yn ogystal â hyn, mae'r cyfansoddwr yn deall yr offerynnau i'r dim, er bod angen ailysgrifennu llaw dde'r piano yn 'Adar y Bore' yn y cwmpawd priodol yn hytrach na defnyddio'r arwydd *8va* drwy'r amser.

Alan Partridge: Ganddo ef y cafwyd ffolio mwyaf sylweddol y gystadleuaeth. Nid cyfansoddiadau byr ar gyfer offerynnau unawdol i gyfeiliant piano a geir yma ond gweithiau cerddorfaol, darnau ar gyfer bandiau chwyth, a gweithiau corawl a cherdd dant. Gwir dweud mai trefniannau yw dau ohonynt o gerddoriaeth sy'n bodoli'n barod, sy'n tynnu ychydig oddi ar wreiddioldeb digamsyniol y ffolio. Ac eithrio hyn, dyma gynnig mwyaf uchelgeisiol ac addawol y gystadleuaeth.

Mefus: Er bod mân wallau'n perthyn i nodiant a chyflwyniad y cystadleuydd yma, dyma gasgliad mwyaf gwrciddiol a chyffrous y gystadleuaeth. Mae 'Rage', ar gyfer dau biano, yn gwrthgyferbynnu episodau cerddorol mewn darn egnïol a grymus, sy'n datblygu patrymau rhythmig mewn modd amrywiol a chreadigol. Yn ogystal, mae'r iaith harmonig yn eofn a chyfoethog o ran ei hapêl. Ac er bod y 'Pumawd Piano yn E leiaf' yn glynu'n rhy agos at fath o fas *chaconne*, gan greu cyfres o ddiweddebau cyfatebol, llwydda 'Pnawn Gwener' ar gyfer piano i gynhyrchu amrywiaeth cynnil o amgylch un nodyn ailadroddus. Dyma'n sicr lais cryf, hyderus, ac unigol ar gyfer y dyfodol.

Rhoddaf £50 yr un i *Gruff* ac *Alan Partridge*, a £100 i *Mefus*.

ADRAN CERDD DANT

CYFANSODDI

Cyfansoddi Agored: (i) cainc 12 bar y pen, 3 churiad i'r bar, tri phennill i'r cylch (ii) cainc 20 bar y pen, 2 guriad i'r bar gyda'r ffurf yn agored

BEIRNIADAETH MENAI WILLIAMS

Gan fod gofynion y gystadleuaeth yn bur fanwl, mae'n debyg na ddylwn fod yn rhy siomedig mai dim ond dau ymgeisydd a fentrodd gystadlu, sef *Anest ag Elain* a *Hulona*.

Anest ag Elain: Cainc syml iawn – efallai'n rhy syml – yw'r gainc gyntaf a gyflwynwyd. Braidd yn unffurf yw o ran harmoni ac fe hoffwn fod wedi cael newid cyweirnod yn y pen cyntaf er mwyn creu mwy o ddiddordeb. Ceir ychydig o ôl brys ar y gwaith ac nid yw pob nodyn yn eglur ond, gydag ambell newid, fel y nodais ar y copi, gallai hon fod yn gainc ddefnyddiol. Mae pen cyntaf yr ail gainc yn dderbyniol iawn – yn llifo'n naturiol ac yn rhoi digon o gyfle i'r gosodwr. Gwaetha'r modd, mae gwall cynganeddol sylfaenol yn yr ail ben ac, er cystal yw llinell yr alaw, mae angen golygu cryn dipyn yma cyn cyhoeddi'r gainc.

Hulona: Ni roddwyd enwau i'r ceinciau ond mae'r gwaith wedi ei gyflwyno'n ddestlus. Mae gan y gainc gyntaf alaw dda ac mae'r harmonïau'n dderbyniol iawn, er yr hoffwn i'r cordiau fod yn llawnach yma ac acw. Nid wyf yn hollol fodlon gyda chydbwysedd y brawddegau yn y naill ben na'r llall ond, yn gyffredinol, mae yma ddeunydd cainc lwyddiannus. Mae'r ail gainc yn achosi tipyn mwy o gur pen i mi. Teimlaf ei bod yn rhy 'brysur' i osod arni fel y mae ac rwy'n mentro awgrymu y dylai *Hulona* ddyblu gwerthoedd y nodau, gan haneru'r cyflymder. (Rwyf wedi ymhelaethu ar hynny ar y copi.) Buaswn yn hapusach pe bai'r ail ben yn gorffen yn y cyweirnod gwreiddiol – mae diffyg cyswllt rhwng y ddau ben. Wedi dweud hyn, mae yma gainc addawol dros ben ac rwy'n hoffi'r harmonïau'n arw.

Nid oes yr un o'r ddau gystadleuydd wedi fy mhlesio'n llwyr ond credaf y dylwn roi cyfran o'r wobr i'r ddau am yr addewid sydd yn eu gwaith, gan obeithio y bydd y cwbl o'r ceinciau, o'u golygu, yn gweld golau dydd. Dyfarnaf £25 yr un am geinciau *Hulona* ac £20 yr un am geinciau *Anest ag Elain*.

ADRAN ALAWON GWERIN

CYFANSODDI

Trefniant lleisiol neu offerynnol o un alaw neu gainc werin Gymreig draddodiadol

BEIRNIADAETH J. EIRIAN JONES

Pleser yw cael nodi bod chwe ymgeisydd wedi mentro i'r gystadleuaeth a bod y safon yn gyffredinol dda. Da cael nodi hefyd fod pob ymgeisydd wedi cyflwyno gwaith taclus, hawdd ei ddarllen, un mewn llawysgrifen a'r pump arall wedi defnyddio rhaglen gyfrifiadurol i argraffu eu gwaith.

Deios: Trefniant o'r alaw werin 'Titrwm Tatrwm' a geir a hynny ar gyfer lleisiau merched SSA. Mae'r trefniant yn un digon canadwy ar y cyfan heblaw am far 8 sy'n ymddangos yn rhyfedd gyda'r B meddalnod a'r B naturiol o fewn yr un bar. Nid oeddwn yn gwbl hapus gyda'r dilyniant cordiau yn y bar olaf ond un chwaith, gyda'r cord olaf ym mar 41 yn gorwedd braidd yn anesmwyth ar y glust. Byddai'r trefniant wedi elwa wrth amrywio'r gwead lleisiol hwnt ac yma yn hytrach na glynu wrth gynghanedd lawn fwy neu lai ar hyd y ffordd.

Gobaith: Ceir trefniant ar yr alaw werin 'Cariad Cyntaf', eto ar gyfer lleisiau merched SSA. Seiliwyd y trefniant yma ar gynghanedd gadarn gyda'r alaw'n symud rhwng y lleisiau'n gyffyrddus. Mae'r ysgrifennu lleisiol yn effeithiol gyda'r ymgais at efelychiant ym marrau 31-33 i'w groesawu. Er hynny, braidd yn drwm yw'r trefniant drwyddo draw; byddai manteisio ar gynnwys ychydig o unsain, er enghraifft, yn gymorth i ysgafnhau'r gosodiad. Mae'r clo, serch hynny, yn effeithiol.

Niobe: Ceir gosodiad i SSA o'r alaw werin 'Ble'r wyt ti'n myned?'. Ar y cyfan, mae'n drefniant canadwy wedi ei nodi'n ddestlus mewn llawysgrifen gyda gofal am fanylion megis marciau deinameg. Mae'r ysgrifennu i'r lleisiau bob amser yn gyffyrddus er bod tuedd i adael i Soprano 1 gario'r alaw'n ormodol yn y tri phennill cyntaf. Croesawyd gweld yr alaw'n symud i ran Soprano 2 a'r Alto yn y penillion olaf. Prif rinwedd y trefniant yma yw ei symlrwydd.

Y Gog: Ceir yma drefniant ar gyfer lleisiau SSA o'r alaw werin 'Y Gog Lwydlas'. Mae'r trefniant wedi ei nodi'n ofalus gyda'r manylion perfformio (megis marciau deinameg) wedi eu cynnwys yn y mannau priodol. Llwyddodd yr ymgeisydd yma i greu trefniant ac iddo ddigon o amrywiaeth gyda'r brif alaw'n symud o gwmpas y gwahanol leisiau yn esmwyth. Rhoddwyd digon o ddiddordeb i bob llais yn ei dro. Mae'r ffigwr ar y gair 'gwcw' yn gweithio'n dda ond tybed a yw'r ffigwr cwafrog a welir rhwng barrau 47 a 53 yn rhan yr Alto yr un mor llwyddiannus?

Pedran: Yma fe geir trefniant o'r alaw werin 'Ffarwel fo i chwi', unwaith eto ar gyfer lleisiau merched SSA. Dyma drefniant sy'n gadarn o ran sylfaen harmonig gyda'r rhannau lleisiol yn gorwedd o fewn cwmpawdau cyffyrddus i'r llais. Canmolir yr ymgais i gyflwyno efelychiant ac i symud yr alaw o gwmpas y tri llais. Byddai defnyddio unsain yma a thraw yn lle harmoni llawn wedi ysgafnhau rhywfaint ar y gosodiad a chyflwyno cyfle i amrywio'r gwead ar yr un pryd. Ond roedd hwn yn drefniant effeithiol.

Adina: Cynigiwyd trefniant o'r alaw werin 'Y Gog Lwydlas' ar gyfer côr merched digyfeiliant. Rhoddwyd sylw manwl i'r marciau mynegiant a'r ddeinameg yn gyffredinol. Cafwyd yma ambell gord diddorol ynghyd â chyffyrddiadau cromatig digon addas. Mae yma ôl meddwl a chynllunio gofalus gyda'r alaw'n symud o gwmpas y gwahanol leisiau'n esmwyth ac yn creu amrywiaeth yn y gwead. Mae'r dechneg o ysgrifennu i'r lleisiau yn sicr iawn. Hoffwyd yn arbennig y cyffyrddiadau ar y gair 'gwcw' – maent yn effeithiol. Dyma drefniant crefftus yn cynnig digon o amrywiaeth.

Diolch yn fawr am gystadleuaeth dda. Mae'r chwe ymgeisydd yn haeddu canmoliaeth am eu gwaith ac fe haedda'r trefniannau i gyd gael eu perfformio. Dymunaf rannu'r wobr fel a ganlyn: £35 yr un i *Pedran* a *Y Gog* ond £80 i *Adina* am drefniant cerddorol llawn dychymyg.

ADRAN DAWNS

CYFANSODDI

Cyfansoddi dawns mewn unrhyw ddull i grŵp o ddawnswyr yn y gymuned

BEIRNIADAETH VALERIE JAMES

Dawnsiau gwerin a gyflwynwyd gan y pedwar cystadleuydd (er y gallent fod wedi cyflwyno dawnsiau mewn unrhyw ddull yn ôl gofynion y gystadleuaeth) ac roedd pob ymgais yn dderbyniol, gyda dau'n rhagori.

Ffrindiau'r Gymuned: Cynigiwyd dawns ar gyfer pedwar triawd, dan y pennawd cyffredinol 'Ffrindiau Twm o'r Nant', gydag is-benawdau a chyfarwyddiadau geiriol manwl ond heb nodi unrhyw gerddoriaeth benodol. Dylid bod wedi cynnwys mwy o ddiagramau clir a thaclus yn dangos lleoliad cychwynnol y dawnswyr a'r patrymau yn y darn 'Dod i Nabod y Gymuned'. Drwyddi draw, ceir yma symudiadau hwyliog, cydnaws, a thipyn o wreiddioldeb ond, cyn ei pherfformio, byddai'n rhaid ystyried y diwyg.

Pawb yn ei Dro: Cyflwynwyd *saith* dawns, dan y pennawd 'Dawns yn y Gymuned', mewn llyfryn defnyddiol a safonol, ar gyfer amrywiaeth o oedrannau a chymdeithasau a allai ymddiddori mewn dawns. Yn unol â gofynion y gystadleuaeth, fodd bynnag, a ofynnai am *un* ddawns, penderfynwyd derbyn awgrym y cystadleuydd yn y Rhagymadrodd i'w lyfryn a beirniadu'r un ddawns a nodwyd ganddo ar gyfer oedolion. Dawns uned hir yw honno, yn newid ffurf i gylch dwbl, ar gyfer chwe chwpl. Awgrymir alawon 'Glandyfi' a 'Doed a Ddêl'. Rhennir yn bedair, dan is-benawdau, sydd yn torri ychydig ar lifeiriant y cyfanwaith. Serch hynny, llwyddwyd i greu patrymau a ffigurau perthnasol i'r rhannau hynny. Yn y rhan 'Gwastad ac Od', lle ceir gwthio a thynnu cymheiriaid, y dynion a wna hynny fel arfer ac nid y merched fel y nodir. Byddai o fudd mawr pe ceid rhagor o ddiagramau yn y rhan hon fel, hefyd, yn y bedwaredd ran, 'Cyfeillachu'.

Cofi: Adleisir ffurf y ddawns a'r gymuned ar Faes Caernarfon gan y cystadleuydd hwn. Jig ar gyfer pedwar cwpl uned sgwâr a geir, heb i unrhyw gerddoriaeth benodol gael ei nodi. Datblygir y ddawns yn rhwydd a llyfn o batrwm i batrwm ac amlygir gwreiddioldeb a chrebwyll dawns. Ceir ffigurau cytbwys a chynhwysol ac eithrio'r gweu yn A12 a gyfyngir i Gwpl 1 yn unig, pan ddisgwylid i bob cwpl arwain yn ei dro. Bydd derbyniad brwd yn y gymuned i'r ddawns hon.

Y Triawdau: Dawns i bedwar a gyflwynwyd gan yr ymgeisydd hwn, dan y teitl addas, 'Mwyniant y Triawdau'. Hon yw'r ail ddawns ar y ffurf hon ac mae angen ychwanegu dawnsiau da ar gyfer ffurf 'dyn a merch bob ochr iddo', gan fod dawnsio yn y gymuned, ar y cyfan, yn apelio mwy at ferched nag at ddynion. Ceir yn y ddawns hon gylchu, gorymdeithio, a phlethu a gweu gydag amrywiadau ffres a'r cyfan wedi'i gyflwyno'n glir a phroffesiynol. Un sylw am newid amser: er mwyn dileu adlais o ddawns twmpath sydd yn ein casgliad eisoes, gellid hepgor symudiad barrau 1-4 yn A10 a chynnwys ynddo'r ddau symudiad o dan y bwa sy'n dilyn. Gellid ailadrodd y clapio yn 89.

Eiddo *Y Triawdau* yw'r ddawns orau yn y gystadleuaeth a haedda gael ei pherfformio yn y Neuadd Ddawns yn ystod wythnos yr Eisteddfod. Dyfarnaf £140 i *Y Triawdau*, gydag ail wobr o £60 i *Cofi*.

ADRAN DINISTR

Cyfansoddi Cân

BEIRNIADAETH BETHAN RICHARDS

Roedd hon yn gystadleuaeth o safon uchel, er mai dim ond un ymgeisydd a fentrodd gystadlu. Yn naturiol, roeddwn yn hynod siomedig nad oedd mwy o gystadleuwyr wedi rhoi cynnig arni.

Cyflwynwyd dwy ymgais deg iawn gan yr un cystadleuydd – dwy gân sydd yn wahanol iawn eu harddull ond eto'n meddu ar gryfderau unigol.

MP3 (a): 'Chwarae Efo'r Galon'. Cân fywiog gyda thempo rhwydd ac effeithiol. Cafwyd dechreuad da a oedd yn rhoi cyfle i'r cerddor adeiladu ar sylfaen gadarn. Trwy'r defnydd a wnaed o allweddellau a bas, daeth y gân yn fyw i'r glust. Roedd y pontio rhwng alaw syml y penillion a'r cytganau yn effeithiol tu hwnt, gan arwain y glust yn rhwydd i'r elfen nesaf o fewn y gân. Roedd y toriad offerynnol yn effeithiol hefyd, gyda symlrwydd yr alaw yn creu cyferbyniad perffaith i'r arddull ffync a welwyd yng ngweddill y cyfansoddiad. Byddai mwy o arddull fyrfyfyr yn yr alaw wedi dod â'r gân i *grescendo* naturiol ac effeithiol. Teimlaf hefyd fod y diwedd yn rhy bendant – byddai ymestyn y trefniant cerddorol wedi gweddu'r cyfansoddiad ac wedi hwyluso diwedd naturiol y gân. Mae'r geiriau'n adrodd stori bendant sydd yn datblygu drwy gydol y gân. Braidd yn ddiddychymyg yw'r odl ar adegau, gyda'r patrwm AABB yn gwneud y rhediad yn glogyrnaidd yma ac acw.

MP3 (b): 'Paid Edrych yn Ôl'. Cafwyd dechreuad hyfryd i'r gân hon a hynny'n pennu'r awyrgylch o'r munud cyntaf. Roedd symlrwydd y trefniant yn effeithiol tu hwnt gyda chordiau hyfryd yn cynnal yr alaw yn berffaith. Yn dilyn y dechreuad acwstig hwn, roedd y datblygiad naturiol gyda defnydd y bas, a'r curiad yn ddisgwyliadwy yn y gytgan, ac roeddwn yn hoff iawn o'r ffaith fod yr arddull acwstig yn ailymddangos yn yr ail bennill. Y disgwyl, felly, oedd y byddai datblygiad naturiol yn digwydd yn ystod gweddill y cyfansoddiad ond, gwaetha'r modd, ni chafwyd esblygiad o'r fath. Mae'r gân yn ei chyfanrwydd yn llawer iawn rhy strwythuredig, heb ddigon o ymgais i arbrofi gyda'r trefniant i greu cyfanwaith a fyddai'n gwneud cyfiawnder â'r brif alaw. Mae'r geiriau'n amlwg yn llawn teimlad ac yn adrodd stori deimladwy trwy gydol y gân. Ceir patrwm odl effeithiol ond gellid bod wedi ei amrywio ar adegau, gan roi cyfle i'r cyfansoddwr chwarae ar eiriau mewn rhai mannau. Ceir elfennau hyfryd iawn o fewn y gân ond, gwaetha'r modd, nid oes dim byd newydd yma. Pe bai'r cyfansoddwr wedi ceisio bod yn fwy arbrofol gyda'r trefniant, byddai hynny wedi codi'r naws yn gyffredinol. Wedi'r dechrau addawol, edrychais ymlaen i gael fy nhywys i rywle gan y gân hon ond aros yn fy unfan fu fy hanes!

Mae 'Chwarae Efo'r Galon' yn gân ysgafn a hwyliog ond â neges drist yn y geiriau. Mae'n llawn haeddu'r wobr gyntaf, gyda 'Paid Edrych yn Ôl' gan yr un ymgeisydd yn dynn iawn ar ei sodlau.

Cynllun ar gyfer cefnlen i lwyfan y Babell Ieuenctid ar unrhyw ffurf

BEIRNIADAETH LLINOS MAIR ROBERTS

Cystadleuaeth siomedig gan mai dim ond un ymgais a ddaeth i law, a darlun o'r gwaith gorffenedig a dderbyniwyd gan *Llanast* yn hytrach na'r cynllun y gofynnwyd amdano. Roedd y darlun yn ganmoladwy iawn a'r lliwiau'n drawiadol ac yn toddi i'w gilydd yn hyfryd. Mae symudiad cryf i'r gwaith, gydag adrannau celfydd a chynnil. Mae'r darlun wedi'i dorri'n chwe phanel ond gresyn nad oedd cyfarwyddiadau gyda'r gwaith i egluro'n hollol sut y dylid trefnu'r paneli i greu'r gefnlen orffenedig. Serch hynny, credaf y byddai'r hyn a gyflwynwyd yn gwneud cefnlen drawiadol iawn ond gan nad yw *Llanast* yn cwrdd yn llwyr â gofynion y gystadleuaeth, dyfarnaf iddo hanner y wobr, sef £75.